MindWorks

La práctica de la atención plena

Una guía para cambiar pensamientos, creencias y reacciones emocionales

Por

Gary van Warmerdam

Ilustraciones de Gabriel Manninen

Publicado por Cairn Publishing

Santa Barbara, California

Copyright 2016 de Gary van Warmerdam

Publicado en los Estados Unidos de América

ISBN: 978-0-9905846-3-6
Ilustraciones por Gabriel Manninen

Diseño de Potada y Arte por Raess Design www.RaessDesign.com

Foto del Autor por Alex Erotas

Agradecimientos

Un libro tiene un autor, pero no es creado por ese autor. Demasiada gente hace su aporte, influyendo tanto sobre ese autor como sobre el manuscrito, como para que una sola persona se lleve todo el mérito. Según he descubierto, un libro es creado por un autor sólo después que otros han depositado en él o en ella algo para compartir. Al menos, es así para mí. A todas aquellas personas mencionadas aquí, y a aquellas no mencionadas, que fueron o son parte de mi vida, educación y crecimiento, y que me ayudaron a convertirme en un mejor ser humano, muchísimas gracias por su contribución.

Los primeros a quienes debo agradecer son mis padres, Leo y Henny van Warmerdam. Estuvieron allí en el comienzo y, tal como suelen hacer los buenos padres, siguieron siempre allí dando de un modo u otro su apoyo.

Con su infinita sabiduría, paciencia y amor a lo largo de muchos años, Don Miguel Ruiz, mi mentor, cambió el modo en que comprendo el mundo. Son las enseñanzas de Don Miguel las que me ayudaron a formar el núcleo de lo que estoy compartiendo. A él, mi también infinito agradecimiento.

Mis especiales gracias a: George Kimeldorf, por persuadirme a arriesgarme a escribir un libro; Janelle y Neil Samples, por sus sugestiones y edición mejorando un trabajo aún en ejecución; Loma Huh, por su cuidadosa y paciente edición; Diana Tejeda y Diana Ferraro, por esta traducción al español.

Gracias a todos mis clientes a lo largo del tiempo por compartir y explorar conmigo cómo funciona nuestra mente y cómo podemos hacer que nuestra mente funcione mejor. Junto a ellos, pude practicar nuevos enfoques y técnicas, y mejorar el proceso.

Un especial agradecimiento a Lisa, mi esposa, que proveyó innumerables sugerencias para mejorar el libro y, en otras ocasiones, una silenciosa paciencia mientras yo estaba sentado frente a mi computadora portátil golpeando las teclas o mirando hacia dentro del mundo imaginado por mi mente.

Gary van Warmerdam

Contenido

Gary van Warmerdam

El camino para transformar creencias y emociones

Como seres humanos, vivimos en dos mundos. El primero es el externo, el mundo físico de la familia, los amigos, el trabajo y el medio ambiente. El segundo es el mundo interno de nuestra mente, la imaginación, los pensamientos, las emociones y las creencias: un mundo interno que puede parecernos tan real como el primero. Este libro es acerca de nuestro mundo interno y cómo cambiar lo que sucede en él.

Estos dos mundos no están separados – cada uno impacta al otro en todo momento. En particular, nuestro mundo interno influye de modo invisible en cómo experimentamos el mundo exterior que nos rodea y cómo nos relacionamos con él. Nuestra mente hiperactiva, manejada por nuestras creencias, puede sabotear nuestras relaciones y nuestros intentos de ser felices mientras nos tienta a echar la culpa a los demás por el resultado.

Nuestras creencias y pensamientos pueden convencernos de que no somos lo suficiente, que no merecemos felicidad y éxito o que somos un total fracaso.

El resultado es un cúmulo de innecesarias y desagradables reacciones emocionales que nos causan infelicidad.

Este mundo interno extrae su poder a partir de las creencias que adoptamos a través del curso de nuestras vidas. Observamos, evaluamos e interpretamos nuestro mundo y a nosotros mismos a través del filtro de nuestras creencias. Como este proceso transcurre constantemente y la mayoría de las veces a nivel inconsciente, tenemos poco control sobre él, hasta que traemos estas creencias al nivel de nuestra conciencia y comenzamos a cuestionar su validez.

De niños éramos naturalmente felices. Conforme fuimos creciendo, nuestras percepciones y experiencia se condicionaron por los valores, creencias y patrones emocionales que absorbimos de quienes nos rodeaban. Aprendimos a complacer a los demás y a buscar su aprobación; cuando lo conseguíamos, nos sentíamos amados y aceptados. También aprendimos a temer la crítica de los demás y a sentirnos heridos por ella.

A través de los años fuimos desarrollando nuestros propios pensamientos y creencias acerca de nuestro valor e importancia y adoptando patrones de conducta en consecuencia. Fuimos creando así nuestras propias emociones y reacciones emocionales basadas en nuestras propias creencias: si tenemos éxito o ganamos, nos sentimos bien con nosotros mismos; si fallamos, automáticamente nos sentimos mal con nosotros mismos. Desarrollamos una parte de nuestra mente para evaluarnos constantemente y determinar si somos suficientemente buenos o no durante el día. Nuestra mente genera automáticamente opiniones, pensamientos y respuestas emocionales, lo queramos o no. Por lo tanto, si queremos vivir una vida feliz y poder mantener esa felicidad, deberemos dar los pasos para liberarnos de estos patrones automáticos de pensamiento y de reacciones emocionales.

Este libro ofrece claras explicaciones a la vez que varias prácticas para ayudarlo a cambiar el funcionamiento de su mente. Una vez desarrolladas, podrá aplicar estas habilidades a cualquier situación durante el resto de su vida. Dentro de estas páginas encontrará y comprenderá de manera natural y sencilla:

- Cómo se forman las creencias.
- Por qué algunas de nuestras creencias son inconscientes y aun así afectan nuestros pensamientos, emociones y comportamientos.
- Ejercicios prácticos para identificar y efectivamente cambiar esas creencias.
- Cómo enfocar su atención y perspectiva de forma que pueda reducir y eliminar sus reacciones emocionales innecesarias.
- Cómo inventariar y organizar sus creencias de manera de no sentirse abrumado y confundido por sus reacciones emocionales y pensamientos y comportamientos contrapuestos.
- Cómo recuperar el poder personal perdido a raíz de sus creencias y de las innecesarias reacciones emocionales por ellas creadas.
- Por qué usted siente lo que siente y las herramientas para realizar los cambios en usted mismo.
- Por qué muchas técnicas de autoayuda u otros intentos para cambiar, son a menudo poco efectivos o empeoran las cosas, y cómo evitar esas trampas.

A lo largo del libro utilizo ejemplos de la vida real extraídos del trabajo con mis clientes, para ejemplificar cómo funcionan las creencias y cómo los procesos descritos aquí pueden ser aplicados efectivamente para lograr cambios reales y duraderos. Lo que no encontrará aquí es la propuesta trillada de ir simplemente al lugar interior "de la felicidad". No se trata de proyectar pensamientos positivos y afirmaciones optimistas como una solución superficial para cambiar sus emociones. Si fuera así de simple, ya habría funcionado. En lugar de eso, le mostraré cómo identificar y desmantelar esas creencias preexistentes que disparan reacciones emocionales dolorosas y que interfieren con su disfrute de la vida.

El último capítulo lo animará a emprender la tarea de cambio por delante y las recompensas que esto conllevará. Cuando eliminamos nuestras falsas creencias basadas en el miedo, encontramos otra dimensión en nuestro mundo interno. En un estado mental libre de miedos y falsas creencias, nuestro mundo interno es pacífico y emocionalmente bello. Desde este estado mental percibimos el mundo exterior como es y a la gente como es, sin el filtro de los pensamientos negativos. Liberados de la capa distorsionante de falsas creencias, nuestros ojos pueden ver claramente y podemos percibir la belleza que existe en todo. Más importante aún, somos capaces de percibir la belleza y el amor dentro de nosotros mismos.

Una invitación

La vida está llena de experiencias diversas, retos y sorpresas. No se puede moldear todo en la vida y menos a uno mismo, para encajar con las esperanzas, metas o expectativas personales. Si usted basa su felicidad en que se den ciertas condiciones ideales, se desilusionará y sentirá temor. Sus emociones dependerán de factores fuera de su control. Eventos externos, otra gente y sus propios juicios acerca de usted mismo determinarán cuánto amor, aceptación y felicidad podrá experimentar. Aun en sus momentos de triunfo, sentirá la necesidad de controlar los factores externos y a la gente, por miedo a perder lo ya conseguido. Sus intentos de felicidad y disfrute de la vida serán infructuosos y podrían llegar a ser incluso irrespetuosos o abusivos tanto con otras personas como con usted mismo.

Sin embargo, si usted elimina las falsas creencias que componen los pensamientos negativos, las críticas, los miedos y los patrones que causan sus reacciones emocionales, eliminará también mucho de su infelicidad. Conforme vaya aprendiendo a crear sus propias emociones, independientemente de los eventos externos, ya no tendrá límites en la cantidad de amor, aceptación y respeto que pueda experimentar. El resultado es que su amor y felicidad se expandirán más allá de lo que usted puede hoy imaginar.

Lo que usted tiene en sus manos es una guía, un manual con instrucciones paso a paso para identificar y cambiar las creencias que son la fuente de los pensamientos negativos y de las emociones y comportamientos destructivos. Aun cuando se ha tenido mucho cuidado en explicar detalladamente lo que sucede en su mente para ayudarlo a entender lo que hay detrás de sus reacciones emocionales, éste no es el valor más grande del libro. El beneficio real vendrá al practicar los ejercicios provistos para que su perspectiva y sus pensamientos y patrones emocionales cambien.

Lo que se encuentra frente a usted es un extraordinario viaje para reclamar el mundo interno de su mente. Le deseo felicidad durante el trayecto y la felicidad como destino final.

Usted podrá encontrar otros recursos valiosos, incluyendo videos y audios con más ejercicios detallados y prácticas útiles para su viaje en www.PathwayToHappiness.com

Capítulo 1

Nuestras creencias afectan nuestras emociones

Si ha existido alguien con el potencial para ser exitoso y feliz, ese era Bill. Mientras iba creciendo en Fort Lauderdale dentro de una familia amorosa, Bill era catalogado como "especial", "talentoso", "brillante"; todos adjetivos que regularmente describen a los que logran grandes cosas dentro de nuestra sociedad. Sin embargo, vivir al nivel de ese estándar llegó a ser una gran carga para Bill y una fuente de estrés constante. Llegó a temer no poder alcanzar esas expectativas, y trabajó muy duro para cumplir con ellas.

En lugar de disfrutar sus días en la universidad, Bill se sentía presionado a obtener las calificaciones que le permitirían entrar a la escuela de Medicina, algo que él realmente deseaba. Tenía frecuentes dolores de cabeza por el estrés, y era totalmente infeliz. Bill racionalizaba que la infelicidad era temporal e inevitable, el precio a pagar por un éxito excepcional. "¿Quién no sería desdichado en esta situación?" pensaba Bill, justificándose.

Ser aceptado en la escuela de medicina fue un respiro, pero no fue así el empezar a estudiar en ella. Los horarios eran brutales, y sus dolores de cabeza continuaron. Luego vino la Residencia, con su pesada carga de trabajo y el abuso verbal de los superiores, lo que agobió aún más a Bill. Con más razón, volvió a racionalizar: "Todos los Residentes son desdichados". Se convenció a sí mismo que seguramente encontraría paz y felicidad en el futuro, tan pronto como terminara su entrenamiento.

Aunque no estaba entre los primeros de su clase, Bill era muy bien considerado por sus profesores e incluso por sus compañeros, quienes votaron por él como "alguien muy posiblemente destinado a ser un médico de primerísimo nivel". ¡Si tan sólo él hubiera podido compartir esa confianza! Muy dentro de él, Bill sabía que terminaría decepcionando a todos.

Varios años después, ya casado y con dos hijos pequeños, aceptó un cargo en una clínica privada mediana. El trabajo en la clínica era febril y agotador, pero Bill se convencía diciéndose que estaba entrenado para seguir ese ritmo. Continuó siendo admirado por sus compañeros de trabajo, pacientes y comunidad. Después de cinco años, lo eligieron como Director de Cardiología de su grupo, ahora compuesto por cincuenta y cuatro personas. Conforme el pedestal se iba agrandando, aumentaba su miedo a que descubrieran que no era tan competente o listo como creían que era. Se sentía como un impostor y un fraude, temeroso de que lo descubrieran.

A pesar de todo su éxito externo, la desdicha lo perseguía. Los dolores de cabeza por estrés empeoraron y llegó a tener depresión clínica. Buscó ayuda de psiquiatras y psicólogos que le dijeron que tenía un desbalance químico y que necesitaba medicamentos. Para Bill, su infelicidad crónica no tenía sentido – no tenía una razón para estar deprimido, y ciertamente no tenía una deficiencia de Prozac. Se llegó a convencer de que la presión de su trabajo era la fuente de su depresión y desdicha, y renunció.

Comenzó entonces su práctica privada de cardiología en una pequeña ciudad. Era un ambiente agradable, con menos presión, pero por alguna razón sus emociones no cambiaron. Empezó a pensar entonces que era su situación en casa la que le causaba el sufrimiento y que, para encontrar paz y felicidad, debía abandonar a su esposa y familia. Solicitó el divorcio y alquiló un departamento en un vecindario de moda en la ciudad, pero, para su sorpresa, su tristeza lo siguió. Frustrado por su incapacidad para controlar sus emociones, Bill se sentía un fracaso.

Bill buscó varias alternativas para lidiar con sus emociones y estrés. Tomó clases de Yoga y meditación y leyó un libro de autoayuda tras otro. Empezó a notar algunos cambios y se sintió esperanzado, pero la depresión persistía. Incluso fundó una clínica holística. A menudo sus pacientes veían resultados, pero él se sentía desilusionado con su propia falta de progreso y cambio. Adicionalmente, administrar y financiar la clínica era otra fuente de parloteo estresante en su mente. Cuando fue demasiado para soportarlo, cerró la clínica – y las voces en su cabeza repicaron con más acusaciones acerca de su fracaso y sus escasos méritos.

Una mañana, al mirarse en el espejo, sintiéndose herido y agotado, Bill se dio cuenta de algo. Había dejado atrás todas las circunstancias que había creído eran las causantes de su infelicidad profunda y, aun así, ésta seguía allí. No había nada más a lo que echarle la culpa que a él mismo. Tal vez todos los años de desdicha tenían más que ver con él que con las circunstancias. Conforme fue mirando en su interior, descubrió que había albergado un muy arraigado e invasor juicio crítico de su persona y cierto odio hacia sí mismo. Se había estado juzgando constantemente por todo, incluyendo las emociones que sentía, aun cuando sus juicios no tenían ninguna base en la realidad.

Las emociones negativas que había sentido no eran realmente el problema – eran un síntoma causado por algo más actuando dentro de él. La respuesta parecía estar en disminuir sus propios pensamientos negativos acerca de sí mismo y sus juicios acerca de sus reacciones emocionales.

La infelicidad de Bill parecía misteriosa, tanto para él como para los que lo amaban y admiraban, aunque esto es típico de muchas personas exitosas. Pensamos, "Lo tienen todo, deberían ser felices". Sin embargo, muchas personas exteriormente exitosas – doctores, ejecutivos, artistas o atletas – han logrado sus metas solo para terminar sintiéndose insatisfechos, deprimidos e incluso suicidas. Todo esto les agrega una capa más al sentimiento de fracaso, ya que no pueden ser felices bajo circunstancias que en teoría deberían hacerlos sentir así. Lo que esto nos dice es que las circunstancias externas no son la principal fuente de esas emociones.

En realidad, la felicidad de una persona está determinada por factores internos, dentro de su mente. Estas causas internas incluyen los pensamientos negativos, opiniones, críticas, juicios y creencias que la persona tiene. A menos que la persona se encargue de estos factores y desarrolle un sistema de creencias sano, el éxito exterior será emocionalmente vacío y el individuo estará continuamente persiguiendo la siguiente meta o preguntándose. "¿Es esto todo lo que hay?".

Controlar el mundo externo no ofrece ninguna defensa contra la infelicidad que creamos en nuestra mente.

El mundo interno de la mente afecta inmensamente el cómo nos sentimos. Controlar el mundo externo no ofrece ninguna defensa contra la infelicidad que creamos en nuestra mente. Como Bill, podemos ser exitosos en nuestra esfera, ganar mucho dinero, recibir reconocimientos de nuestros pares, tener una esposa maravillosa y una familia que nos ame y, aun así, ser infelices. Es posible que por este motivo nos dirijamos entonces hacia aquellos programas de autoayuda o desarrollo personal que nos sugieren que mejoremos nuestro mundo exterior tomando control de nuestra vida y conectándonos con las cosas que nos apasionan. Pero, a menos que nos encarguemos de las causas internas de nuestra infelicidad, muy probablemente no experimentaremos la satisfacción y alegría que buscamos.

Cambiar nuestras creencias y juicios no es algo simple, ya que los hemos ido acumulando a través de nuestra vida. De niños, no nos enseñaron cómo operan nuestras emociones, pensamientos y creencias. No recibimos ningún entrenamiento en cómo monitorear el funcionamiento de nuestra mente, o cómo realizar cambios en aquellas cosas que determinan nuestra conducta. Aun sin guía y entrenamiento, nos damos cuenta a menudo de que nuestras reacciones emocionales no tienen sentido. Pero cuando intentamos modificarlas – tal vez usando nuestra fuerza de voluntad para cambiar o utilizando técnicas de las que hemos escuchado hablar – no lo logramos. Entonces aprendemos a reprimir o rechazar nuestras emociones a lo largo de nuestra vida, tal y como Bill lo hacía, especialmente si las emociones no coinciden con lo que pensamos "deberíamos" sentir.

Las emociones de Bill le estaban diciendo que necesitaba cambiar algo. Pero él no sabía que lo que tenía que cambiar lo encontraría mirando dentro de su sistema de creencias y no en el mundo exterior.

Emociones basadas en el mundo interno

Un sencillo ejemplo puede ilustrar la forma en que nuestro sistema de creencias afecta nuestras emociones. Bernadette se despierta un sábado por la mañana y descubre que el cielo está cubierto por nubes oscuras y que la lluvia está enlodando el patio trasero. Ella se maravilla con el riego que la tierra está recibiendo, los vívidos tonos verdes al irse limpiando las hojas, el brillo de la luz reflejado en cada gota. Bernadette está tan deleitada con esta muestra de la naturaleza, que incluso correrá descalza hacia afuera y se sentirá feliz de empaparse con la lluvia.

Mientras tanto, en la casa de al lado, Brigitte se despierta con el mismo clima y está desolada. Su mamá le pregunta por qué está tan triste. Brigitte le contesta que es por la lluvia: "Es tan deprimente".

Aquí vemos un mismo evento, una simple lluvia, generando dos reacciones emocionales muy diferentes. Ambas, Bernadette y Brigitte, dicen: "El clima me hace sentir…". Pero Bernadette contesta "dichosa", mientras que Brigitte dice "triste". ¿Qué provoca que el clima cause en algunas personas dicha, mientras que a otras les causa tristeza? La respuesta es nada: el clima en sí mismo no provoca ninguna emoción. ¡El clima es, justamente, el más impersonal de los eventos! Aun así, ambas personas verán el evento externo, notarán su sentimiento e inconscientemente asumirán que hay una relación causa-efecto.

Ambas creen que el clima causa sus emociones, pero ninguna se explica el cómo. Cada una asume que esta circunstancia externa genera esos sentimientos. Pero si la causa de sus sentimientos fuera realmente el clima, todo mundo respondería de la misma forma. La lluvia no podría generar emociones de felicidad en una persona y tristeza en otra. Debe haber, entonces, otros factores actuando por detrás.

Bernadette interpreta la experiencia de la lluvia de una forma; Brigitte tiene una interpretación diferente, e inclusive, culpa a la lluvia por arruinar su día. La experiencia emocional de cada una de las jóvenes se deriva de su interpretación y sus creencias acerca de la lluvia, y no de la lluvia en sí. La lluvia es sólo un disparador de sus historias personales y sus experiencias emocionales.

El evento emocional se parece más a esto:

El clima
(Disparador proveniente del mundo externo)
↓
Creencias, interpretaciones, pensamientos
(Reacción del mundo interno)
↓
Emociones

El mundo interno crea la mayoría de nuestras emociones

Veamos otro ejemplo. La gente típicamente asume que ser despedido es motivo suficiente para sentirse desdichado. No hay duda de que los eventos externos *influyen en* nuestras emociones, pero hay algo más detrás. Muchos de esos sentimientos dolorosos son realmente creados por nuestra propia autocrítica y nuestras creencias acerca de lo que representa ser despedidos.

Supongamos que usted fue despedido de su trabajo. Ese día y los días siguientes usted siente que es la peor experiencia de su vida. Puede llegar a creerse un total fracaso o sentirse más bien una víctima, acusando con enojo a su ex jefe o a la compañía. La forma en la que usted responde a esta circunstancia está ampliamente determinada por lo que usted se dice a usted mismo – y lo que usted se dice a usted mismo tiene origen en sus creencias.

Si el evento en sí mismo fuera realmente la raíz de nuestras emociones, entonces todos los que han sido despedidos tendrían la misma experiencia emocional. Pero no es así. Una persona puede reaccionar al ser despedido sintiéndose no merecedor, sin esperanza y deprimido porque tener un trabajo forma parte de su sentido de autovaloración. Algún otro puede sentirse enojado porque interpreta el despido como una injusticia. Otro individuo se sentirá aliviado y lo vivirá como una liberación porque esto le abre la puerta para hacer los cambios que siempre había querido hacer. Y también otra persona podría responder con miedo porque su mente se enfoca en cuestiones tales como alimentar a su familia o preocupaciones relacionadas con perder su seguro de salud.

Así es que hay algo más en la ecuación que nos ocasiona a nosotros, sentir lo que sentimos, y a otros, sentir lo que sienten. Cuando atribuimos nuestros sentimientos a factores externos, tendemos a ignorar las creencias que están en la raíz de muchas de nuestras emociones. Nuestras creencias determinan el significado que le damos a un evento, lo que a la vez influye en nuestra experiencia emocional de la situación.

Imagine que han pasado algunos años desde que lo despidieron. Ha encontrado algún otro trabajo o iniciado su propio negocio. Su vida ha mejorado inconmensurablemente, y ahora usted ve el evento como aquello que lo impulsó a la nueva vida que sólo imaginaba en sus sueños. Ahora usted puede ver hacia atrás aquel evento con aceptación, e incluso gratitud. Los hechos históricos y reales alrededor del ser despedido permanecen iguales, pero la interpretación del significado ha cambiado. Por lo tanto, sus emociones son diferentes.

Si las circunstancias externas realmente crearan nuestras emociones, todos reaccionaríamos de la misma forma a una circunstancia dada. Pero sabemos que eso no funciona así. Vamos a ver una película con amigos y a ellos les encanta, mientras que nosotros la odiamos. Una persona hace un comentario que nos parece chistoso, mientras que a otros los ofende. ¿La película era buena? ¿El comentario realmente fue chistoso u ofensivo? Eso depende más del sistema de creencias que cada persona utiliza para interpretar sus experiencias.

A veces conseguimos que la gente esté de acuerdo con nuestras opiniones y reacciones, haciendo más difícil que las veamos cómo creencias modificables. Buscamos amigos o "autoridades" que validen nuestra versión del evento. Los expertos podrían decir que lo que sentimos es "completamente normal", confirmando que nuestros pensamientos y creencias representan la verdad. Estos sugieren que una persona que ha sido "despedida" debe sentirse naturalmente deprimida, no merecedora, enojada, etcétera. Su mensaje confirma que las circunstancias son las que nos hacen sentir como nos sentimos, e ignora el rol de nuestras creencias. Mientras que tal vez sea cierto que esto es lo que la mayoría de la gente siente, eso no es por el evento en sí. Es porque la mayoría de la gente tiene similares creencias emocionales y similares interpretaciones, y así termina creando emociones similares. Responder a esa situación con enojo o depresión puede ser común, pero no es requisito, ni tampoco es la única forma de responder.

Thomas Edison experimentó numerosas fallas en su intento de construir un foco eléctrico, pero su interpretación fue: "No he fallado. Sólo encontré 10,000 formas que no funcionan". Su actitud emocional era claramente independiente de los eventos externos de éxito o fracaso y más dependientes del significado interno que él había creado.

Mucha gente nunca supera una experiencia dolorosa. Están tan apegados y controlados por sus creencias que mantienen el rencor y resentimiento hasta el día en que mueren. Para ellos todavía parece que el evento causó sus emociones y aún lo sigue haciendo décadas después. La verdad es que la que no ha cambiado, es la historia en su mundo interno. Con conciencia y práctica podemos llegar a ser flexibles y cambiar nuestras opiniones y creencias a voluntad, aun las que están relacionadas con experiencias negativas. Al cambiar estas creencias, podemos cambiar el cómo nos sentimos acerca de las cosas del pasado y del presente. También podemos aprender a adoptar perspectivas que nos ayudarán a evitar reacciones emocionales innecesarias desde un principio. El resultado es el dominio de nuestras emociones.

Gary van Warmerdam

Capítulo 2
El cambio: más que un proceso intelectual

Lo que he explicado hasta ahora puede parecer obvio. Es muy fácil darse cuenta de que los temas emocionales tales como la ansiedad, el miedo, la inseguridad, la ira, los celos, la depresión y otros semejantes, son el resultado de lo que ocurre en nuestra cabeza, y que todas esas condiciones emocionales contribuyen a nuestra infelicidad. Sin embargo, *saber* que lo que ocurre en nuestra cabeza necesita cambiar y *cambiarlo* son dos cosas muy distintas. Etiquetar el problema, no es lo mismo que tratarlo.

Cuando vemos el problema por primera vez – que nuestros sentimientos son causados por nuestros pensamientos y creencias – la solución puede parecer simple: con sólo cambiar nuestros pensamientos negativos, las reacciones emocionales se irán. Esta evaluación inicial del desafío crea un plan ingenuo, reforzado por la expectativa de que el cambio será fácil. Tenemos una idea de cómo "deberíamos ser" diferentes, así que tratamos de amoldar nuestros pensamientos en consecuencia. Pero nuestros pensamientos, emociones y comportamientos no parecen cambiar. Nuestros patrones habituales de pensamiento están profundamente arraigados y tienen más niveles de los que nos damos cuenta. Así que nuestros intentos superficiales para cambiar aquellos que hemos reconocido inicialmente, son ineficaces y el plan se nos vuelve en contra.

Nuestra mente – la misma que está malinterpretando las cosas – descifra esto como nuestra propia falla al ejecutar, y nos juzga entonces por fallar en lograr el cambio de nuestros pensamientos negativos. Nuestro fallido intento dispara así nuestra creencia autocrítica y terminamos sintiéndonos peor que antes de intentar el cambio. Esto puede ser desalentador y desmotivador.

Si un niño intentara volar saltando desde un árbol y aleteando con sus brazos, ¿lo regañaríamos por fallar al intentarlo o por no aletear sus brazos lo suficiente? No. El problema fue que sus expectativas eran poco realistas. Su creencia en que podría volar fácilmente era falsa. De forma similar, nuestro fracaso al intentar cambiar nuestros pensamientos es en realidad un fracaso por tener expectativas poco realistas.

Una lección aprendida aquí es que el subestimar la tarea del cambio de un pensamiento negativo, nos puede causar frustración innecesaria y puede ser perjudicial para nuestro éxito. Hay mucho más en este proceso de cambiar nuestros pensamientos negativos de lo que creemos. Otra lección es que con sólo ejercer nuestra fuerza de voluntad para cambiar, no es suficiente. Para lograr nuestras metas, necesitamos herramientas y técnicas eficientes.

Algunos pensamientos negativos no ceden

Usemos de nuevo el ejemplo de Bill, para entender por qué algunos pensamientos y patrones emocionales no parecen ceder tan fácilmente. Al darse cuenta de que el problema estaba dentro de él, Bill lee algunos libros de autoayuda y se entera de los efectos que tienen sus pensamientos y juicios en sus emociones. Intelectualmente, él *sabe* que sus reacciones emocionales y sentimientos de felicidad y realización no dependen del éxito, fracaso o factores externos. Él *sabe* que lo que ocurre en su mente tendrá un impacto duradero en su felicidad. Entonces, ¿por qué no puede cambiar su mente y obtener la paz y la felicidad que él busca? ¿Por qué continúa atrapado en el trabajo y el éxito, preocupado por lo que otros piensan de él, o por alguna otra dinámica emocional? Hay un buen número de razones para ello.

En primer lugar, las creencias de Bill han estado allí desde hace mucho tiempo, y principalmente, él no está consciente de ellas. Bill detecta su infelicidad, pero su atención permanece en las circunstancias, no en sus creencias. No ve su mundo interno y lo que éste le impulsa a hacer. Creció con estas creencias, que han sido reforzadas por cientos, incluso miles, de interacciones con sus padres, maestros, hermanos, líderes religiosos y otras autoridades. Además, cada vez que él se repite que será más feliz cuando sus circunstancias cambien, sus creencias son reforzadas. Estas creencias arraigadas profundamente, no se pueden eliminar simplemente introduciendo una idea opuesta.

En segundo lugar, sus creencias y argumentos acerca de conseguir la felicidad a través del éxito externo, son continuamente reforzados por el mundo que lo rodea. Los expertos de autoayuda y la gente que promueve los programas de fórmulas para el éxito, insisten en que hay que establecer metas y luego perseverar hasta conseguirlas. Casos seleccionados con mucho cuidado dan crédito a este mensaje. Si alguien más consiguió el éxito y logró la felicidad de esta forma, esto también debería funcionar para usted. Ya que esto coincide con sus mismas creencias preexistentes acerca de la felicidad, Bill usa esta información para fortalecer su sistema de creencias.

Cuando Bill finalmente decide cambiar sus creencias para cambiar sus emociones, se enfrenta con su mundo interno de creencias que le dice que ese no es el camino correcto, que no tiene sentido y que no funcionará. Los pensamientos que se originan en sus creencias actuales le dicen que tiene que ser un éxito para sentirse bien, así que no debería molestarse en cambiar su forma de pensar sino sólo en regresar a trabajar y esforzarse aún más. Esta es la lucha dentro de su mente: el nuevo paradigma que intenta adoptar está en conflicto con su actual sistema de creencias y éste genera pensamientos negativos acerca de esta propuesta diferente.

Como iré señalando periódicamente, leer libros de autoayuda a menudo resulta insuficiente en la tarea de cambiar los muy arraigados y auto-reforzados patrones de creencias de la mente. Para las creencias simples, estas prácticas tal vez funcionen, pero para creencias más complejas, se requieren un enfoque diferente y una serie de prácticas.

El condicionamiento social de nuestras emociones

Existe una razón principal para que ciertos pensamientos, creencias y patrones emocionales sean muy difíciles de cambiar. Bill fue condicionado para tener ciertos comportamientos y pensamientos, de la misma forma en que los perros de Pavlov fueron condicionados a responder al sonido de una campana. Cuando repetidamente al sonido de la campana le seguía inmediatamente la aparición de comida, los perros de Pavlov empezaban a salivar cuando escuchaban la campana. El patrón fue reforzado hasta que llegó a ser la respuesta natural de su sistema nervioso inconsciente.

Aunque tal vez no intencionalmente, un proceso similar se llevó a cabo en la crianza de Bill. Cuando era pequeño, a Bill se le premiaba con atención y elogios cuando hacía lo que los otros querían. Cuando ya hablaba, empezaba a moldear su comportamiento y observaba las reacciones de sus padres para retroalimentarse. Los elogios y sonrisas de sus padres reforzaron ciertas acciones, desarrollando patrones de comportamiento y creencias acerca de lo que era aceptable. Al ganar su aprobación, Bill se formó una autoimagen positiva que le generaba emociones placenteras y felicidad. Más adelante, se esforzó en ganar elogios de maestros y figuras de autoridad, e incluso de sus colegas, para asegurarse de que lo considerasen exitoso. Su mente aprendió a asociar el detonante de logros con las emociones placenteras. Con el tiempo y muchas repeticiones, estas emociones se hicieron automáticas y se presentaban más rápido que un pensamiento. Bill también desarrolló una imagen positiva de él mismo con la que se identificaba. Cuando estaba en esta perspectiva positiva, le desconcertaba el por qué a veces se sentía desdichado o mal consigo mismo.

El mismo condicionamiento automático sucedía con sus emociones negativas. Cuando Bill fallaba en cumplir con las expectativas de los demás, lo regañaban, castigaban, rechazaban o avergonzaban. Con el tiempo y muchas repeticiones, su mente aprendió a infligirle los mismos castigos y rechazo cada vez que fallaba en algo. Con esta historia, la mente de Bill creó una autoimagen de fracaso. A veces esta imagen parecía ser su única identidad. Su mente lo etiquetaba como no merecedor y producía las emociones que correspondían a estas creencias. Aun cuando a Bill le fuese bien y lo elogiasen, su mente albergaba la creencia opuesta de ser un fracaso. De esa creencia emergían pensamientos como: "Si tan sólo supieran que no soy tan listo o bueno como ellos creen". Su dialogo interno rechazaba los elogios y reforzaba el paradigma de autocrítica en esos momentos.

El resultado de todo esto es que Bill tiene una convicción interna de no ser lo suficientemente bueno, así como un grupo de creencias que le da una autoimagen positiva. Estas son dos identidades contrapuestas dentro de su propia mente, cada una con sus propias emociones automáticas. Bill no es consciente de estas creencias acerca de su identidad, y por lo tanto tiene idea de cómo afectan sus pensamientos y emociones o del conflicto que generan. Aunque haya muchas emociones positivas, raramente se las puede apreciar. El dolor agudo de las emociones desagradables ahoga las emociones placenteras que están por debajo, de la misma forma en que al golpearnos un dedo, nos resulta complicado darnos cuenta de lo sano que se encuentra el resto de nuestro cuerpo.

Internamente, las emociones dolorosas de Bill son sentidas con mayor intensidad. Están allí la autocrítica de ser un fracaso, la culpa por los elogios no merecidos, el miedo de fallar y la ansiedad acerca de ser descubierto como un impostor y lejos de ser tan bueno como otros creen. Muchas repeticiones lo han entrenado a mirar sus circunstancias externas y a tomar en cuenta las opiniones de los demás como la fuente de sus emociones. Así es que Bill se esfuerza en proyectar su autoimagen positiva a otros, agotándose hasta quedar exhausto. A pesar de todo, sus emociones positivas se vuelven cada vez más escasas conforme va envejeciendo y las negativas las van ahogando.

Si el juego de reforzamiento positivo no fuese mantenido en movimiento, tal vez Bill se sentiría lo suficientemente mal como para mirar adentro y ver qué es lo que está pasando. No obstante, algunos pequeños triunfos ocasionales le permiten ganar suficiente aprobación para continuar reforzando el patrón de que el logro y las opiniones de los demás, determinan su felicidad. Entonces, a pesar de sentirse desdichado, él continúa albergando la esperanza de que, algún día, las cosas serán mejores. Esa esperanza persistente es lo que motiva a Bill a cambiar todo lo externo de su vida sin mirar adentro de sí mismo.

El reforzamiento repetido es lo que fortalece un sistema de creencias, tanto que requiere mucho trabajo adoptar un comportamiento o estado emocional que contradiga la respuesta automática. Cuando una respuesta condicionada se deja de reforzar, naturalmente se extinguirá con el tiempo. Después de un tiempo, si la comida no sigue después de la campana, el perro dejará de salivar con el sonido. Sin embargo, si la respuesta condicionada es reforzada *intermitentemente*, puede ser sostenida indefinidamente. Por ejemplo, si al perro se le da comida esporádicamente después de oír la campana, seguirá salivando cada vez que la escuche. De la misma forma, cuando Bill consigue un triunfo, se siente bien momentáneamente, lo que refuerza su asociación inconsciente del éxito externo con emociones placenteras.

La verdadera fuente de la felicidad de Bill en esos momentos, es su expresión de sentimientos positivos acerca de si mismo bajo la forma de amor, aprobación, auto-aceptación y auto-respeto. El problema es que él fue condicionado a sentir estas emociones sólo cuando su mente le dice que ha logrado algo que vale la pena, algo externo – cuando se lo ha "ganado" – y estas condiciones basadas en creencias raramente se cumplen. Además, cuando él empieza a sentirse bien, sus creencias de no ser merecedor inmediatamente rechazan el paradigma, diciéndole que es un impostor y le inyectan el miedo a ser descubierto.

Después de toda una vida de experiencias reforzadoras, la mente de Bill produce ciertas respuestas emocionales automáticamente, y precisará más que una idea intelectual para cambiar este patrón. Precisará más que leer algunos libros de autoayuda con grandes ideas para cambiar las respuestas emocionales generadas automáticamente. Aun la experiencia de no obtener comida cuando suena la campana algunas veces, no es suficiente para impedir a los perros de Pavlov el salivar. Lo que se requiere para cambiar la respuesta emocional es reentrenar las respuestas condicionadas y automatizadas de la mente.

Las creencias distorsionadas, distorsionan nuestro entendimiento del proceso

Otro de los obstáculos en el cambio de nuestras creencias, es que las creencias distorsionan cómo vemos las cosas. Las creencias forman imágenes en nuestra mente que hacen que las cosas que son falsas parezcan verdaderas, y que las verdaderas parezcan falsas.

En efecto, nuestra respuesta emocional no siempre depende de si algo es o no real. Nuestra respuesta emocional depende de si *creemos* que es real. Desarrollar la conciencia que nos permita elegir si creemos o no en los pensamientos o imágenes que proyecta nuestra mente, es una parte importante para cambiar nuestras reacciones emocionales.

Nuestra mente a menudo usa nuestras respuestas emocionales como evidencia de que nuestras creencias son verdaderas. Cuando interrogado por un cónyuge acusador, el acusado pregunta: "¿Por qué crees que te estoy engañando?", el acusador responde, "Porque *siento* que lo estás haciendo". Este es un caso de falsas creencias que generan una emoción real, y la emoción está siendo utilizada como evidencia para sostener la falsa creencia de la que surgió.

Algunas propuestas intentan cambiar estas emociones adoptando un pensamiento opuesto como reemplazo. En algunos casos esto funciona; sin embargo, también puede causar mayores problemas. Ese tipo de propuesta puede dejar el pensamiento original en su lugar, sólo enmascarándolo. Esto puede hacer más complicado encontrar las creencias centrales que generaron las emociones originalmente.

Estas propuestas de pensamiento positivo pueden fallar también por nuestra autocrítica. A veces, cuando afirmamos un pensamiento positivo, otra parte de nuestra mente salta criticando esos comentarios, sugiriendo: "Realmente no crees eso. Es estúpido. Sólo te estás engañando si crees que eso tendrá algún efecto". A menudo, crear un pensamiento contrario no sirve para trabajar sobre una creencia más grande. Entonces la persona se arriesga una vez más a sentirse como un fracaso, cuando en realidad sólo trató de aplicar una técnica inadecuada.

Los pasos para la felicidad interior: cambiar las falsas creencias

Cambiar las creencias no es tan fácil como creemos. Pensar es una actividad a nivel superficial, mientras que las creencias están profundamente incrustadas en nuestra mente y se ejecutan automáticamente. Es simple decirnos que dejemos de tener pensamientos negativos o que dejemos de imaginarnos un escenario terrible – y otra cosa es lograrlo.

Nuestra mente es compleja: hace un sorprendente número de asociaciones cada minuto, particularmente en el ámbito emocional. Estamos familiarizados con la habilidad de la mente para pensar, procesar información y relacionar conceptos, pero no estamos tan familiarizados con cambiar lo que la mente hace. Cambiar sistemas de pensamientos, creencias y patrones emocionales requiere más que simplemente decirnos a nosotros mismos de tener pensamientos felices. Si fuera tan simple, ya le hubiera funcionado a todos los que lo han intentado.

Los siguientes capítulos están dedicados al entendimiento de sus creencias y a aprender el uso de herramientas prácticas para controlarlas. Considere esto como aprender a manejar un coche. Para poder controlarlo usted debe poder controlar varios elementos: el volante, el freno, las luces, el pedal de velocidad, los botones de control de crucero, etcétera. Nuestras creencias están similarmente compuestas por elementos fundamentales – perspectiva, atención, pensamientos y poder personal. Para poder controlar nuestra mente debemos aprender a controlar cada elemento. Cuando usted tiene un hábil control sobre los diferentes elementos, puede cambiar el mundo interno de creencias a voluntad y, por lo tanto, también las emociones que resultan de ellas. Esto se diferencia ampliamente del entrenamiento automático que ha recibido nuestra mente y que nos deja reaccionando emocionalmente a cualquier cosa que ésta proyecta.

La propuesta que presento en este material es sistemática y meticulosa. Incluye varias prácticas con las que usted podrá trabajar. Estas prácticas pueden parecer incómodas al principio y tal vez sienta cierta resistencia a hacerlas. Lo mismo le podría pasar si fuera al extranjero y tuviera que manejar del lado opuesto de la calle. Con la práctica, llega a ser más fácil y la habilidad se desarrolla. Leer este material y absorberlo intelectualmente puede ayudar, pero usted obtendrá el mayor beneficio al practicar los ejercicios. Practicar regularmente ayudará a remover de su mente los condicionamientos automáticos y le dará mayor control sobre su mente, sus emociones y su vida.

Gary van Warmerdam

28

Capítulo 3

Comprendiendo las creencias

Con un solo pensamiento, nuestra mente puede crear un mundo completo. La siguiente historia ilustra los modos en los que nos rodeamos de pensamientos e interpretaciones basados en creencias. Si usted logra ver como otras personas estructuran sus creencias y las consideran realidad, entonces tendrá la capacidad de percibir como su propia mente hace lo mismo. También puede volverse consciente acerca de cómo mezclamos hechos con falsas creencias. Más adelante, veremos más de cerca las creencias que generan pensamientos y emociones negativos y cómo influyen sobre la autoimagen. Estas creencias son más difíciles de ver con claridad como separadas de la realidad porque son muy personales. Este ejemplo es un buen punto de inicio porque usa creencias acerca de cómo funciona el mundo.

> *Dos tipos están sentados en un bar en la Alaska profunda y desolada. Greg es religioso, Al es ateo y ambos discuten acerca de la existencia de Dios con esa intensidad especial que surge después de la cuarta cerveza.*
>
> *Al, el ateo, dice: "Mira, no es que no tenga razones para no creer en Dios. No se trata de que nunca haya tenido la experiencia de toda esta cuestión acerca de Dios y esta cosa de la oración. Justamente, el mes pasado quedé atrapado lejos del campamento en una terrible tormenta de nieve y estaba totalmente perdido. No podía ver nada, y estábamos como a 50 grados bajo cero, así es que intenté orar. Me arrodillé y supliqué: 'Oh, Dios, si hay un Dios, estoy perdido en la tormenta de nieve y voy a morir si no me ayudas'".*
>
> *Greg, el religioso, mira a Al sintiéndose perplejo. "Entonces ahora debes creer", le dice, "Después de todo estás aquí y vivo".*
>
> *Al sólo sonríe con suficiencia: "No, hombre, lo que pasó es que me topé con un par de esquimales que andaban por ahí y me dijeron como regresar al campamento. Fue algo totalmente aleatorio".[1]*

---

[1] Adaptado del Discurso Inaugural de David Foster Wallace en el Kenyon College, 2005.

En este ejemplo, Al y Greg están observando el mismo evento, pero de alguna forma obtienen conclusiones completamente diferentes. Están de acuerdo, sin embargo, en una sola cosa. Cada uno de ellos siente que tiene la razón en su interpretación de la realidad y que el otro está equivocado. No me interesa resolver el debate, sino mostrar algo más fundamental: cómo los hechos se mezclan con las creencias de cada persona, de manera que es difícil para esa persona diferenciar entre la realidad y el mundo interno de sus creencias. ¿Qué sucede en cada una de sus mentes para crear interpretaciones totalmente diferentes? Es allí dónde encontraremos la causa de los desacuerdos.

¿Cómo puede ser que dos personas inteligentes vean los mismos hechos y, con absoluta certeza, lleguen a dos conclusiones diferentes? Esto es muy fácil de comprender, una vez que uno se da cuenta de que ninguno está viendo sólo los hechos. Cada uno está viendo su versión de los hechos *a través de su propio sistema de creencias*. Si podemos comprender la dinámica en este ejemplo, entonces podremos ver más fácilmente como las creencias operan en nuestra mente, en nuestras relaciones y en nuestras reacciones emocionales. Ser capaz de distinguir entre creencias y hechos es un paso esencial para aprender a cambiar nuestras creencias y, por lo tanto, nuestra experiencia.

Las creencias determinan nuestra interpretación de los eventos

El sistema de creencias de Greg está basado en el supuesto de que hay un Dios cuya mano está siempre presente en la vida de la gente. Para él, los hechos están claros: Al estaba en la tormenta de nieve, pidió ayuda orando, Dios contestó su plegaria y los esquimales lo encontraron. Las creencias de Greg conectan los hechos con sus convicciones acerca de Dios, dando como resultado la conclusión de que Al fue encontrado *porque* Dios contestó su oración. Los hechos son "lo que" pasó, y las creencias de Greg dan la explicación del "por qué" pasó. En este ejemplo, las fuertes creencias de Greg mezclan el "que" con el "por qué", creando una relación de causa y efecto en su mente.

Al considera que los eventos del día fueron aleatorios, incidentes sin conexión. La aparición de los esquimales fue pura coincidencia, sin ninguna relación con su oración. Hasta donde a Al le concierne, las cosas sucedieron independientemente unas de otras. Él ve esto no como una creencia, sino como la realidad. De hecho, él probablemente opinaría que, a diferencia de Greg, no tiene creencias – solo está observando imparcialmente los hechos. Por lo tanto, le es difícil cuestionar su creencia, ¡porque considera que no tiene ninguna! Al cree que está describiendo "la realidad". Él ve los eventos como aleatorios y caóticos, porque su creencia proyecta este patrón a los eventos.

$$s^2 = \Sigma (x_i - x)^2 / (n-1)$$

Las creencias forman interpretaciones, y esas interpretaciones soportan las creencias.

Ambos, Al y Greg, han mezclado sus creencias con los hechos de esta historia. Esas creencias fueron la base para sus respectivas interpretaciones de los eventos. Para Greg es un "hecho" que Dios intervino. Para Al, es un "hecho" que su rescate por los esquimales, fue un evento aleatorio. La interpretación de cada hombre sostiene las creencias con las que empezaron. Éste es un sistema de ciclo cerrado en el que los eventos son usados para sostener las creencias, aun cuando la creencia sea falsa. Este es uno de los primeros obstáculos al tratar de cambiar creencias. Para cambiarlas, hay que salirse del ciclo.

Tanto Al como Greg operan dentro de un sistema de ciclo cerrado, viendo a su propia interpretación basada en sus creencias, como la única versión verdadera. Por lo tanto, son incapaces de ver la posibilidad de que otra interpretación pueda ser válida. Este tipo de forma de pensar cerrada crea una ilusión auto-sustentada. A estas ilusiones auto-sustentadas y de ciclo cerrado las llamo "burbujas de creencias".

Al vivir dentro de una burbuja de creencias, es muy difícil ver otras posibilidades como viables. Usted tal vez pueda reconocer que existe cierta lógica en sostener una versión diferente, pero no le parecerá creíble. No puede ver claramente más allá de su propia burbuja, aun cuando la versión alterna esté basada en hechos o sea "verdadera".

Las burbujas de creencias distorsionan nuestra percepción de la realidad y también nos hacen aceptar nuestras proyecciones mentales falsas, como si fueran la realidad. Entonces descartamos la evidencia de los hechos u otras interpretaciones, sin siquiera considerar si son realidad o no. Un simple ejemplo de esto es cómo una mujer anoréxica se ve a sí misma. Su ilusión es tan fuerte que cuando se mira en el espejo, aun cuando su esqueleto se aprecia claramente, ella piensa, "Estoy muy gorda, tengo que bajar de peso". Su percepción de la realidad está distorsionada por su creencia.

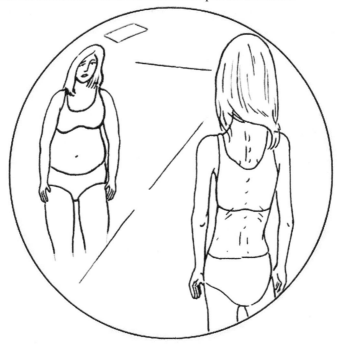

Es muy difícil darnos cuenta de que nuestras creencias son puramente construcciones mentales, porque parecen muy reales. Las creencias proveen un modelo mental de cómo funciona el mundo y el por qué las cosas son como son. Nuestras creencias trasladan las explicaciones e interpretaciones al mundo real. Esto llega a ser un proceso tan automático que la línea divisoria entre nuestra comprensión del mundo basada en nuestro sistema de creencias y el mundo real, se pierde. Para cambiar las creencias, debemos aprender a percibirlas como ideas abstractas separadas del mundo.

Ahora, de regreso a nuestra historia. Al "sabe" que las explicaciones de Greg acerca de Dios son sólo ideas conceptuales dentro de la cabeza de su amigo, y que ninguna de ellas podría ser verdadera. Pero a Al no se le ocurre que su propia burbuja de creencias podría ser también un grupo de ideas conceptuales. Desde su punto de vista, cada explicación que ofrece para soportar su caso es un "hecho", y cada argumento ofrecido por Greg es desechado como pura "coincidencia". Esto refuerza en Al su lealtad a sus creencias actuales.

Este conflicto entre sus creencias ha existido por mucho tiempo. La razón principal por la que no pueden llegar a una conclusión común reside en que viven en dos mundos internos diferentes. Cada uno declara que puede ver "ambas versiones", pero considera su versión como la realidad y la del otro como fantasía. Cuando alguno considera las ideas del otro, lo hace desde la perspectiva de su propia burbuja de creencias, por lo que no puede en realidad ver lo que el otro está viendo.

Agregando emoción a su burbuja de creencias

Para complicar más las cosas, agregamos emoción a nuestras experiencias y creencias, haciéndolas parecer aún más reales. Interpretamos un evento basándonos en la experiencia emocional, y eso da validez a nuestras creencias. Las emociones son sensaciones reales, pero eso no significa que lo que creemos sea real. La mujer anoréxica tiene un miedo real de engordar demasiado, pero eso no hace que sus creencias asociadas a su peso sean verdad.

Una motocicleta pasa cerca: eso es un hecho. Dos personas experimentarán dos reacciones emocionales diferentes. Una persona experimentará una alegre admiración por el bello trabajo de ingeniería. Otra persona experimentará molestia, frustración o incluso enojo por la intrusión de la ruidosa máquina. El estímulo es idéntico – la motocicleta que pasa – pero las experiencias emocionales varían porque los individuos viven en dos burbujas de creencias diferentes.

Estas emociones, congruentes con las creencias que las originan, parecen validar e intensificar las creencias. Ambos individuos atribuyen la experiencia emocional a la motocicleta, y ninguno nota como su sistema de creencias jugó un rol importante en la situación. Algo fundamental para cambiar las creencias, es estar conscientes de la influencia que nuestras burbujas de creencias ejercen en la *experiencia* emocional de eventos.

Mucha más emoción se agrega cuando asociamos nuestra opinión con *tener la razón*. Tener la razón tiene una respuesta emocional placentera que ha sido condicionada desde la niñez y reforzada a través de los años de escuela. Cualquier otra opinión opuesta a la nuestra es interpretada como falsa o "errónea". Hasta puede percibirse como una amenaza a nuestra experiencia placentera de "tener la razón". Las creencias contradictorias de la otra persona amenazan con explotar nuestra burbuja de la emoción en la que nos sentimos cómodos. Si nuestra burbuja colapsara, tendríamos que entrar en la burbuja alterna de estar "equivocados" o vernos "estúpidos", y eso sería desagradable.

Las emociones condicionadas apalancan nuestra posición en la burbuja de creencias de "tener la razón" y nos ayudan a evitar la burbuja de "estar equivocados", independientemente de los hechos. Cuando tenemos emociones como éstas asociadas a nuestra creencia, nos parece mejor dejar nuestra burbuja intacta, aun cuando esto sea una ilusión. Reventar nuestra burbuja de creencias es una experiencia emocional que aprendimos a evitar, aun cuando la creencia en sí sea falsa.

Burbujas de creencias contra realidad

Uno de los mayores obstáculos al cambiar pensamientos y creencias negativos es que las interpretaciones alternas parecen mentira. Una vez que una creencia es aceptada como verdadera, forma una burbuja alrededor de nosotros, condicionando la forma en la que vemos las cosas. Después de eso, la verdad y los hechos que la contradicen parecen ficción y son desechados. Aun los científicos pueden sentirse a la defensiva cuando una nueva teoría o investigación desafía los paradigmas previamente aceptados. Esta es una de las razones por las que los pensamientos y creencias negativos son resistentes al cambio. Tendemos a aferrarnos a ellos como verdades, porque así es como los percibimos dentro de nuestra burbuja. Resulta muy sencillo etiquetar esos comportamientos con palabras como "negación" y "sesgo" pero eso no los cambia. Es más valioso ver cómo funcionan internamente.

Cuando nuestro sistema de creencias interno o modelo mental y el mundo físico de la realidad son congruentes, podemos operar bastante bien. Cuando nuestro modelo mental formado por nuestro sistema de creencias es incongruente con la realidad, tendremos dificultades tanto emocionalmente como para obtener los resultados que queremos. Cuando las cosas no están funcionando en la vida de una persona, o está teniendo excesivas reacciones emocionales acerca del mundo, es muy probable que sea porque sus creencias del mundo son defectuosas. Si estamos teniendo dificultades conductuales o emocionales en un área, lo más probable es que nuestras creencias inconscientes nos estén haciendo operar con un modelo mental que es incongruente con la realidad.

Otra razón por la que nos resistimos a cambiar nuestras creencias es porque hemos construido este modelo mental como una realidad y así se convierte en la base sobre la que operamos. Cuando no estamos conscientes de que nuestras creencias están separadas de la realidad, y nuestras creencias empiezan a moverse, pareciera como si la realidad o la forma en la que el mundo funciona, estuviesen cambiando. La mujer anoréxica no está solo cambiando lo que piensa de ella misma – también está desplazando la idea de cómo el mundo la percibe, y qué es importante en el mundo. Greg no está meramente cambiando su historia de cómo Al fue salvado – está cambiando su entendimiento de cómo funciona el universo. Indirectamente, esto es interpretado como si el universo estuviera cambiando. Bill, del ejemplo en el Capítulo 1, se creía un impostor, no merecedor de éxito y que iba a ser descubierto. Cambiar su burbuja de creencias de no ser merecedor, requiere más de un solo pensamiento. Incluye su versión imaginaria de cómo es percibido por todos, cómo es evaluado y cómo lo tratarán en el futuro.

Cambiar estas creencias individuales también requiere un entendimiento diferente de cómo funciona el mundo, cómo es la gente, y una versión diferente de nosotros mismos que estará interactuando con esta nueva realidad. Como resultado, cuando empezamos a cambiar nuestras creencias pareciera como si el mundo fuera desplazado por un mundo alterno, y esto es usualmente un salto demasiado grande como para darlo cómodamente en un solo paso.

La naturaleza interna de nuestras burbujas de creencias explica por qué una súper modelo puede creerse fea, aun cuando su fotografía embellece las portadas de revistas. Las burbujas de creencias son la razón por la que un magnate millonario puede sentir que no ha logrado suficiente éxito. Las burbujas de creencias pueden hacer sentir a una persona que no merece ser amada, aun cuando tiene a muchas personas que la aman y la aprecian a su alrededor. Son también la razón por la que nos sentimos no merecedores o inadecuados, sin importar cuánto hayamos logrado o que tan "buenos" seamos. No tenemos que ir hasta Alaska para ver este sistema de creencias trabajando. Podemos ver su influencia en la autoimagen o autoestima de un amigo, en la opinión de un colega acerca de los demás, y en las emociones que una persona expresa. Las burbujas de creencias están también haciendo su trabajo cuando desechamos un elogio en forma casual. Tal vez a usted le digan que hizo un excelente trabajo, o que se ve muy bien, o que es muy inteligente o habilidoso. Cuando usted note un impulso a desechar el elogio, estará ante su burbuja de creencias tratando de apartar una idea que no cumple con las creencias existentes de su autoimagen.

La historia de Greg y Al nos revela lo siguiente:

1. Nuestro sistema de creencias (burbuja) causa que veamos nuestras creencias como "hechos" o "realidad".
2. Nuestro sistema de creencias nos hace desechar otras interpretaciones, o incluso los hechos y la verdad al considerarlos inválidos, ya que las ideas alternativas parecen falsas.
3. Una burbuja de creencias forma un sistema de ciclo cerrado. Vemos lo que creemos que está ahí y nos confirmamos que es realidad. Reforzamos lo que ya creemos porque la burbuja de creencias es la base para la interpretación.
4. Todo esto obstruye nuestra habilidad para ver la situación desde otro punto de vista diferente al que ya tenemos.

Si le ha resultado difícil cambiar sus creencias en el pasado, o inclusive darse cuenta de cuáles eran sus creencias, puede ser debido a estos factores. Es importante estar consciente de estas dinámicas en su mente, de forma que pueda evitar estas trampas cíclicas. Cuando se trata de cambiar las creencias, es imposible cambiar aquello que se desconoce.

Cuando las ilusiones de nuestras creencias son identificadas por lo que son, tienden a desaparecer, junto con el miedo e infelicidad que las acompañan.

Para mejores resultados, enfóquese en sus propias creencias

Desafiar las creencias de los demás raramente nos beneficia a nosotros o a ellos. Sin embargo, hay un gran beneficio en desafiar nuestras propias creencias. Cuando podemos mover nuestra perspectiva fuera de nuestra burbuja de creencias y examinar nuestros supuestos, tenemos la oportunidad de desarrollar claridad y distinguir entre la verdad y nuestras ilusiones. Estas ilusiones son usualmente las que causan nuestra infelicidad y reacciones emocionales. Cuando las ilusiones de nuestras creencias están identificadas en lo que son, tienden a quebrarse y desaparecer, junto con el miedo y la infelicidad que las acompañan.

Una de las cosas interesantes acerca de las burbujas de creencias falsas es que podemos ver rápidamente cuando alguien más está operando desde ese mundo interno de creencias, pero somos muy lentos en percibir cuando estamos haciendo lo mismo. Como Al y Greg, vivimos la vida con opiniones y pensamientos que surgen de nuestras creencias y asumimos que son verdaderos. Entonces defendemos nuestras interpretaciones y tratamos de cambiar las creencias de los demás, cuando no se ajustan con las nuestras.

¿Qué pasa cuando tratamos de cambiar las creencias de otras personas? Primero, nuestras ideas y propuestas les parecen falsas desde su burbuja de creencias. Segundo, probablemente se enojen o molesten, pues sienten que sus creencias son atacadas y anuladas. Si sus creencias son defendidas fuertemente y cargadas de emoción, la persona puede sentir el desafío a sus creencias como un ataque personal. Tercero, defenderán sus creencias devolviendo la agresión. Al defender sus creencias, refuerzan el compromiso con ellas de que son verdaderas y objetivas. El resultado es que la burbuja de creencias se transforma en una niebla más espesa alrededor de ellos.

El resultado final de tratar de cambiar la burbuja de creencias de otra persona es que sus creencias se vuelven aún más profundamente arraigadas. Para algunas personas, esto significa invertir demasiada energía personal en desafiar las creencias de otras personas, creando frustración, irritación y decepción, para no cambiar nada. Tal vez sintamos una resistencia interna similar, irritación, seguida de endurecimiento, si intentamos cambiar nuestras propias creencias de la misma forma hostil.

Cuando tenemos poca consciencia, asumimos que los pensamientos que corren por nuestra mente son verdaderos, por lo que rara vez los examinamos escépticamente. También asumimos que, si alguien está en desacuerdo con nosotros, sus creencias son falsas. Con esos supuestos iniciales, somos escépticos acerca de las creencias de los demás, pero no de las nuestras. De esta forma, nuestro sistema de creencias dirige automáticamente nuestra atención a reforzar nuestras burbujas de creencias preexistentes. Desechamos las interpretaciones que podrían abrir nuestra mente a otras perspectivas, ideas y pensamientos. Esta es una de las estrategias de auto-preservación de nuestro sistema de creencias. Dirige nuestra atención a ser escépticos con las ideas y creencias de los demás y nos distrae de enfocar nuestra atención internamente con algún escepticismo. Vemos como sucede esto en el ejemplo de Bill, cuando lo elogian o alaban. Sus creencias pueden inmediatamente generar pensamientos que desestiman los elogios, tales como "Si tan solo supieran que no soy tan bueno como ellos creen".

Cuidado: como con todas las técnicas y herramientas, hay una desventaja que puede transformarse en nuestra enemiga al mirar las cosas utilizando este nuevo paradigma. Algunas personas utilizarán esta información para señalar las burbujas de creencias de otros y justificar el etiquetarlas como falsas. En el proceso, estarán utilizando las herramientas aquí presentadas para reforzar y defender su propia mente cerrada. Si usted planea usar lo que ha aprendido en este libro para cambiar las creencias de alguien más, mientras que usted se apega a las suyas, deberá saber que esto probablemente le irá en contra y lo perjudicará. El mejor uso de este material es para que cambie sus propias creencias.

El verdadero trabajo: cambiar sus pensamientos y creencias para poder cambiar cómo se siente

Usted probablemente tuvo motivos emocionales al seleccionar este libro. Tal vez sea algo relacionado con temas de ira, inseguridad, celos, miedo, lo que otros piensan de usted, miedo al futuro, o cualquiera de los miles de pensamientos negativos y emociones posibles. Tal vez haya notado que quiere cambiar no sólo su estado emocional, sino también muchos pensamientos negativos e imágenes que su mente proyecta. Este es el verdadero trabajo en el que nos concentraremos en las páginas siguientes.

Para lograrlo, primero diseccionaremos las burbujas de creencias y sistemas de creencias en sus elementos fundamentales, detallando como se forman y cómo funcionan. La imaginación es una herramienta extraordinaria, y hemos invertido años usándola para crear nuestros propios mundos de creencias y olvidando luego que esas burbujas auto-construidas aún nos rodean. Los siguientes capítulos le darán una perspectiva sistemática para entender lo que sucede en su propia mente, como se generan sus emociones desde sus creencias y, lo más importante, como cambiarlas. Para hacer esto, es importante que usted pueda entender los diferentes elementos que conforman nuestras creencias. Comenzaremos con la atención y la conciencia.

Gary van Warmerdam

Capítulo 4
Atención

Un factor crítico y que a menudo se pasa por alto en la creación y mantenimiento de creencias — y, por lo tanto, en cómo se determina la calidad de nuestras vidas — es el cómo utilizamos nuestra atención.

La atención es el proceso de enfocarnos en algunas características de nuestro entorno excluyendo otras de nuestro vasto campo de percepción. Un ejemplo sencillo es cuando estamos en una habitación llena de gente y nos concentramos en lo que una persona está diciendo e ignoramos a todos los demás. Cómo dirigimos nuestra atención es un componente fundamental en la creación de nuestra experiencia y creencias. Al ganar control de nuestra atención podemos eliminar o cambiar creencias que ya no son útiles y hasta son, tal vez, perjudiciales.

Cómo funciona la atención

De una multitud de estímulos, nos enfocamos conscientemente sólo en un número pequeño de ellos en cualquier momento. La mayor parte del tiempo filtramos la mayoría de nuestras percepciones. Al reducir nuestro enfoque, es posible leer un libro en un tren, mientras filtramos el ruido que nos rodea, o completar un proyecto en el trabajo mientras ignoramos el dolor que sentimos en alguna parte del cuerpo.

Mientras que siempre percibimos el mundo a través de diferentes modalidades como la luz, el sonido, el tacto, el olfato y las emociones, es nuestra atención la que determina la experiencia dominante de cada momento. Otros factores, sentimientos y sensaciones son ignorados y, por el momento, dejados fuera del campo de nuestra experiencia consciente y de nuestra conciencia. Lo que usted experimenta en este preciso instante es un producto de su atención. Está utilizando su atención para enfocarse en estas palabras y en las ideas de su mente acerca de ellas, y excluyendo un millón de otras experiencias. Su experiencia en cada momento de su vida es creada a través de la acción de su atención.

La atención selectiva es esencial para funcionar exitosamente en el mundo. Nos protege de sentirnos abrumados por cada pequeño pedazo de información que nuestros sentidos pueden percibir. Cuando manejamos un coche, por ejemplo, automáticamente nos concentramos en factores importantes como el tráfico, las luces y otros vehículos. Evitamos fijarnos en

41

detalles como el color de otros coches, las nubes en el cielo, los guijarros del asfalto en el camino, o el estado de nuestro cabello y maquillaje.

También utilizamos nuestra atención selectiva para estructurar el mundo interno de nuestra mente. A veces esto significa ignorar o suprimir ciertos pensamientos o sentimientos. Esos pensamientos o sentimientos no cesan de existir —sólo dejamos de notarlos sin nuestra atención consciente.

El rol de la atención en la creación de creencias

Ya que nuestra atención determina ampliamente lo que *percibimos*, también juega un rol importante en determinar lo que *creemos* acerca del mundo y de nosotros mismos. Del rango limitado de información que nuestra atención permite en nuestra conciencia, sacamos conclusiones y construimos creencias acerca de lo que es y no es verdadero. Al crear un sistema de creencias bajo la forma de reglas simples, creamos un modelo mental del mundo que automatiza el significado y comportamiento futuros. Nuestro modelo mental traza el mapa de explicaciones acerca de cómo las cosas funcionan e interactúan. Estas interpretaciones automáticas son esenciales para evitar sentirnos abrumados tratando de obtener el significado de un estímulo cada vez. Sin embargo, cuando estas creencias del modelo mental son aplicadas falsamente, habitualmente causan respuestas emocionales desagradables.

Sam, un niño de cinco años, quería una galleta. Se trepó a una silla para alcanzar el frasco de galletas y estaba comiendo muy contento cuando su mamá entró. Él se preguntó qué haría ella. Ella frunció el ceño. Sam lo interpretó como que su madre lo desaprobaba y que él había hecho algo "malo". Las experiencias pasadas habían enseñado a Sam a darle prioridad a las reacciones de su mamá sobre cualquier otra cosa a la que pudiera prestarle atención. Su hambre, la galleta deliciosa y lo divertido de trepar a la silla retrocedieron a un segundo plano una vez que su mamá apareció.

La atención de Sam se fijó externamente en la expresión de su mamá e internamente en el significado que él derivó de ésta— que él ha hecho algo malo y que es un niño malo. Sam aceptó como verdadera esta imagen de sí mismo de "niño malo que ha cometido un error". Con este acto de aceptación, una burbuja de creencia se imprime en su mente. Todo sucedió sin una consideración consciente de otras interpretaciones u opciones alternas.

Las creencias se forman cuando ponemos nuestra atención en una cierta interpretación de un evento y aceptamos que es verdadera. En el caso del Sam de cinco años, la interpretación parece verdadera porque su mamá estaba parada allí mismo con una mirada de desaprobación en su cara. Sin embargo, muchas distorsiones y exageraciones acompañan esta creencia, incluyendo un sentimiento de culpa e identidad de "niño malo" que Sam llevaría al futuro y proyectaría en muchas situaciones. Más adelante, veremos más de cerca la porción de la identidad dentro de la creencia.

Años más tarde, cuando una novia mira a Sam de cierto modo, él se siente culpable, como si hubiera hecho algo malo, aun cuando no puede distinguir qué. Él se preguntará, "¿Qué fue lo que hice?" y se debatirá por contestar esa pregunta que no tiene bases en la realidad presente. Esta es su creencia impresa en su inconsciente en acción, usando su modelo mental como explicación y reforzándolo en sí mismo al dirigir la atención de Sam aun años después.

Eventualmente, conforme Sam desarrolló su habilidad para darse cuenta de sus emociones, descubriría que hay muchos detonadores que pueden activar esta creencia de "niño malo" y que generan sentimientos de culpabilidad y vergüenza. Durante muchos años, Sam no se dio cuenta de estos sentimientos, ya que aprendió a ignorarlos y a "poner su atención" en otras personas, o a tratar de contestar la pregunta equivocada con la que su sistema de creencias reaccionaba, acerca de qué había hecho mal.

El desarrollo de hábitos de atención

Cuando usted era un niño prestaba atención a los adultos, y ellos le daban instrucciones junto con sus propias opiniones, emociones, ideas, valores y creencias. En gran parte usted las aceptó sin cuestionarlas, y así se convirtieron también en suyas. Se volvió un hábito el prestar atención a otras personas y que le dijeran qué hacer, cómo ser, y cómo sentirse. Usted aún no tenía la conciencia y el discernimiento para decidir en qué creer o no. Si sus padres le decían que una persona llamada Santa Claus vendría del Polo Norte a traerle regalos, usted les creía. Si le decían que lo que le regalaba era en base a si había sido un niño bueno o malo ese año, les creía. No tenía la suficiente sabiduría para distinguir entre hechos, ficción y opiniones.

Tampoco tenía la conciencia para cuestionar las opiniones que otras personas tenían de *usted*. Si otras personas decían que usted era hermoso, feo, una buena persona, una mala persona, bueno o malo en matemáticas, en gran parte usted las aceptaba como verdaderas. Tampoco tenía la conciencia para cuestionar sus propias interpretaciones y conclusiones.

Inconsciente a una edad temprana de que usted estaba aceptando todas esas ideas, no podía conocer las consecuencias. Usted no tenía conciencia de lo que estaba haciendo con su atención o de que estaba formando creencias. No había forma de saber que esos modelos mentales serían usados para interpretaciones futuras, aun cuando ni siquiera se aplicasen a la nueva situación. El resultado final es que usted no escogió conscientemente la mayoría de sus creencias, o de quién las obtuvo.

El hábito de buscar en otros

Conforme usted fue creciendo, prestar atención a autoridades externas como guía para saber qué hacer y cómo sentirse, se convirtió en un hábito arraigado. Este hábito es parte de lo que se necesita cambiar para vivir en un estado de auto-aceptación en lugar de temer lo que otros piensan de nosotros o esperando tener la aprobación de los demás.

Cuando el Sam de cinco años trepó en la silla, la galleta era el foco de su atención. Cuando su mamá lo miró, su atención cambió a ella. Sam estaba ahora configurado para reaccionar a cualquier cosa que ella hiciera. No importaba que más estuviese sucediendo en la habitación o en su mente. Sam estaba enfocado en su mamá a causa de los años de condicionamiento. Era una respuesta automática, como la respuesta de los perros de Pavlov.

Gradualmente, Sam fue siendo atrapado en la burbuja de la creencia de sentirse siempre como que había hecho algo malo. Ya como adulto, continuamente trata de compensar buscando aprobación de las mujeres para poder sentirse mejor. Cuando este patrón de comportamiento ocurre con una mujer que es infeliz y crítica, la culpa crónica de Sam aumenta y puede llevarlo al agotamiento físico y emocional.

A veces los adultos están tan acostumbrados a buscar a otros para guiarlos, que se sienten perdidos e incómodos si no tienen a alguien más para decirles qué hacer. Cuando empezamos en un nuevo trabajo, queremos saber quién es el jefe, para poder seguir las instrucciones correctas. En el ejército, la gente sigue las órdenes del sargento, quien sigue las órdenes de alguien más, quien a su vez sigue las órdenes de otro más. A gran escala, las acciones de grandes grupos de gente son controladas gracias al hábito de tener a otras personas controlando su atención. Unos pocos diseñadores de moda deciden lo que está "de moda" y lo que no lo está. Millones de personas prestan atención a sus opiniones y actúan en consecuencia.

Las portadas de revistas son un pequeño ejemplo de cómo un medio popular trata de conseguir su atención y manipularla hacia cómo debe verse su cuerpo, cómo debe decorar su casa y qué cigarros debe fumar. Pero no sólo los anunciantes hacen esfuerzos monumentales para obtener su atención y mantenerla. Los políticos a menudo provocan miedo para obtener la atención y que la gente vote por ellos.

Automáticamente prestamos atención a las figuras de autoridad externas o a grupos de gente para obtener aprobación, guía e instrucción, aun cuando ellos estén siguiendo a alguien más o vayan en el camino equivocado. Ya que todos a nuestro alrededor están poniendo su atención en otras personas para que les digan qué pensar, y esto ha sido así durante mucho tiempo, no nos percatamos fácilmente de la opción de utilizar nuestra atención de una manera diferente o de formar creencias y acciones independientes de los grupos.

El mundo tampoco deja que usted tenga el control de su atención y pueda crear sus propias opiniones. Más bien sucede totalmente lo contrario. El mundo puede mantener su atención tan ocupada, que no podrá tener tiempo para dirigirla usted mismo, a menos que se concentre en ello.

Condicionamiento a través de reglas

Una forma en que otras personas pueden controlar nuestra atención y comportamiento a través del tiempo, es dándonos reglas a seguir. Eventualmente, las figuras de autoridad no necesitan estar presentes para controlar nuestra atención y comportamiento, ya que nosotros hemos internalizado sus reglas y las hemos hecho nuestras.

Seguir reglas puede ser productivo y útil. Una sociedad pacífica depende en gran medida de la voluntad de sus miembros para seguir sus leyes y reglas. Pero llega a ser un problema personal cuando, de adultos, seguimos apoyándonos en las reacciones basadas en miedo u otras respuestas cargadas emocionalmente que aprendimos cuando éramos niños. Muchos adictos al trabajo pasan muchas horas en la oficina, consciente o inconscientemente guiados por su deseo de ser reconocidos o por el miedo de lo que otros puedan opinar de ellos, si se van de la oficina antes que el resto de sus compañeros de trabajo.

Las reglas que aprendimos de niños a menudo llegan a ser poderosas creencias que nos dictan como debemos vivir, tan poderosas como para provocar, años después, emociones cada vez que son activadas. Estas reglas pueden ser reconocidas a menudo por las palabras *debería, no debería, se supone que, no se supone que,* y *tendría que* en nuestros pensamientos. Si actuamos de una forma que se opone a las reglas de nuestro sistema de creencias, podemos a menudo sentirnos culpables o incómodos, aun cuando la creencia que estamos desafiando sea falsa. Nuestro modelo mental detecta que hemos roto una regla, que seremos descubiertos y que debemos sentirnos mal por eso.

Al mismo tiempo, una parte de nosotros siente aversión por las reglas y alberga el deseo de ser libre de estas condiciones y restricciones. Una parte instintiva de nuestro ser autentico nos hace rebelarnos. Intentamos rebelarnos cuando éramos pequeños y de adolescentes, pero la presión de las reglas era habitualmente demasiada. No eran nuestras reglas, pero nos hicieron adoptarlas en nuestro hogar y en la comunidad en la que vivíamos, hasta que las interiorizamos. Como adultos deseando cambiar nuestras creencias, tenemos la oportunidad de rebelarnos contra estas reglas en nuestra cabeza, sin juzgar a la gente de la que las obtuvimos o desafiando externamente a nuestra comunidad. Desafortunadamente, demasiado a menudo el instinto de rebelarse se desvía y se enfoca en otra gente, en lugar de las falsas creencias que hemos interiorizado.

Un problema creciente

La mente no es algo estático. Continúa extrapolando y expandiendo la creencia original. Sam tomó una simple creencia, "Hice algo malo," y la convirtió en una creencia asociada de "Eso me hace una mala persona". De nuevo, vemos que la mirada de su mamá puede haber sido acerca de la acción, pero la mente de Sam construye una creencia asociada acerca de su identidad. Más adelante, en otros capítulos, exploraremos estas falsas creencias acerca de nuestra identidad, y cómo esto afecta nuestra percepción.

Aquel día, más tarde, Sam pensó, "Si no hubiera ido por esa galleta que quería, no me hubiera metido en problemas". Así que su mente generó una regla general a seguir como medida preventiva: "No debo intentar ir por lo que quiero —jamás". Para lograr esto, resultó más fácil suprimir los sentimientos de inspiración, deseo, pasión o interés acerca de las cosas. Cada una de estas reglas o creencias, formó parte de un sistema de creencias, creó otra falsa identidad en su personalidad, y afectó su comportamiento futuro.

Años después, mucha gente se asombraba de lo capaz que era Sam y del potencial que tenía. Y todos, incluyendo a Sam, estaban completamente desconcertados porque no encontraba nada que lo motivara y parecía simplemente un haragán. El proceso de auto-reflexión de Sam cuando tenía cinco años tal vez haya sido admirable, pero gracias a algunas de sus malas interpretaciones y exageraciones, Sam vivió muchos años de su vida con creencias limitantes y no pudiendo lograr gran cosa.

La atención de Sam, bajo el control de sus creencias, sólo le ha permitido percibir ciertos aspectos de él mismo y de la vida que confirman su burbuja de creencias. La conciencia de su naturaleza auténtica y de sus intereses fue oscurecida, junto con cualquier aspecto del mundo que pudiera inspirarlo. Sería simplificar exageradamente el juzgar que Sam tiene un problema de autoestima o que es haragán. En su origen, lo que Sam tiene es un problema de percepción. Las creencias de Sam continuamente dirigen su atención a la misma falsa autoimagen presentada por su burbuja de creencias.

Las creencias controlan su atención

Si una persona lo mira y le sonríe, usted puede hacer varias interpretaciones, dependiendo de su sistema de creencias. Si usted tiene la creencia de que es atractivo, tendrá un pensamiento congruente: "Me sonríe porque cree que soy atractivo". Si su sistema de creencias incluye que es feo y poco atractivo, entonces un pensamiento congruente sería, "Me sonríe porque se está riendo de mí por cómo me veo". El estímulo de que alguien nos sonríe es el mismo, pero la burbuja de creencias genera diferentes interpretaciones que refuerzan la creencia original. En ambos casos, el sistema de creencias captura la atención con un pensamiento, para producir una interpretación y una emoción que lo reafirman.

A causa de este ciclo que se refuerza a sí mismo, es vital que usted se dé cuenta de sus pensamientos y comience a verlos con escepticismo, si es que desea cambiarlos. Sus pensamientos no le dicen por qué una persona sonrió; más bien le dan pistas de las creencias que usted alberga en su mente.

En el caso de Sam, sus pensamientos de adulto están siendo controlados por sus creencias. Aunque esas creencias se originaron en su niñez, se han incrementado y perpetuado en su mente al punto que ahora son sus propias creencias, afectando cómo interpreta las cosas y, de esa forma, sosteniendo su burbuja de creencias.

Sam a veces tiene deseos de ser un empresario y empezar su propio negocio. Toda vez que vio una oportunidad que le atrajo, sintió inspiración y deseo. Sin embargo, poco después, su regla basada en la creencia acerca de ser atrapado, reprendido, y sentirse culpable por romper su regla e ir tras lo que quería, lo afectaba inconscientemente. Para evitar ese desagradable resultado imaginario, su mente encontraba razones acerca de que ese negocio era una mala idea y entonces lo abandonaba. El sistema de creencias de Sam proyectaba un modelo mental del resultado futuro y entonces Sam dirigía su atención a evitar el dolor potencial. Meses o años después, Sam reflexionaría en lo que dejó de hacer y se preguntaría por qué no siguió su sueño de aquel negocio. Otra burbuja de creencia arraigada a través del tiempo, actuando como un modelo mental para interpretar su conducta, automáticamente le enviaría el pensamiento de que él era simplemente un haragán.

Sam estaba atascado en la narrativa de las historias que su sistema de creencias tejía en su mente. Al creer en estos pensamientos que se originaban en sus creencias, Sam las reforzaba. Con la creencia de que era haragán, Sam se sintió menos motivado a buscar cosas que lo inspirasen. Así es cómo las creencias de una persona controlan su atención, y la llevan a repetir patrones de comportamiento en la vida.

No lo vi venir

Así como nuestra atención se enfoca automáticamente en ciertos detalles, nuestra mente automáticamente clasifica mucho de lo que puede percibir como irrelevante y lo ignora.

En las nuevas relaciones (especialmente de tipo romántico), a veces ignoramos rasgos fastidiosos o inquietantes en la otra persona, porque contradicen la imagen idealizada que preferimos tener de ella. David conoció a una mujer llamada Dawn y se sintió inmediatamente atraído por ella. Él la cortejó y, finalmente, ellos se casaron. Después de un tiempo, David se dio cuenta de algunos aspectos de la personalidad de Dawn que le sorprendieron. Las reacciones emocionales de ella cuando él se ausentaba por trabajo, parecían excesivas. Las innumerables llamadas de teléfono cuando él se iba ya no eran por interés, sino por control. Ella estaba obsesionada por saber dónde estaba y con quién. Conforme David prestó más atención a los ciclos emocionales de Dawn, notó en su comportamiento mucho miedo, inseguridad y celos.

De la misma forma, Dawn comenzó a darse cuenta de algunas cosas en el comportamiento de David que no le parecieron relevantes antes del matrimonio. Al principio, ella disfrutaba de su generosa atención y espléndidos regalos. Envuelta en la emoción del cortejo, nunca prestó atención a su situación financiera. Ahora se daba cuenta de que, a pesar de tener buenos ingresos, él estaba sumergido en deudas. Según los estándares de ella, sus hábitos para gastar estaban fuera de control. A ella le preocupaba su falta de preocupación y su fracaso en planificar el futuro.

Tal vez usted piense que David y Dawn "pasaron por alto" estos temas importantes al principio de la relación. "Pasar por alto" algo, apunta a un problema de percepción que, en su origen, es un tema de atención. Distraídos por el regocijo de su cortejo, Dawn y David, sin darse cuenta, se enfocaron en los rasgos de personalidad más placenteros del otro, ignorando todo lo demás. Al hacerlo, ellos omitieron por completo reconocer actitudes y comportamientos que impactarían su relación más adelante.

Viendo hacia atrás, la gente usualmente se da cuenta de que todas las señales de un problema estaban ahí desde un principio. Aun cuando ellos hubiesen pensado fugazmente acerca del tema, fue fácil para el modelo mental de su sistema de creencias descartarlo como "poco importante" o "realmente no es un problema".

Tanto Dawn como David tenían su propia versión acerca de su pareja provista por sus respectivas burbujas de creencias, y una proyección de cómo la relación se desarrollaría en el futuro. Porque su atención estaba enfocada en estas versiones idealizadas del otro, pasaron por alto las señales que apuntaban hacia los comportamientos reales de su pareja. Las preocupaciones mencionadas por sus familias o amigos rebotaban contra sus burbujas de creencias. Cuando una bandera de peligro se levantaba en su percepción, sus creencias redirigían su atención para crear una explicación que la descartase, de manera que su burbuja de creencias quedara sin desafiar.

Que esto haya sucedido no es sorprendente. Como el resto de las personas, Dawn y David estaban acostumbrados a que su atención fuera controlada por otros, por actividades externas, y, más que nada, por las historias y creencias en su mente. Dado que mucha de su atención estaba automáticamente dirigida por su mente condicionada y la burbuja de creencias existente, ellos no podían percibir los problemas potenciales con su pareja. Las decisiones que habían tomado acerca de la relación estaban basadas en lo que ellos "sabían" del otro, lo cual estaba limitado a la versión de la burbuja de creencias. Lo que no "sabían" — las cosas que su atención ignoró —se transformó en la raíz del problema.

Si usted no puede controlar aquello en lo que enfoca su atención, entonces no puede controlar lo que percibe y lo que deja de percibir. Sin una clara percepción de lo que está sucediendo, es imposible tomar buenas decisiones. Las buenas decisiones están basadas en ser consciente de la diferencia entre las creencias proyectadas y la realidad. Aunque no fuimos entrenados para hacer esta distinción en forma consciente, podemos aprender a hacerlo tomando el control de nuestra atención.

Gary van Warmerdam

Las buenas decisiones están basadas en ser conscientes de la diferencia entre las creencias proyectadas por la mente y la realidad.

Disciplina contra hábito

¿En qué medida controlamos nuestra atención? Depende. Cuando estamos completamente absortos en una novela o inmersos en un proyecto, tal vez nos sea fácil enfocarnos por horas sin distraernos. Sin embargo, todos hemos experimentado lo opuesto — por ejemplo, ser incapaces de concentrarnos en el trabajo, o soportar una noche de insomnio con muchas creencias y emociones activas y pensamientos no deseados atravesando nuestra mente y dejándonos un sentimiento de inutilidad y agotamiento. ¿Por qué podemos enfocarnos tan bien algunas veces y otras no?

El hecho es que la calidad de nuestra atención varía. Ser capaces de enfocar nuestra atención en una novela o en el trabajo no se traslada necesariamente a otras situaciones. Nuestra falta de control sobre nuestra atención puede ser más evidente cuando intentamos algo nuevo, como aprender un nuevo idioma, tocar un instrumento musical, o meditar. Si el enfocarnos en nuestra respiración es algo en lo que no tenemos práctica, podremos distraernos fácilmente con pensamientos o con cualquier otra cosa en la habitación. Podríamos interpretar que esto significa que somos poco disciplinados o incapaces de meditar. Nuestra atención se enfoca entonces en el pensamiento de ser pésimos para ello. Y desde ahí se va al siguiente pensamiento tangencial. Estos pensamientos sin control — que por otra parte, no son ciertos— están entonces controlando nuestra atención.

El desarrollo de un centrado control de su atención se consigue con la repetición. Cuando usted aprendió a leer o hacer sus tareas escolares, su capacidad de atención se medía en minutos. Conforme fue practicando la lectura a través de los años, usted incrementó su habilidad para controlar su atención. Desarrolló la habilidad de su mente para representarse las imágenes transmitidas por la historia y construir el significado relacionado conforme lee. De forma similar, su habilidad para enfocar su atención en el trabajo se desarrolló a través del tiempo, conforme usted aprendía a sumergirse en todos los elementos que componen un proyecto complejo. Sólo después de algunos años de práctica, esto llegó a ser un hábito que es "fácil" de mantener por horas. El mismo desarrollo y la misma práctica se deben aplicar al enfocar nuestra atención cuando aprendemos algo nuevo, como meditación, un idioma, o tocar un instrumento musical. No es una cuestión de poca disciplina o falta de habilidad, sino más bien que su mente necesita ser reentrenada.

Desde un punto de vista, la habilidad de permanecer enfocado puede ser muy poderosa, pero si se lleva al extremo puede volverse obsesiva y poco saludable. Por ejemplo, si usted está cenando con su familia y su mente continúa ocupada por el trabajo o absorta en una novela, los pensamientos automáticos de sus creencias están controlando su atención por hábito. Esta es una indicación de que usted no tiene control sobre su atención, porque no tiene la flexibilidad de cambiar su enfoque a otras cosas.

Lo que puede parecer como la habilidad de enfocar su atención en una actividad como la lectura o el trabajo, puede ser en realidad un hábito condicionado, aunque positivo. Esto no significa que usted tiene control sobre su atención y que la puede enfocar en otra cosa con la misma agudeza o por el mismo periodo de tiempo. A veces sólo significa que sus creencias enfocan condicional y habitualmente su atención. Para el adicto al trabajo, esto no es necesariamente una cuestión de tener una atención tan disciplinada que le permita trabajar directamente en las cosas, sin distracciones. Puede sólo ser que su sistema de creencias esté tan condicionado, que no le permita contemplar o enfocarse en ninguna otra cosa.

En algún punto del proceso de auto-conciencia, los individuos aprenden que no tienen control de su atención en el grado que quisieran, particularmente en lo relativo a ciertas emociones, reacciones, pensamientos negativos o comportamientos. Mientras que una persona puede tener gran habilidad para dirigir su atención a otros asuntos, o ser capaz de mantener una mente calmada durante una práctica como la meditación, esto puede no trasladarse al control sobre temas emocionales, pensamientos negativos y cosas parecidas en otras situaciones. Utilizar la atención del modo en que usted quiere, es como desarrollar un grupo de músculos. Enfocar su atención en la lectura usa un músculo, pero enfocarla para escribir un programa de computadora, entender sus emociones o meditar, implica músculos separados que hay que fortalecer a través de sus propios ejercicios específicos.

El primer paso de la solución es simplemente ser consciente de lo que está sucediendo.

El primer paso: conciencia

Para el tiempo en que nos convertimos en adultos, la gente que nos otorgó sus creencias ya no controla nuestra atención. Más bien, son nuestras propias creencias las que controlan nuestra atención, hacen interpretaciones en nuestro lugar, y, a través de estas interpretaciones, refuerzan aún más nuestras creencias. Esta es la trampa de la burbuja de creencias: es difícil ver algo más que lo que ya está dentro de la burbuja, o sea, de lo que creemos. Nuestra atención está controlada por las creencias que creamos en el pasado y ya no somos conscientes de ellas.

A través de los años, conforme nuestro conjunto de reglas interiorizadas crece, las capas de creencias se refuerzan unas a otras y descartan pensamientos alternativos, dando una impresión de realidad. Cuando alguien propone una idea diferente, ésta rebota en nuestra burbuja de creencias antes de que tengamos la oportunidad de considerarla a fondo. Al vivir dentro de una burbuja de creencias, puede resultar difícil imaginar que la vida podría ser diferente, o incluso que podríamos pensar de forma diferente acerca de las cosas.

Antes de liberarnos, primero debemos estar conscientes de que estamos atrapados. El primer paso de la solución es simplemente estar consciente de lo que está sucediendo. Debemos llegar a estar conscientes de lo que hacemos con nuestra atención, para poder llegar a controlarla. Con esta conciencia podemos comenzar a elegir qué creencias formaremos hoy. Cuando estamos conscientes y podemos controlar nuestra atención, también podemos usarla para dejar de reforzar las viejas creencias que controlan nuestras emociones y comportamientos e incluso liberarnos de ellas. Nuestra atención fue fundamental para construir la estructura de nuestras creencias, y es a través del uso de nuestra atención que las creencias serán disueltas.

Aunque obtener el control sobre su atención y cambiar las creencias le pueda parecer difícil, no tener control sobre su atención es mucho peor. Estar a merced de una reacción emocional, sin control sobre ella, es un modo de vivir mucho más difícil y más doloroso emocionalmente. Permitir que esas falsas creencias ejecuten historias en su cabeza y determinen sus comportamientos es agotador. Si usted quiere liberarse de las reacciones emocionales y los pensamientos negativos y vivir su propia vida, deberá obtener control sobre su atención, elegir lo que creerá o no, y esto a su vez lo conducirá a diferentes experiencias emocionales. Sin algo de control sobre su atención — que es el mecanismo más básico de su mente — tendrá muy poca oportunidad de controlar otras partes de su vida.

Obteniendo el control de su atención

Debido a que nuestras burbujas de creencias hacen difícil imaginar otras posibilidades, a veces lo más sencillo y práctico es llegar a ser consciente de lo que ciega nuestra percepción. Comenzamos este proceso utilizando nuestra atención para observar nuestras creencias en acción. Cuánto más conscientes estemos de los patrones habituales de nuestra mente, más fácil será ver a través de ellos.

Si en silencio usted se sienta a observar su mente, se dará cuenta de que está demasiado ocupada, generando un pensamiento tras otro, a menudo contradiciéndose a sí misma. Cada pensamiento, cuando es aceptado como verdadero o válido, puede generar su propia pequeña emoción. Tenemos miles de pensamientos cada día. Si dejamos que nuestra atención los siga y automáticamente los aceptamos como verdaderos, construimos muchas creencias que son falsas y que continúan reforzando las burbujas de creencias existentes. También experimentamos muchas pequeñas reacciones emocionales que son innecesarias. Al final del día podemos terminar agotados por los dramas emocionales que se vivieron en nuestra mente.

Como mencioné con anterioridad, la habilidad y disciplina que gradualmente usted ha desarrollado sobre su atención a través de la meditación, no necesariamente se aplicará a otras áreas tales como los pensamientos acerca de sus problemas en las relaciones o sus miedos acerca del dinero. Las creencias sin cuestionar permanecen, generan pensamientos e imágenes y requieren o seducen su atención, orientándola una vez más en otra dirección.

De adultos, lo que principalmente controla nuestra atención son nuestras propias falsas creencias y reglas basadas en el miedo. Por lo tanto, la forma más rápida de obtener el control sobre nuestra atención, es identificando esas creencias y desmantelándolas. Cuando disolvemos las creencias, estas ya no reclaman nuestra atención, y es más fácil poner nuestra atención donde elijamos.

El enfocar la atención en sus creencias puede modificarlas, e incluso disolverlas. De la misma forma que la luz del sol disuelve la neblina y aclara el cielo, nuestra conciencia y atención pueden disipar la neblina de creencias. Es vital que cuando usted contemple una creencia, lo haga como un observador y que aplique un poco de escepticismo, en lugar de sólo aceptarla como cierta, tal como lo hizo en el pasado. Tampoco es solo cuestión de rechazar mentalmente la creencia o adoptar una diametralmente opuesta. Más adelante, en otros capítulos proporcionaré algunos ejercicios prácticos y técnicas que usted podrá implementar para desmantelar sus creencias.

El proceso que propongo en este libro está dirigido a obtener el control sobre su atención, desmantelando creencias. La aparente trampa está en este dilema: ¿cómo podemos usar nuestra atención para desmantelar nuestras creencias, cuando nuestras creencias ya tienen el control sobre nuestra atención?

Debemos asumir que usted ya tiene cierta habilidad para controlar su atención, aunque sea apenas un poco. La verdad es que las creencias en su mente no controlan su atención *todo* el tiempo. En este momento, usted está usando su atención para leer estas páginas, absorber estas ideas, y conectarlas con otras cosas en las cuales cree. Al principio, tendrá sólo un mínimo de control sobre su atención y lo mantendrá por intervalos de tiempo cortos. Esto significa que el desarmar sus creencias basadas en el miedo, será un proceso lento al comienzo. También inicialmente usted tal vez sea más efectivo cambiando creencias más pequeñas. Sin embargo, conforme vaya disolviendo cada creencia, usted tendrá más control sobre su atención y podrá aplicar ese control para romper con otras creencias.

Cada vez que usted quiebre una falsa creencia, recuperará el poder personal que la mantenía vigente. Tendrá entonces más poder personal con el que podrá controlar su atención para identificar y cambiar otras creencias. Conforme continúe este proceso, notará una aceleración en la obtención de más poder personal y en la velocidad con la cual usted puede identificar y cambiar sus creencias limitantes.

Enfocarse en lo positivo: la trampa de la autoayuda

Un error común en la comunidad de autoayuda es el sostener que, puesto que aquello en lo que ponemos nuestra atención tiende a aumentar, deberíamos evitar enfocarnos en "pensamientos negativos" y enfocarnos sólo en los positivos. El optimismo y un enfoque positivo pueden ayudar, pero si nos rehusamos a enfrentar nuestras creencias negativas o a reconocer el hecho de su influencia, dejamos instalado en el poder a un sistema de creencias que distorsiona nuestra forma de ver la realidad. El nombre común para esta conducta es "negación".

Para que el cambio suceda, debemos enfocar nuestra atención en nuestras falsas creencias. Al hacerlo, no generaremos "más de lo mismo", sino más bien la claridad que viene de exponer los falsos supuestos en su meollo y ver lo que es verdadero. Negar lo que el sistema de creencias está haciendo y enfocarse sólo en "lo positivo" es ignorar factores importantes que nos afectan.

Si usted fuera al doctor con un brazo roto, querría que él le dijera: "Bueno, miremos sólo el brazo que está sano. ¿Por qué no te concentras en eso?" Seguramente usted no querría esa respuesta. Si su auto tuviera una llanta pinchada, ¿le ayudaría enfocarse en las otras tres llantas que están bien? Por supuesto que no, sería ridículo. Sin embargo, este tipo de consejo, enfocarse sólo en los puntos positivos, es el que con frecuencia se les da a personas que están luchando con su inseguridad, su baja autoestima, su ira, sus celos y otros problemas basados en creencias.

Para reparar un auto y hacerlo funcionar mejor, el mecánico debe identificar y enfocarse en lo que está mal en el auto. Su trabajo será más efectivo y placentero si lo hace con una actitud agradable y optimista. Él incluso puede celebrar el momento en que descubre la raíz del problema.

De la misma forma, si usted está teniendo un sufrimiento emocional innecesario, debe poner atención en las falsas creencias que son la causa raíz del problema, para poder cambiarlas. Esto no es lo mismo que ser negativo. Al enfocar su atención en las falsas creencias basadas en el miedo, sólo se estará concentrando en lo que no está funcionando en su vida emocional a nivel causal, de modo de poder cambiarlo. Entonces, conforme estas falsas creencias se vayan despejando, le será más fácil enfocarse en las cosas de las que usted realmente disfruta.

Gary van Warmerdam

Capítulo 5
Perspectiva

La perspectiva desde la que vemos el mundo tiene un gran impacto en la formación de nuestra experiencia. Va de la mano con nuestra atención. La atención determina en *qué* nos enfocamos, mientras que la perspectiva es la *posición* desde la que vemos las cosas. Consideremos dos ejemplos para ilustrar cuán fuertemente el elemento de la perspectiva afecta nuestras emociones.

Perspectiva y experiencia

Quizá usted vivió algún incidente embarazoso durante su adolescencia. Al recordar el incidente en los días siguientes, usted sentía las mismas emociones de vergüenza, humillación y mortificación. Sin embargo, conforme pasaron los años, probablemente ese momento embarazoso de su juventud le haya parecido "superado". Más específicamente, su *perspectiva* del evento cambió. Al recordar el evento ahora, tal vez hasta se ría. En lugar de ocultarlo, es posible que hasta lo comparta con otras personas y se rían juntos del incidente.

Los hechos del evento no han cambiado. Sin embargo, *su interpretación* del evento y lo que significa han cambiado, ya que su perspectiva es diferente. Cuando su perspectiva cambia, el pensamiento, la interpretación, la creencia, el significado, y, lo más importante, la emoción asociada con el incidente, también cambian.

La vergüenza original quizá haya surgido de la creencia de que todos sus compañeros adolescentes lo estaban juzgando. Esta creencia fue creada desde una perspectiva en la cual las emociones eran principalmente inseguridad y miedo. Desde esa percepción miope, usted supuso que lo que sucedió durante ese único día de su adolescencia, le afectaría el resto de su vida.

Conforme fue creciendo, usted adquirió más experiencias que usó para definir su personalidad. Logró más confianza y ya no se vio a usted mismo y al mundo a través de la percepción miope de un único evento asociado con el rechazo. Años más tarde, ya no tiene la miopía adolescente que magnifica el impacto de las pequeñas cosas sobre "toda su vida". Así como un edificio parece más pequeño cuando se ve desde 3000 metros de altura, el evento pasado, que era enorme cuando usted estaba viviéndolo, ya no tiene tanta importancia desde su punto de vista de hoy en día.

A menudo atribuimos estos cambios emocionales a la edad y la madurez, pero no es el hecho de crecer lo que altera las creencias y emociones acerca de un evento. Una persona puede reírse de un suceso vergonzoso que pasó hace treinta años, mientras que otra tal vez se siga sintiendo horrorizada y avergonzada treinta años después. El tiempo no es el factor esencial para cambiar las emociones. El paso del tiempo sólo permite que otros factores reales cambien. Cambiar la perspectiva es lo que cambia la interpretación, el significado y las emociones relacionadas con un evento pasado.

Si le cuesta trabajo desprenderse de los eventos del pasado, entonces tal vez pueda considerar un enfoque diferente. Primero, considere que los eventos del pasado no cambian. Lo que sucedió, sucedió — los hechos de la historia no van a ser alterados. Sin embargo, la historia que usted cuenta, la forma en la que lo cuenta, las interpretaciones que hace —y, por lo tanto, las emociones que siente— acerca del pasado, están todas basadas en una perspectiva y son posibles de cambiar. Ser consciente de su propia perspectiva iniciará el proceso de cambiar la forma en la que usted interpreta los eventos del pasado y del presente.

La perspectiva es el volante de nuestro sistema de creencias. Tome el control de ella, y sus pensamientos y creencias cambiarán más fácilmente.

Perspectiva, creencias y emociones

Supóngase usted que su pareja tiene algunos rasgos que le gustan o considera admirables. Tal vez esta persona es algo distante e inmune a lo que otros piensan. Usted puede interpretar que esto significa que tiene una personalidad fuerte y que puede pensar y actuar de forma independiente, por lo que usted admira esa cualidad. Pero más adelante usted observa esos mismos rasgos y le molestan. Ese rasgo de ser distante se ve ahora como indiferencia y falta de cuidado por el otro. Su pareja no ha cambiado, su personalidad no ha cambiado, pero usted sí cambió su opinión o interpretación acerca de ese rasgo.

Sin embargo, no sucedió algo tan simple como alterar su opinión. Lo que cambió fue la perspectiva desde la que usted miró a su pareja. Puede imaginar a la perspectiva como los ojos desde los que usted está observando. Así, usted pasó de mirar aquellos rasgos de distancia e independencia desde los ojos del respeto, a mirarlos con los ojos del fastidio.

Sí, sus interpretaciones y creencias acerca de su pareja cambiaron, porque las creencias y las perspectivas están estrechamente relacionadas. La perspectiva es el punto de vista dentro de una burbuja de creencias que permite que la creencia proyectada aparezca como real. Aunque las dos están estrechamente relacionadas, es importante entender la diferencia entre ellas, del mismo modo en que un mecánico necesita conocer las diferentes partes de un auto y cómo interactúan. Una vez que usted cambia la perspectiva relacionada con la creencia, la creencia no le parece ya la misma ni lo impacta de la misma forma emocionalmente.

A menudo la forma más fácil de cambiar una creencia es cambiar primero la perspectiva. Usted puede empujar un auto en movimiento de muchas formas sin cambiar su dirección, pero si aplica un poco de fuerza en el volante, usted comenzará a moverse en una dirección diferente. La perspectiva es el volante de su sistema de creencias. Tome el control de ella, y sus pensamientos y creencias se moverán más fácilmente.

Su perspectiva es el mirador desde el que usted observa sus experiencias. Precede a cualquier interpretación, pensamiento, creencia y decisión. Su perspectiva afecta no sólo lo *que* usted percibe sino *cómo* lo percibe y, por lo tanto, su experiencia del mundo. Ser consciente de su perspectiva es esencial para cambiar sus creencias, porque usted no puede controlar conscientemente o cambiar algo de lo que no es consciente.

Podemos usar nuestros ojos como una metáfora física de la perspectiva. Cuando miramos un edificio, estamos poniendo nuestra atención en él. Nuestros ojos son nuestra herramienta de la percepción física. Si nos paramos en un lugar diferente, el edificio parecerá diferente.

Tendríamos una experiencia diferente del edificio si estuviéramos adentro, en lugar de afuera. Desde la calle, parece un mamut y totalmente inamovible. Desde una habitación dentro del edificio, parece mucho más pequeño, pero tiende a rodearnos y contenernos. Desde un avión en las alturas, el edificio parece pequeño e insignificante. Conforme cambia nuestra perspectiva del edificio, el significado del edificio y nuestra relación con él también cambian. En cada situación nuestra atención está todavía en el edificio, pero cada cambio de perspectiva nos proporciona una experiencia diferente del edificio.

En ningún caso podemos ver en realidad donde están localizados nuestros ojos. Sólo podemos notar lo que nuestros ojos perciben, y luego deducir donde están localizados y si nuestra cabeza está inclinada o no. De la misma forma, cuando se trata de eventos o relaciones en su vida, usted no puede percibir directamente cuál es su perspectiva, pero puede deducirla basándose en el contexto y en otra información que tenga. Es como averiguar la posición de una cámara, sólo con observar la fotografía que tomó.

Descubrir las estructuras de las creencias en nuestra mente, es como descubrir la estructura de un edificio. Podemos ver una habitación desde dentro de un edificio y no tener idea de qué tan grande es el edificio, dónde está ubicada la habitación, o en qué piso nos encontramos. De forma similar, cuando estamos dentro de una burbuja de creencias no podemos identificar qué tan grande es, qué otras falsas creencias la sostienen, si es verdad, y si nos está ayudando a ser felices o a hacernos sentir desdichados. Alguien puede pasar el día temiendo perder su trabajo. Sintiéndose desdichado y nervioso todo el día, puede defender esa creencia como útil, ya que lo hace esforzarse más. Sin embargo, no se da cuenta cómo la ansiedad de perder su trabajo lo hace ineficiente y difícil de tratar para sus compañeros de trabajo. Cuando la burbuja de creencias y sus comportamientos asociados se ven desde una perspectiva externa, revela cosas que la persona no podía ver desde dentro.

Las historias que usted se cuenta y sus creencias acerca de sus experiencias están basadas en una perspectiva, aun cuando esto no sea obvio en el momento. Esa perspectiva reside dentro de una burbuja de creencias. Ser flexibles con la perspectiva o punto de vista, es fundamental para cambiar los pensamientos en los que usted cree. Me estoy tomando un poco más de tiempo para explicar la perspectiva de manera que, cuando introduzca los métodos para moverla fuera de las interpretaciones de su burbuja de creencias, usted comprenda por qué funcionan y la importancia de realizar esos ejercicios.

Cuando usted aprende a cambiar su perspectiva de un evento, no sólo sus pensamientos y creencias cambian, sino también sus emociones. Los hechos no cambiarán, pero las interpretaciones que usted hará y, por lo tanto, las emociones que sentirá, cambiarán. Sus creencias se verán mucho más pequeñas, menos válidas, y reemplazables. Al principio, la perspectiva puede parecer tan obvia o abstracta que usted se inclinará a minimizarla. Sin embargo, cuando se trata de identificar y cambiar las creencias que afectan nuestras emociones, la importancia de la perspectiva no puede dejar de enfatizarse.

La perspectiva determina la experiencia

Imagine que está preparándose para hacer una presentación. Si usted se siente seguro, probablemente se enfocará en todas las cosas que pueden ir bien en la presentación. Aun cuando imagine lo que pueda ir mal, considerará lo que puede cambiar para mejorarlo; reorientará su historia interna hacia la conclusión positiva porque eso es lo congruente con la perspectiva de una persona segura de sí misma. A la inversa, si usted se siente inseguro, su mente se enfocará en todo lo bueno y malo que puede pasar, pero anticipará un resultado negativo. Antes de la presentación, esta escena negativa se recreará en el mundo interno de su imaginación. No solo su atención se concentrará en las cosas negativas, sino que incluso antes de subir al podio usted se experimentará a sí mismo desde la perspectiva de una persona insegura. Desde una perspectiva confiada o una perspectiva insegura, usted considerará los mismos problemas, pero según la perspectiva que adopte resultarán diferentes actitudes, diferentes sentimientos y diferentes resultados imaginarios acerca de los problemas.

En el ejemplo de un orador inseguro, la solución no es simplemente cambiar los pensamientos de negativos a positivos. El orador seguro de sí mismo también considera los pensamientos negativos, pero no los vive como problemas. Cuando surgen, sabe que puede lidiar con lo que se presente y conseguir un resultado positivo. Así que los pensamientos negativos acerca de los problemas potenciales durante la presentación, no son relevantes. La perspectiva desde la que los usted los mira, es lo que cambia la experiencia. En lugar de perder su tiempo luchando contra los pensamientos negativos, usted puede cambiar el cómo sentirse acerca de cualquier situación, simplemente cambiando la perspectiva.

Más acerca de la trampa de la autoayuda

Como lo mencioné en el Capítulo 4, mi postura acerca de disolver creencias difiere de la mayoría de las doctrinas de autoayuda y desarrollo personal, que sugieren enfocar su atención en las cosas positivas. Aquello en lo que usted enfoca su atención es sólo parte del proceso. La perspectiva que usted adopta cuando enfoca su atención es igual de importante. Si usted se enfoca en la imagen positiva de hacer una buena presentación, pero lo hace desde la perspectiva de un estado mental de inseguridad, no se va a sentir bien. Si usted enfoca su atención en lo que quiere crear, pero está en la perspectiva de una persona deprimida y sin esperanza, no va a creer en su propio monólogo interior positivo. Lo más probable es que se sienta como un impostor, pretendiendo que las cosas funcionarán, lo que agregará una capa más de autocrítica a todo aquello con lo cual ya está lidiando.

Paradójicamente, usted podría poner su atención totalmente en los errores del pasado, lo que suena muy negativo, pero si lo hiciera desde una perspectiva de curiosidad y con la intención de aprender y crecer, podría ser una experiencia muy valiosa y positiva. Poner su atención en los miedos que usted tiene, desde una perspectiva de curiosidad y escepticismo acerca de las creencias que hay detrás de ellos, puede ser una reveladora experiencia de crecimiento. Poner su atención en cómo usted proyecta su autoimagen a otros, mientras retrocede un poco y se ríe de ello, puede ser liberador.

A menudo podemos aprender mucho más de nuestros errores que de nuestros aciertos. En los casos en que hemos herido los sentimientos de otros, podemos hacernos conscientes de nuestros patrones de conducta, creencias y miedos, y madurar a partir de ellos. Si somos introspectivos y reflexionamos en nuestras creencias basadas en miedos, podemos traerlas a nuestra conciencia y romper el patrón de sabotaje inconsciente que acontece cuando están ocultas.

El prerrequisito para reflexionar acerca de las experiencias del pasado y superarlas, es percibirlas desde una perspectiva de observador neutral, con una actitud de aprendizaje y crecimiento. Desviarnos de esta perspectiva por regla general nos traerá interpretaciones críticas que resultarán en castigarnos emocionalmente por los supuestos errores, y esto no nos es útil. La perspectiva con la que iniciamos y mantenemos el proceso, determina el resultado. Podemos aprender y crecer mucho si nos enfocamos en lo "negativo," pero sólo si lo hacemos desde una perspectiva positiva o neutral.

Si seguimos el mantra de enfocarnos siempre en lo positivo, nos perderemos oportunidades de aprender y crecer. Sin embargo, podemos enfocarnos en algo problemático o doloroso no sólo desde una perspectiva neutral sino desde una perspectiva de amor, respeto, compasión y aceptación. Esta perspectiva no sólo es posible sino esencial para poder facilitar un cambio real y duradero.

Capítulo 6
Personalidad y personajes

Cuando cambiamos nuestra perspectiva, todo parece diferente. En cierto modo, muchos de nosotros ya lo sabemos. Cuando estamos atribulados emocionalmente, a menudo nos aconsejan "cambiar nuestro punto de vista" o "verlo de otra forma". Después de escuchar esto algunas veces, quizá nos repitamos lo mismo.

Ser conscientes de nuestra perspectiva es, en cambio, muy difícil, porque se trata de un componente muy abstracto del mundo interno de nuestra mente. Así como en la metáfora de la foto, donde la posición de la cámara es una de las cosas que no se puede ver en la imagen, no podemos señalar a nuestra perspectiva y decir "Ahí está". Desarrollar la consciencia de este aspecto de la mente, requiere de cierta práctica. Más adelante presentaré algunos ejercicios que le ayudarán a lograrlo.

Una forma más práctica de ver la perspectiva es en términos de actitud, estado de ánimo y mentalidad. Todos tenemos experiencia en comprender actitudes y estados de ánimo. ¿Cuántas veces le ha preguntado la gente acerca del estado de ánimo de un familiar o de su jefe? Si usted sabe cuál es el estado de ánimo, humor o actitud que esa persona está teniendo, puede predecir cómo le responderá. Si está de buen humor, lo más seguro es que reaccione de forma positiva, aun cuando se trate de malas noticias. Si está de mal humor, tal vez reaccione de mala manera aun cuando se trate de buenas noticias.

El estado de ánimo de una persona o su actitud, nos dicen la perspectiva en la que se encuentra y cómo verá y, en consecuencia, reaccionará a una situación. Buscamos esta información acerca de alguien, porque sabemos que su marco mental es un factor en la reacción que tendrá tanto como la información que recibirá. Cuando le preguntamos a la secretaria acerca de su jefe, "¿Qué estado de ánimo tiene hoy?" lo que queremos averiguar, es qué perspectiva, como parte de su sistema de creencias, predomina o está activa en ese momento en la personalidad del jefe. La secretaria tal vez responda que el jefe está tolerante o apurado o que "acaba de cerrar una venta así que será 'fácil de convencer'". Con sólo unas pocas palabras podemos conocer a conciencia cuál es la perspectiva de la persona con la que estaremos tratando.

En adelante, llamaremos a estos diferentes aspectos *personajes*. Un personaje es una faceta de la personalidad de alguien y la que identifica más claramente el componente de la perspectiva en su sistema de creencias.

Gary van Warmerdam

Los personajes en una historia

Yo tenía más de veinte años y estaba en casa visitando a mis padres. La espalda de mi papá estaba en malas condiciones, así que mi mamá le hizo una cita con un quiropráctico. Mi papá era granjero, un hombre fuerte como un roble y con una gran tolerancia al dolor. Para que visitase al médico, tenía que estar realmente muy mal. Vivíamos en el campo, como a veinte minutos de la ciudad, y yo fui el encargado de manejar y llevarlo a su cita.

Salimos de la granja con mi papá a mi lado ocupando el asiento del pasajero. Pasamos sobre las vías del tren en la intersección y pude ver su gesto de dolor mientras el auto se sacudía sobre el suelo irregular. Me sentí muy mal al verlo así.

Casi todo el camino a la ciudad era una carretera con dos carriles. Tenía bastante tráfico, lo que hacía difícil que se pudiera rebasar. Normalmente, yo manejaba a una velocidad de cien kilómetros por hora en esa carretera toda vez que podía, y odiaba ir detrás de conductores lentos.

No había llegado a los noventa y cinco cuando el auto atravesó un pequeño bache en la carretera. Mi papá, con una voz muy baja, quebrada por el dolor, me pidió: "Por favor, baja la velocidad". Yo no me había dado cuenta de qué tan sensible estaba él al movimiento del auto. Mi humor cambió al darme cuenta de que ese no sería un viaje normal a la ciudad. Comencé a poner más atención a la carretera y a echar una mirada a mi papá cada tanto para ver cómo le iba mientras yo manejaba. Pasamos otro bache en el camino y mi papá volvió a mostrar un gesto de dolor. Disminuí la velocidad aún más. Con cada bache que pasábamos, reducía la velocidad cada vez más. Al poco tiempo estaba manejando a sesenta kilómetros por hora. Unos minutos después, tenía a cuatro y luego a seis autos detrás de mí e intentando pasarme.

Siempre odié que me tocara ir detrás de conductores lentos. Como cualquier veinteañero, tenía una afición por la velocidad. Cuando iba detrás de un conductor lento, los maldecía porque pensaba que sólo un estúpido manejaría tan lentamente. Atrapado detrás de ellos, pensaba que seguro lo hacían a propósito para molestarme. Ya fuera por mi impaciencia o su estupidez, de cualquier forma me frustraba fácilmente con los conductores que iban dentro o debajo del límite de velocidad.

Conforme manejaba con mi papá en el auto, sentía como si pudiera oír las voces en la cabeza de los otros conductores, gritando con la misma actitud que yo había tenido tantas veces: "¿Qué diablos te pasa, maldito estúpido? ¡Muévete, imbécil!" Podía imaginarlos gritándome en sus mentes o incluso en voz alta. Ahora me tocaba a mí ser el maldito imbécil a quién yo tantas veces había gritado.

Me la pasé observando las reacciones de mi papá. Ocasionalmente se movía un poco, tratando de encontrar una posición menos dolorosa, pero con

64

miedo de incrementar su dolor en el proceso. Sus movimientos lentos, la contracción de su respiración y la tensión en su cuerpo transmitían el miedo a tener otro dolor punzante. Aun cuando los conductores detrás de mí me gritaran que tenía que aumentar la velocidad, no le haría eso a mi papá. Por otra parte, desafortunadamente, hacerme a un costado para dejarlos pasar, sólo significaría más baches al salir y volver a entrar a la carretera, y tampoco quería hacerle eso.

A la cabeza de la larga fila de autos desplazándose a baja velocidad, reflexioné acerca de esos momentos en los que me sentí frustrado y molesto por estar atrapado detrás de conductores lentos. Los había llamado idiotas, imbéciles, entre otras cosas. Ahora me daba cuenta de lo ignorante que había sido. Antes yo asumía que ellos no tenían una razón válida para ir tan despacio. Asumía que yo sabía más que ellos acerca de la velocidad con la que debían manejar. Asumía que era mucho más listo que ellos, con mi sentido de que ir alta velocidad era mejor, y asumía que eran demasiado estúpidos. La verdad era que no tenía idea de lo que podría estar pasando a esos conductores delante de mí. En realidad, yo era el ignorante y doblemente ignorante, al pensar que yo sabía más que ellos. Tal vez tenían una buena razón para su lentitud. Tal vez estaban manejando lento por el amor y cuidado que sentían por alguien.

Así como yo no sabía lo que estaba sucediendo en aquellos momentos, los conductores detrás de mí tampoco sabían que mi papá iba sentado junto a mí con mucho dolor. Si se sentían molestos, frustrados o tal vez incluso enojados, era más bien por lo que se imaginaban en sus mentes y que no tenía ninguna relación con la realidad. Ellos desconocían que yo sólo estaba tratando de ayudar a mi papá, y que, en una circunstancia similar, ellos seguramente también manejarían lentamente.

Desde entonces, cuando estoy detrás de un conductor lento, ya no creo en ningún pensamiento de molestia que surja dentro de mi cabeza. Los pensamientos tal vez surjan, pero ahora estoy consciente de los falsos supuestos que hay detrás de ellos y cómo no se condicen con la realidad. Soy consciente de que no sé lo que puede estar pasando en el auto de adelante. Simplemente decido creer que el conductor está haciendo lo mejor que puede.

Múltiples perspectivas en una historia

Cuando pensamos un pensamiento, tenemos opiniones, o reaccionamos emocionalmente, lo que habitualmente decimos toma la forma de una historia. Una historia es siempre contada desde una perspectiva en particular. Cuando usted lee o escucha una historia, su imaginación puede adoptar la perspectiva del narrador o de los personajes en la historia. Usaremos la historia anterior para que usted observe cómo los diferentes pensamientos provienen de diferentes perspectivas.

Yo conté la historia en primera persona, como yo mismo, pero salgamos ahora de la historia y examinémosla en tercera persona, como la "experiencia de Gary". Si diseccionamos la historia, podemos ver varias perspectivas diferentes dentro de la experiencia de Gary. Para empezar, hay cinco versiones diferentes de Gary, y otros dos personajes adoptados a través de la imaginación acerca de la experiencia de otras personas:

1. Gary el Impaciente, que se enoja y frustra con los conductores lentos.
2. Gary el Idiota, que ahora se ve a sí mismo como conductor lento y estúpido.
3. Gary el Amable, que lleva a su papá a su cita con el doctor.
4. Gary el Reflexivo, que está procesando y comprendiendo la situación.
5. Gary el Consciente del final, el que está en paz con los conductores lentos.
6. El Papá de Gary, en el asiento del pasajero, sintiendo dolor.
7. Los Conductores detrás de Gary, sintiéndose frustrados y enojados.

Y tenemos una octava perspectiva, la postura del observador que estamos utilizando en este momento para diseccionar los personajes de la historia.

Conforme lee la historia, usted se desplaza hacia cada una de las perspectivas de los diferentes personajes e imagina la experiencia desde sus puntos de vista. Usted puede imaginarse viviendo la experiencia de Gary así como sus descubrimientos y su cambio de perspectiva. Usted puede pasar de la perspectiva del padre sintiendo dolor, a la perspectiva de un conductor yendo detrás de un auto lento.

Como lector u oyente, usted crea su propia versión de la historia en su mente. Utilizando su imaginación, usted construye una experiencia virtual, que incluye a la gente, autos, escenas, conversaciones y diálogo interno de pensamientos y emociones. Conforme avanza la historia, usted viaja hacia adentro y hacia afuera de las perspectivas de cada uno de los personajes e imagina vivir lo que cada uno está sintiendo emocionalmente e inclusive físicamente. Cuando la narración termina, usted sale de la historia y la mira como algo que usted creó con su imaginación. Cuando Gary regresa y lee su propia historia, también puede adoptar la perspectiva del observador.

Como oyente, usted puede tomar la perspectiva del observador, manteniéndose fuera de las diferentes experiencias, sin adoptar nunca la perspectiva de un personaje. Usted vive la historia como un observador, en lugar de construirla en su imaginación como si le estuviera pasando a usted. Esto tal vez le suceda también cuando esté editando una historia escrita. Usted sabe cuáles son todas las partes diferentes de la historia, pero su perspectiva no está dentro de las burbujas de experiencia. Sin embargo, si la historia está cargada emocionalmente o es un tanto dramática, tal vez lo arrastre dentro de las perspectivas de los personajes y pierda la neutralidad de la perspectiva del observador.

Lea de nuevo la historia, esta vez poniendo su atención en cómo Gary cambia de un personaje a otro, aun cuando todo esté contado por la misma persona. Al leer con la intención de observar los cambios en los personajes, también podrá notar que esta segunda vez usted ha adoptado más bien la perspectiva de observador.

El escéptico sale de la historia

Ahora podemos llevar este enfoque un paso más adelante y crear una novena perspectiva, la de un escéptico. El escéptico surge desde la perspectiva del observador neutral y comienza a examinar los supuestos y la estructura de la historia. Un escéptico puede empezar preguntándose si la historia es verdadera o ha sido inventada.

El escéptico puede darse cuenta de que aun cuando Gary pretendió tener una perspectiva más esclarecida al final de la historia — al admitir que no sabía lo que podía estar pasando en los autos delante de él — todavía asumía que sabía lo que pasaba por las mentes de las personas detrás de él. Él asumía que los conductores detrás de él estaban teniendo la misma clase de reacciones que Gary el Impaciente. Él no se imaginaba que cualquiera de ellos podría tener una madurez y conciencia diferente a la de un veinteañero impaciente. El asumió que era la única persona en la fila de autos con esa comprensión. Esto es otro supuesto limitante acerca de la gente del que todavía no se daba cuenta.

Después de escribir su historia, Gary puede regresar y leerla desde una perspectiva de observador más neutral. Desde una perspectiva escéptica, podemos ver que el Gary Consciente todavía tiene un paradigma de creencias limitantes que contiene una perspectiva espiritualmente arrogante. Gary ha superado un conjunto de creencias limitantes y está más tranquilo, pero aún está limitado por otros supuestos de los que no está consciente. Al examinar activamente los supuestos de cada personaje, él adopta la perspectiva del escéptico. El escéptico puede ver la historia y ver los supuestos falsos de la burbuja de creencias de Gary el Consciente.

La experiencia de la perspectiva de cada personaje dentro de la historia, está limitada a su burbuja de creencias. Gary el Idiota no puede ver las cosas que Gary el Reflexivo si puede, ni Gary el Consciente o Gary el Impaciente ven a los conductores lentos de la misma forma. Por otro lado, el observador y el escéptico, no están dentro de la historia. Ven la historia y las creencias desde fuera de todas las burbujas de creencias diferentes. Al estar fuera, pueden ver como las diferentes partes encajan entre sí o están separadas, y les es más fácil cuestionar los supuestos. El observador y el escéptico son capaces de ver cómo cada uno de los personajes tienen limitaciones en cómo ven y experimentan las cosas. En la analogía que utilicé antes, esto es como ver el edificio desde fuera. Cada personaje está dentro de una habitación o piso del edificio y está teniendo una experiencia completa, pero sólo al estar fuera del edificio podemos ver como las habitaciones y las historias encajan.

El uso de personajes ayudará a identificar y aislar las creencias específicas que causan las reacciones emocionales.

Personajes, interpretaciones y significados

Toda historia, opinión y pensamiento están basados en un punto de vista y tienen su propia burbuja de creencias. Gary el Impaciente está dentro de la burbuja de creencia donde los conductores lentos son unos idiotas. No existen otras interpretaciones posibles para este personaje. Gary el Idiota siente que es un estúpido por manejar despacio. No hay otra interpretación posible para este personaje. Gary el Amable interpreta el manejar despacio como un acto de compasión. Con esa perspectiva y esa burbuja de creencia, no lo verá de ninguna otra forma. Cada personaje tiene los mismos datos objetivos, pero crea su propia interpretación, significado y emoción según la perspectiva dentro de su burbuja de creencias.

Probablemente nos hemos dado cuenta de que la gente tiene diferentes puntos de vista. Cuando tiene que ver con los sistemas de creencias, una sola persona también puede tener múltiples puntos de vista. Estas perspectivas pueden cambiar de momento a momento o coexistir en el mismo momento. Gary el Reflexivo consideró las perspectivas de Gary el Impaciente, Gary el Idiota y Gary el Amable, al colocarse fuera de todos ellos. En efecto, Gary el Reflexivo estaba manteniendo cuatro puntos de vista al mismo tiempo. Al leer esta historia, usted tal vez se encuentre adoptando la perspectiva de Gary, la de su papá y la de los conductores detrás de él, todas al mismo tiempo. Tener varios puntos de vista de forma simultánea, no es algo nuevo; sin embargo, ser *conscientes* de que esto es lo que estamos haciendo, o qué tan a menudo lo hacemos, podría serlo.

No podemos usar la descripción "la perspectiva de Gary" con mucha precisión ya que, como hemos visto, hay muchas versiones diferentes de la misma, dependiendo del momento y cómo lo recortamos. Hacia el final, Gary es el observador de su experiencia, y más tarde, cuando está estudiando la historia, es un escéptico que percibe las diferentes burbujas de creencias de los diferentes personajes.

Identificar estas diferentes perspectivas como personajes — Gary el Impaciente, Gary el Hijo Amable, Gary el Idiota, Gary el Reflexivo, Gary el

Consciente, Gary el Observador, Gary el Escéptico, Gary imaginando a los otros conductores, y Gary imaginando a su papá — nos ayuda a aclarar la actitud y el estado de ánimo en cada momento de la experiencia de Gary. Este uso de personajes al diseccionar pensamientos y creencias puede ser muy útil cuando queremos eliminar ciertas reacciones emocionales de nuestra vida. Aunque muchos de nuestros pensamientos y creencias están perfectamente bien y no necesitan disolverse, el uso de personajes nos ayudará a identificar y aislar las creencias específicas que nos causan reacciones emocionales.

Conforme vayamos avanzando en la comprensión y el cómo cambiar los sistemas de creencias, dejaré de usar los términos de *punto de vista* y *perspectiva*. En cambio, explicaré este elemento de nuestro sistema de creencias bajo las formas más prácticas de *personajes* y *arquetipos*, que son más fáciles de identificar y más reveladoras. Las perspectivas que generan un drama emocional en nuestras vidas y relaciones coinciden bien con los personajes. Sin embargo, para las expresiones de amabilidad, compasión, humildad y amor, el uso de personajes no tiene correspondencia, ya que estas expresiones son más genuinas y no están basadas en la construcción de una falsa creencia o en la perspectiva limitada de la identidad de un personaje. Esto generalmente no representa un problema porque no hay demasiada necesidad de examinar y eliminar las expresiones de amor, compasión y respeto.

Tener varios puntos de vista de forma simultánea, no es algo nuevo; sin embargo, ser conscientes de que esto es lo que estamos haciendo, o qué tan a menudo lo hacemos, podría serlo.

Usando personajes para cambiar las creencias

Como lo expliqué anteriormente, cuando una creencia es falsa crea una burbuja de creencia. La perspectiva de un personaje se puede encontrar dentro de su burbuja de creencia correspondiente, e identificarla es esencial para cambiar una creencia. En la historia de Gary, sus creencias y, por lo tanto, sus reacciones emocionales acerca de los conductores lentos cambiaron como resultado de un cambio en su perspectiva. Si logramos entender cómo esto funcionó en el caso de Gary, podemos aplicar este mismo método a nuestras propias creencias.

Tener una buena razón para manejar a sesenta kilómetros por hora y retrasar el tráfico, forzó a Gary a adoptar la perspectiva de Gary el Amable, acerca de lo que puede estar pasando en la mente de un conductor lento. Esto creó un conflicto con la creencia de Gary el Impaciente, de que todos los conductores lentos son unos idiotas. Gary el Amable tuvo la experiencia de que los conductores lentos son compasivos y cuidadosos con sus seres queridos y que tienen buenas razones para ir más despacio. Conforme Gary el Reflexivo observaba estas ideas contradictorias, fue obligado a salirse de las burbujas de Gary el Idiota, de Gary el Impaciente e inclusive de Gary el Amable. Gary el Reflexivo puso su atención en las creencias de Gary el Impaciente y en la experiencia de Gary el Amable, y pudo compararlas en paralelo.

Al hacerlo, descubrió también una creencia oculta. Aunque puede parecer que la creencia de Gary el Impaciente era simplemente que "los conductores lentos son unos idiotas", esto fue sólo un pensamiento superficial o la conclusión. La creencia estaba basada en el supuesto de que "los conductores lentos no tienen una buena razón para manejar despacio, así que lo hacen porque son unos idiotas". Cuando estos supuestos ocultos son identificados y vistos como falsos, la creencia superficial puede disolverse rápidamente.

Desde la perspectiva de Gary el Reflexivo, la burbuja de creencias de Gary el Impaciente se veía como falsa e infundada. Las creencias de Gary el Impaciente acerca de que los conductores lentos son unos idiotas y de que no tienen una razón para manejar despacio, ya no coincidían con la realidad que Gary el Amable estaba experimentando. Con ese cambio en la perspectiva, no sólo las creencias de Gary el Impaciente se disolvieron, sino que todas las opiniones, juicios y reacciones emocionales surgidos de ellas, se disolvieron también.

Algo fundamental para la conciencia y el crecimiento, es la capacidad de expandir y cambiar la perspectiva y mirar las cosas desde múltiples puntos de vista. El cambio en la perspectiva de Gary sucedió por accidente. Él no tenía ninguna intención de cambiar sus creencias ese día. Se tropezó con el mecanismo de una perspectiva diferente, que, combinada con auto-reflexión, le resultó efectiva.

A menudo este tipo de cambios se explica como una epifanía, como si se tratase de un tipo de magia accidental, pero hay un mecanismo o proceso en la mente que permite que estos cambios ocurran. Mientras que la experiencia no planeada de Gary al llevar a su papá al médico lo forzó a adoptar otra perspectiva, nosotros no tenemos que dejar nuestros cambios librados al azar. Podemos utilizar conscientemente la técnica de cambiar la perspectiva para cambiar intencionalmente pensamientos negativos, creencias, y reacciones emocionales.

Otro elemento que ayudó a cambiar las creencias de Gary el Impaciente fue el uso de la atención. Cuando Gary el Reflexivo estaba considerando las creencias acerca de manejar despacio, puso su atención en las creencias. Este uso específico de la atención, desde una perspectiva escéptica, para analizar las creencias de Gary el Impaciente y de Gary el Amable le permitieron ver las inconsistencias. Aunque su experiencia de tener que manejar despacio como un gesto compasivo y amable, le ayudó a invalidar sus historias anteriores, fue el poner su atención en ciertas creencias y perspectivas lo que permitió el cambio permanente. Sin prestar atención a esas creencias impacientes, Gary hubiese tenido los mismos pensamientos la siguiente vez que le hubiese tocado ir detrás de un conductor lento, aun cuando ya había tenido una experiencia que los contradijese.

La perspectiva es clave para el cambio

Esta técnica de combinar perspectiva, atención y escepticismo, puede ser aplicada intencionalmente para cambiar de manera efectiva otras creencias, lo que a su vez alterará los pensamientos y la experiencia emocional.

En esta historia, no sólo las creencias de Gary cambiaron. Él también se deshizo de la perspectiva del personaje impaciente y, de forma subsecuente, los pensamientos negativos y las emociones que surgieron de ese personaje. Usted descubrirá que, para que un cambio emocional suceda, cambiar las perspectivas de los personajes es de fundamental importancia. A menudo la gente quiere cambiar cómo se siente o piensa acerca de algo, pero no se da cuenta de que el volante que maneja esos pensamientos y emociones es su perspectiva, y tampoco se da cuenta de cómo utilizarla.

Observe que este proceso para cambiar creencias y reacciones emocionales acerca de los conductores lentos, ocurrió sin la intención de hacerlo. Las creencias de Gary cambiaron sin que él *tratara* de hacerlo. Sus reacciones emocionales se detuvieron permanentemente sin que él *tratase* de detenerlas. No se requirió un esfuerzo voluntario y disciplinado para cambiar sus creencias y pensamientos, o para de tratar de contener sus emociones. El esfuerzo fue aplicado al volante de su sistema de creencias. Gary primero cambió su perspectiva, y luego enfocó su atención en cómo sus creencias se veían desde esta nueva perspectiva. Desde una perspectiva escéptica y reflexiva, fuera de las burbujas de creencias existentes, los supuestos subyacentes aparecieron como falsos, y la burbuja se deshizo rápidamente a partir de ese momento.

Nuestras perspectivas están entrelazadas con nuestras creencias. Los programas o las técnicas que intentan cambiar la creencia conceptual o el pensamiento sin cambiar la perspectiva fallan a menudo. Si logran funcionar es porque la perspectiva cambió sin que nos diésemos cuenta. Si usted utilizó una técnica que aparentemente funcionó, pero más adelante la creencia y su reacción emocional regresaron, puede deberse a que usted volvió a adoptar la perspectiva del personaje. Las técnicas para cambiar las creencias serán más efectivas cuando usted incluya conscientemente el elemento de la perspectiva en el proceso de cambio y no lo deje al azar.

Cómo no cambiar la perspectiva: los recordatorios inútiles

A menudo la gente intenta facilitar el cambio a través de recordarse a sí misma, o a otros, que deben cambiar su perspectiva. El problema es que esto es dicho habitualmente en un modo que tiene un impacto crítico y que, por lo tanto, produce un sentimiento de fracaso o rechazo.

Es como cuando damos el consejo a alguien de "Deberías hacerlo de forma diferente". Como resultado estamos implicando que no deberían estar haciendo lo que están haciendo a su manera. Intencional o no, esto puede ser percibido como una crítica porque tiene todos los elementos de un juicio crítico. De forma similar, podemos experimentar auto-rechazo cuando nos recordamos que debemos cambiar nuestra perspectiva. "Sólo debería cambiar mi perspectiva acerca de esto" es interpretado como "Tengo una perspectiva errónea", o incluso como "Estoy equivocado". Puede ser percibido como un regaño o auto-rechazo, o puede reforzar una creencia de fracaso, dependiendo de la perspectiva del personaje. Cuando esto ocurre, los consejos bien intencionados y los recordatorios no ayudan —más bien lastiman, porque están siendo expresados e interpretados a través de las perspectivas de los personajes de Juez y Víctima. Lo que es necesario es un cambio real en la perspectiva, y no recordatorios para hacerlo o regaños por no hacerlo.

Capítulo 7
Adoptando una perspectiva de observador

Dos tipos de historias que comúnmente nos contamos y que nos provocan un drama emocional innecesario, son aquellas que se refieren a un futuro imaginario y aquellas que recordamos de nuestro pasado. Al contarnos estas historias, o al pensar de esa forma, adoptamos la identidad de la persona que las estaría experimentando — ya sea en una versión imaginaria de nosotros en el futuro o en una versión del pasado según nuestro recuerdo. Al entrar en esta falsa identidad, adoptamos esa perspectiva, viendo la historia a través de esos ojos, y experimentando las interpretaciones que hace como si fueran las únicas verdaderas. La perspectiva y las emociones que la acompañan, a menudo engañan a nuestros sentidos dándonos la sensación de que la historia es real.

Las escenas emocionalmente dramáticas del futuro, a menudo generan miedo en el momento presente. Empezamos a preocuparnos, a sentir miedo, a estar ansiosos e incluso a tener ataques de pánico acerca de algo que no ha sucedido y que, muy probablemente, nunca sucederá. Al imaginar escenas del futuro sentimos las emociones reales del miedo y nuestro sistema nervioso responde como si el evento estuviera sucediendo en el momento presente. De forma similar, la memoria nos permite recrear eventos del pasado en nuestra imaginación, junto con las respuestas emocionales que los acompañaron, como si el evento estuviera otra vez sucediendo en realidad en el momento presente. Las emociones que experimentamos son reales, aun cuando sean respuestas a eventos imaginarios en nuestra mente.

Durante estas escenas imaginarias, nuestra perspectiva se instala dentro de personajes falsos. En un guión futuro asumimos la perspectiva de un futuro yo ficticio. Cuando recreamos un evento pasado, asumimos el personaje de un yo pasado junto con su actitud particular y su interpretación. En ambos casos, estos personajes están separados de la perspectiva del momento presente y de nuestra genuina identidad actual. Recordarnos a nosotros mismos que debemos vivir el momento presente es habitualmente sólo una ayuda temporal, antes de que nuestra imaginación deambule otra vez dentro de escenas del pasado o del futuro.

Una forma más exhaustiva y, a la larga, más efectiva de cambiar estos tipos de drama emocional, es identificar estos yo del futuro o el pasado como personajes. Para lograrlo, usted necesita hacerse consciente de los muy característicos desplazamientos en el tiempo que se están llevando a cabo en su mente. Usando esta conciencia como palanca para lograr la separación, exploremos un método para cambiar estos ciclos emocionales, separándonos de las perspectivas distorsionantes—pasadas y futuras—de los personajes.

Perspectiva en el futuro

Usemos como ejemplo a alguien que está pensado, "Tengo miedo de perder mi trabajo, no podré pagar mi hipoteca y terminaré viviendo en la calle, empujando un carrito del súper". Este pensamiento no es sólo acerca de un futuro imaginario. También implica la identidad de un personaje. La palabra *Yo* implícita en este escenario futuro no se refiere a quienes somos ahora, sino a un futuro personaje imaginario que es pesimista y miedoso. Las emociones de miedo se amplifican y exageran cuando adoptamos esta perspectiva del personaje y asumimos su identidad. El uso del término implícito *Yo*, engaña a nuestra mente y emociones empujándolas hacia dentro de la burbuja de creencias de este futuro personaje apocalíptico, por lo que la experiencia imaginaria parece más real de lo que es.

El primer paso para hacer esta escena menos creíble y reducir el componente emocional, es separarnos de la falsa identidad y poner nuestra perspectiva fuera de la burbuja de creencias de este futuro personaje. Esto es comúnmente conocido como adoptar una perspectiva de observador. En el idioma español no existe un término simple para hablar de una versión futura de nosotros mismos, de la misma forma en la que podemos expresar el tiempo futuro de un verbo. Tampoco tenemos palabras para poder clarificar que este personaje futuro fue inventado por nuestra imaginación. La frase "Tengo miedo de no poder pagar mi hipoteca" se está por cierto refiriendo a un evento futuro, e implica una versión imaginaria de nosotros mismos. Sin embargo, sólo al pensar estas palabras, nuestra perspectiva se desliza dentro de la burbuja de creencias de este personaje. Para cambiar estos pensamientos, creencias y reacciones emocionales del futuro, debemos cambiar el uso del lenguaje de forma que haga que nuestra perspectiva salga de estas identidades falsas.

Una forma simple de lograrlo es escribir en un diario, sin utilizar palabras como *Yo* y *a mí*, ya que la versión imaginaria de usted mismo no es realmente usted. En cambio, refiérase a usted mismo con las palabras *él* o *ella*, o por su nombre, en tercera persona. Después de un tiempo escribiendo de esa forma, usted puede sustituir el personaje específico que detecta y abandonar el término general él/ella. Conforme usted escriba acerca de los eventos de este modo, desarrollará una perspectiva de observador de sus pensamientos y de las falsas identidades de los personajes. Si le cuesta trabajo identificar sus personajes al principio, escribir en tercera persona le ayudará a lograrlo pronto.

Después de reescribir la escena de arriba y agregar más detalle, tal vez se vea de la forma siguiente en su diario:

Bob miró cómo su imaginación generaba un guión acerca del futuro. En este guión, "Futuro Bob el Temeroso" dijo que tenía miedo de perder su trabajo. "Futuro Bob el Temeroso" adelantó la escena hasta el momento donde ya no le era posible pagar su hipoteca. En solo segundos, "Futuro Bob el Temeroso" avanzó seis meses más y se imaginó en la calle empujando un carrito del súper. "Futuro Bob el Temeroso" avanzó de nuevo en el tiempo, congelando la imagen en la escena del carrito, de manera que pareciera que permanecería así por el resto de su vida.

He tomado la frase original y aclarado que se trata de "Futuro Bob el Temeroso" a lo largo de toda la historia. Otras referencias en primera persona son también convertidas a *él* o *su*. Escribir de esta forma nos permite tener claridad acerca de que lo que nuestra mente está proyectando, no nos está sucediendo en realidad en el momento actual. También he detallado los saltos en el tiempo que la mente realiza, para ser más conscientes de que lo que está llevándose a cabo, sólo está sucediendo dentro de una burbuja de creencias. Notar estas diferencias entre las versiones imaginarias y la realidad, nos ayuda a ser conscientes y escépticos de lo que nuestro personaje proyectado está pensando o sintiendo. Al incluir estos detalles, o "agujeros" en la historia, la escena imaginada deja de ser tan creíble.

Es muy fácil identificar cuándo alguien está obsesionado con una historia en su cabeza, creando drama emocional innecesario, porque nosotros estamos fuera de su perspectiva, observando lo que hacen. Esta técnica de escribir en tercera persona emplea el mismo tipo de cambio de perspectiva, de manera que podamos ser un observador y ser escépticos con nuestros propios pensamientos emocionales.

Revisitando el pasado

Una dinámica similar sucede cuando recordamos eventos del pasado y volvemos a experimentar las emociones de ese momento. Lo que hace parecer reales estos recuerdos, es que los repetimos desde la perspectiva de la persona que éramos en el pasado. Cuando esto sucede, no estamos sólo recordando algo — estamos reviviéndolo emocionalmente, como la persona que éramos *entonces*, desde la perspectiva en la que vivimos aquel momento. Esta perspectiva de la experiencia, exagera la emoción que creamos y sentimos. Esto puede que sea agradable si lo que rememoramos es un momento feliz. Sin embargo, si se trata de un momento doloroso o triste, y lo revivimos una y otra vez, recreamos la emoción repetidas veces, y esto puede ser extenuante.

Revisitar eventos pasados puede producir emociones de crítica, arrepentimiento, ira, tristeza, culpa y vergüenza. Estas emociones a menudo surgen de las interpretaciones hechas acerca de un evento por nuestros personajes. Uno de los resultados es que nos quedamos menos conectados con momento presente. Cambiar nuestra mente a una perspectiva de observador, nos permitirá pensar sobre el pasado u observar nuestros recuerdos, sin quedar atrapados en muchas de las interpretaciones y las emociones que éstas generan.

El mismo problema de lenguaje que experimentamos al hablar del futuro, sucede cuando hablamos del pasado. Al hablar o pensar acerca del pasado también usamos palabras como *Yo, mío, a mí,* que realmente sólo le pertenecen a la persona que está experimentando las cosas en el momento presente y no a la persona que solíamos ser. A causa de este cambio de personaje, nuestra mente tiende a imaginar los eventos del pasado de un modo que nos hace revivirlos o reexperimentarlos, y responder emocionalmente a ellos como si estuvieran sucediendo de nuevo. La solución aquí es la misma: debemos reentrenar a nuestra mente para ver los eventos del pasado como un observador, en lugar de verlos desde el personaje de nuestro yo pasado. Escribir en tercera persona es una forma efectiva de entrenar su mente para lograr este cambio a una perspectiva de observador.

Ejemplos para cambiar la perspectiva

El regreso a nuestra vieja perspectiva es una de las razones por las que todavía podemos tener reacciones emocionales acerca de algo que nos pasó hace años, algo que nos gustaría haber superado ya. Nuestra perspectiva nos regresa a la identidad de aquella persona del pasado, de una forma exagerada emocionalmente. Conforme recordamos un evento pasado, ya no nos encontramos en nuestro yo actual, presentes en este momento. Estamos dentro de una burbuja de creencia completa con nuestra identidad pasada y nuestros recuerdos, y perdemos la conciencia del momento presente y la perspectiva que podrían moderar esas respuestas emocionales.

Una vez más, la forma fácil para empezar a cambiar las reacciones emocionales a sus pensamientos es escribir acerca de usted mismo y sus experiencias en tercera persona. Veamos cómo Sam, del Capítulo 4, puede utilizar este ejercicio para cambiar su perspectiva. Este es un ejemplo de cómo Sam, podría escribir en tercera persona acerca del incidente de la galleta:

Sam recordó el día cuando "El Pequeño y Alegre Sam" estaba sentado sobre la mesada de la cocina disfrutando de su galleta. Él se sentía orgulloso de sí mismo por haber conseguido lo que quería y descubierto la forma de lograrlo. Colocar la silla, y subir a la mesada fue complicado, pero valió la pena.

"El Pequeño y Alegre Sam" fue sorprendido por su Mamá parada en la entrada de la cocina y mirándolo. "El Pequeño y Alegre Sam" no entendía lo que significaba la mirada de su Mamá, porque no concordaba con lo que él sentía. Él siempre se sentía feliz. Para rescatarlo de la confusión, "Pequeño Sam el Malo" aportó una idea. Propuso que lo que había hecho estaba mal y rápidamente mostró culpa, ya que él siempre se culpaba por todo lo que salía mal. "Pequeño Sam el Malo" observó la cara de su Mamá para ver si ella respondía a su expresión de culpa y ver si eso la satisfacía. Cuando la cara de Mamá cambió, "Pequeño Sam el Malo" confirmó que así era, que, en efecto, él había hecho algo malo. "Pequeño Sam el Malo" entendió esto como que él era ahora el "buen chico" al haber interpretado bien la reacción de Mamá y actuar en consecuencia, y que "El Pequeño y Alegre Sam" era el malo por meterlos en problemas.

Cuando Sam escribe acerca del pasado de esta forma, está reentrenando a su mente para no. adoptar el personaje del niño malo, que produce culpa como una respuesta automática. Él también puede ver más fácilmente lo que está sucediendo en sus burbujas de creencias y decidir si continuará creyendo en esos personajes y sus pensamientos.

Si le ha costado trabajo deshacerse de reacciones emocionales o sentimientos acerca de eventos del pasado, es porque probablemente usted sigue percibiendo el evento desde la misma perspectiva del personaje del pasado.

Las personas que todavía tienen problemas emocionales acerca de eventos pasados, usualmente piensan e imaginan esos recuerdos desde una perspectiva en primera persona. La gente que ya no tiene una carga emocional acerca de eventos de su pasado ve los recuerdos desde afuera, como si estuvieran viendo una película acerca de alguien que solían ser. Escribir desde una perspectiva diferente ayudará a lograr este cambio emocional.

Si le ha costado trabajo deshacerse de reacciones emocionales o sentimientos acerca de eventos del pasado, es porque probablemente usted sigue percibiendo el evento desde la misma perspectiva del personaje del pasado.

Ejercicio: una forma diferente de escribir un diario

Supongamos que me estoy anticipando a una conversación desagradable que debo tener con mi amigo John. Podría escribir de esta forma:

Gary se sintió nervioso acerca de tocar el tema de cambiar los planes del viaje con John. Gary imaginó que John podría responder con enojo a la propuesta; su mente también le trajo recuerdos de situaciones similares del pasado. Gary podía sentir el miedo de su yo imaginario en la historia, y también podía sentir el miedo en su cuerpo mientras, sentado, escribía al respecto. Gary observó cómo su mente trataba de buscar alternativas para modificar esta situación imaginaria. Una parte de su mente buscaba las palabras adecuadas a utilizar, el momento adecuado, el lugar adecuado, que no dispararían el enojo de John. Otra parte de su mente intentaba encontrar alternativas en su agenda de trabajo para evitar la conversación por completo.

Este ejemplo simple no identifica los personajes. Sin embargo, conforme Gary escribe acerca de lo que sucede en su mente y emociones, se está haciendo más consciente de que las diferentes partes de su mente, tienen diferentes intenciones. Eso le ayudará a identificar los personajes que están actuando en su sistema de creencias y creando conflictos y estrés. Al principio, algunas personas tendrán dificultad para ver sus diferentes personajes. En ese caso, hay que escribir usando los términos *él/ella* y *suyo/suya* para practicar la perspectiva de observador. Con el tiempo, los diferentes personajes llegarán a ser evidentes.

Después de un tiempo de escribir desde la perspectiva de observador, usted comenzará a salirse fácilmente de algunas de sus actitudes negativas habituales o de las viejas mentalidades. Con más práctica, usted podrá cambiar la perspectiva durante momentos emocionales en los que típicamente hubiera reaccionado de un modo del que luego se arrepentía. El cambio de perspectiva es crítico para evitar repetir patrones del pasado y para lograr ver otras alternativas.

Comprenda que usted está *entrenando* a su mente para que eventualmente ésta logre hacerlo automáticamente. Dedicar tiempo a escribir desde la perspectiva de una tercera persona hace que las vías neuronales en su mente operen de forma diferente. Estas nuevas vías neuronales no se crean sólo deseándolo, o leyendo acerca de ello. Se desarrollarán porque usted hará ejercitar a su mente en adoptar una perspectiva diferente. Ya que usted puede escribir por diez, veinte, treinta minutos o más al día, su mente puede obtener mucha práctica en adoptar una perspectiva diferente. Gradualmente, esa perspectiva se vuelve cada vez más fácil de sostener a lo largo del día. A veces usted notará un cambio emocional inmediato, conforme escribe acerca de ciertas cosas.

Si le ayuda, considere que está adoptando la perspectiva de un periodista o de un antropólogo, realizando un estudio de la persona que usted solía ser, aun cuando sólo se trate de situaciones del día de ayer. Incluya observaciones de sus emociones, pensamientos, sensaciones corporales, acciones y comportamiento. Recuerde que un antropólogo está ahí sólo para documentar los hechos que sucedieron, y no para editorializar acerca de lo que debió haber pasado o lo que se debe hacer al respecto. Esos tipos de pensamientos a menudo nos llevan a otra capa de opiniones emocionales como los juicios críticos y los arrepentimientos. En ese tipo de narraciones, ya no estamos observando. El Juez está comparando la situación con una versión ficticia que desearíamos hubiese sucedido.

Al principio, escriba acerca de eventos y experiencias que sólo involucren emociones poco intensas. Eso le hará más fácil el ser un observador neutral. Los eventos emocionales más fuertes, tienden a empujarnos nuevamente a nuestra vieja burbuja de creencias y a una perspectiva pasada o futura. Evite las experiencias o temas emocionales más intensos hasta que haya desarrollado su habilidad de observador escribiendo primero acerca de pequeños eventos.

La meta al principio no es disolver emociones o cambiar una creencia completa. En este punto, solamente estamos trabajando para cambiar la parte de la perspectiva en la creencia. Usted está aprendiendo la habilidad fundamental de desplazarse hacia la perspectiva de un observador neutral y a *mantenerla,* mientras observa sus reacciones emocionales. Desarrollar esta habilidad de escoger su perspectiva, hará mucho más fácil cambiar las partes restantes de la burbuja de creencias.

Tal vez le parezca raro escribir en tercera persona acerca de usted mismo, como si estuviera escribiendo acerca de alguien más, de una persona que está observando desde lejos de un modo desinteresado. Es sin duda diferente, pero si usted está sufriendo a causa de reacciones emocionales, "diferente" es lo que necesita. Después de un tiempo, considerará raro identificarse con la persona que era en el pasado, o con su versión ficticia de un yo futuro.

Cuando haya pasado algún tiempo escribiendo en tercera persona, ya no le parecerá extraño. Eventualmente la perspectiva del observador le parecerá más normal, y los *Yo* y *a mí* en sus historias le parecerán más como lo que realmente son: personajes que crean drama en su mente en lugar de usted.

Manejando la resistencia

Una objeción común que escucho acerca de este ejercicio, es el miedo a que los recuerdos del pasado se pierdan o se disuelvan. De lo que usted se está separando es de la vieja perspectiva desde la que usted los observaba, no de los recuerdos en sí. Al cambiar la perspectiva usted se está separando de las interpretaciones, significado y creencias que creó de esas experiencias pasadas.

Todavía podrá recordar los eventos del pasado, sólo que no con las mismas emociones. Con su nueva perspectiva, las *interpretaciones y creencias* acerca del evento cambiarán.

Por ejemplo, regresando a la historia del conductor lento del Capítulo 6, puedo todavía recordar las veces que fui impaciente y me sentí molesto con los conductores lentos. Sin embargo, ya no creo en ninguna de mis interpretaciones u opiniones pasadas acerca de esas experiencias. Ya no soy más aquella persona impaciente. Veo aquello como una versión pasada de mí mismo, o como un rol emocional que representé en esos momentos.

Si usted siente resistencia hacia esta práctica, lo más seguro es que hay un personaje que tiene una actitud negativa hacia el ejercicio. Para evitarlo, escriba desde la perspectiva de una tercera persona acerca de su resistencia. Escriba lo que siente en su cuerpo, las emociones y pensamientos que surgen acerca de hacer el ejercicio. Su narración puede parecerse algo a lo siguiente:

> *Samantha se sentó en el escritorio, mirando el papel. Ella sabía cuál era la tarea, y cierta parte de su mente sabía que le podía ayudar. Al mismo tiempo ella podía sentir otra parte de su mente resistiéndose. Las dos partes se estaban peleando, creando tensión en el cuerpo de Samantha. La tensión se desplazaba hacia abajo del brazo de Samantha, tensionando su mano conforme escribía. Samantha creyó necesario forzarse a continuar escribiendo, para anular el impulso de resistencia de la otra parte de su mente.*
>
> *La lucha se extendió a su cabeza bajo la forma de varias discusiones. Una parte de su mente quería escribir algo que le había pasado ayer, comenzando así con algo simple. Otro pensamiento impulsivo quería escribir acerca de algo con mucha carga emocional que le había sucedido la semana pasada. Otra parte de ella argumentó en contra de eso, temiendo no estar lista para manejar un evento tan grande. Como no sabía lo que era "correcto" escribir, otra parte concluyó que lo haría mal; esa parte sentía miedo acerca de equivocarse y por lo tanto no quería hacer la tarea. Allí sentada, Samantha comenzó a observar estas cuatro intenciones diferentes en su mente que se encontraban en conflicto.*

Al principio, es posible que su narración no tenga tanto detalle. Eso está bien. Conforme usted invierta tiempo observando en su interior estos diferentes pensamientos, emociones e historias, tenderá a ver más detalles, interpretaciones y emociones en juego. Y conforme más consciente del detalle usted se vuelva, más capaz será de ver esto como un observador y menos oportunidad tendrá de dejarse atrapar por su drama.

La necesidad de cambiar la perspectiva

Desarrollé la idea de escribir en tercera persona por necesidad. Una clienta llamada Janice quería deshacerse de las creencias saboteadoras y emociones que estaban causando un drama emocional con su novio actual. Estábamos identificando patrones en sus relaciones con los hombres y los roles de los personajes que ella actuaba. Mientras retrocedíamos a los temas con su ex-marido, su mente brincó a cuando tenía ocho años. Descubrió que había estado repitiendo con su ex-marido el mismo patrón de comportamiento que, como niña pequeña, tenía con su Papá. Esto fue un gran descubrimiento, ya que era el fundamento de sus relaciones saboteadoras con los hombres. Sin embargo, noté que sus emociones habían cambiado y que eran demasiado intensas. Dijo que quería contarme la historia de lo que había pasado. Le dije que no.

Janice quedó consternada con mi negativa a escuchar su historia. Ella estaba acostumbrada a tener una comunicación muy abierta y honesta conmigo. Pero mi preocupación era que, si Janice me contaba su historia, la emoción sería tan fuerte que la arrastraría a la perspectiva del pasado y reforzaría las interpretaciones que ella había creado cuando tenía ocho años. Yo sabía que se trataba de un recuerdo emocional, y que el uso de las palabras *Yo* y *a mí* podrían regresarla al punto de vista en su recuerdo de la pequeña niña de ocho años asustada. No quería que ella revisitara su recuerdo desde esa perspectiva.

Ella necesitaba revisitar esas creencias pasadas de forma que pudiera ver claramente lo que eran, pero tenía que hacerlo como una observadora neutral para evitar que las creencias fueran reforzadas. Así que le dije que, en lugar de contarme su experiencia, la escribiera desde la perspectiva de una tercera persona. Ella fue a casa y escribió su historia. La siguiente vez que hablamos, sus creencias y las emociones asociadas a éstas se habían disuelto. No requirió nada dramático y no tuvo que contar su historia a nadie. Ella sólo tuvo que estar presente con las emociones y poner su atención en las interpretaciones y las creencias que había hecho como una pequeña de ocho años, ahora desde su punto de vista de mujer adulta, para poder verlas como falsas.

No siempre es necesario volver a contar una historia del pasado desde la perspectiva de una tercera persona para lograr separarse de ella. No todas las mentes de las personas funcionan de la misma forma. Algunas personas hablan acerca de ellas mismas en el pasado, utilizando *Yo* y *a mí,* sin regresar a la burbuja del recuerdo de esa vieja identidad. Pero en los casos donde nuestras emociones se disparan, podemos acelerar el proceso de separación cambiando conscientemente la perspectiva desde la que escribimos, usando la perspectiva de una tercera persona.

Gary van Warmerdam

Practique escribiendo su diario desde esta perspectiva de tercera persona y use esta herramienta para ayudarse a cambiar su punto de vista. No importa si lo hace sólo durante tres minutos cada vez, o cinco, veinte, o más minutos por día; el tiempo que usted invierta en reentrenar su mente para obtener flexibilidad en la perspectiva, le traerá grandes recompensas más adelante.

Capítulo 8
Perspectivas de los personajes en las burbujas de creencias

Jane quería deshacerse de algunos pensamientos de inseguridad y celos que le causaban enojo y ansiedad por controlar hasta las más pequeñas situaciones en su relación con Steve. El primer paso era hacerse consciente de los diferentes sistemas de creencias a los que su mente la estaba sometiendo.

Jane es socia en una firma de abogados y se siente segura y capaz en su carrera de abogada litigante. Ella lleva un par de años en la relación con Steve, y sostiene que cuando están juntos todo es maravilloso. Han hablado de casarse, pero Jane duda debido a la experiencia de su primer matrimonio. Terminó mal, con su marido siendo abusivo con ella y eventualmente siéndole infiel. Él la agredía verbal y emocionalmente hasta hacerla sentir impotente. Jane no quiere cometer el mismo error.

A causa de esta experiencia dolorosa, le preocupa salir lastimada una vez más, y sospecha de las actividades de Steve. Ella revisa su teléfono para ver los mensajes de texto que Steve ha recibido. Cuando su ex-esposa lo llama y hablan por algunos minutos, Jane lo interroga acerca de lo que hablaron. Le preocupa que Steve se fije en otras mujeres y lo imagina regresando con su ex-esposa o teniendo una aventura con alguien de su trabajo, así que busca inconsistencias en sus relatos. Steve a veces se siente como si estuviera en un interrogatorio en el juzgado.

A pesar de esto, la perspectiva de Steve es totalmente diferente. Él sólo tiene ojos para Jane. Ella es una mujer maravillosa que lo hace feliz. Pero no importa qué tanto Steve profese su amor y compromiso hacia ella, algunos días Jane simplemente no termina de creerle— sus palabras no pueden penetrar o disolver su burbuja de creencias basadas en el miedo. Otros días, en cambio, sus palabras derriten el corazón de Jane.

Jane entonces comparte otra anécdota reveladora. El otro día, cuando ella sabía que Steve trabajaría y que no volvería a casa hasta tarde, sintió que su mente la llevaría otra vez a la temible historia de Steve siéndole infiel. En lugar de dejar que su mente se desviara por ese camino, decidió ir al gimnasio, sabiendo que eso la haría sentir mejor. El arduo entrenamiento consumió la tensión del trabajo, le inyectó endorfinas, y la hizo olvidarse de Steve por un buen rato.

Después del entrenamiento notó lo bien que se sentía. Su cuerpo se percibía vivo y fuerte, con la energía alta, y se sintió poderosa, atractiva y segura acerca de su aspecto. Jane reflexionó también sobre su día de trabajo en la firma de abogados. Las cosas iban muy bien. Ella era una socia confiable que traía dinero a la firma y lograba excelentes resultados. En este estado poderoso, cuando su mente disparó la misma idea de dos horas antes de Steve traicionándola, su respuesta fue, "Espero que lo haga. Así sabré que quiere estar con alguien más y podré seguir adelante. Será un alivio liberarme de esta situación".

A primera vista puede parecer que Jane se ha deshecho de sus pensamientos negativos, pero esto no es lo que realmente sucedió. Jane tuvo un pensamiento positivo acerca de ella y lo que pasaría si Steve la traicionara. Ella sigue teniendo un pensamiento negativo acerca de Steve engañándola, pero esta vez, se siente diferente al respecto. Está considerando la escena del engaño desde un estado mental poderoso, el de un personaje seguro de sí mismo en lugar de uno inseguro.

La perspectiva de nuestro personaje determina nuestra experiencia

¿Cómo es posible que Jane se sienta como una víctima en un momento, temerosa de ser lastimada por su pareja que podría traicionarla, y un poco más tarde, tener la total certeza de que se sentirá bien si eso sucede? Las perspectivas de dos personajes diferentes acerca del mismo evento, producen dos respuestas muy diferentes de pensamiento y emoción. En uno de los paradigmas de la creencia, Jane tiene una imagen de ella misma como una víctima que será rechazada, herida y abandonada. Desde la perspectiva de Jane como víctima, sus pensamientos negativos parecen verdaderos y ella proyecta un futuro en el que está herida, sola y sin posibilidad de ser amada. La idea de que es atractiva, capaz, o deseable para Steve es un pensamiento inconcebible que es desechado rápidamente.

Después de hacer ejercicio, otra parte del sistema de creencias de Jane se activa. Ahora ella es fuerte, capaz y atractiva, y sabe que muchos hombres desearían estar con ella. Llamaremos a este personaje seguro de sí mismo "Jane la Fuerte". "Jane la Fuerte" percibe que puede manejar cualquier cosa que se le presente en la vida. La perspectiva de "Jane la Fuerte" está en una burbuja de creencia diferente acerca de cómo es el mundo. Allí, su imagen de víctima no existe.

También hay una tercera perspectiva. Al principio Jane representaba a la pareja como "perdidamente enamorados, destinados a estar juntos". Podemos llamar a este punto de vista "Jane la Romántica". "Jane la Romántica" ve a Steve como el hombre perfecto para ella. Él siempre será fiel y estará ahí cuando ella lo necesite.

Desde la perspectiva de "Jane la Romántica", Steve parece ser el hombre de sus sueños. Desde la perspectiva de "Jane la Víctima", Steve parece ser alguien que le será infiel. Desde la perspectiva de "Jane la Fuerte", Steve todavía parece ser el hombre que le será infiel, pero ella interpreta esta posibilidad como un alivio y sabiendo que ella estará mejor sin Steve. Steve realmente no cambió de un momento a otro, pero Jane tiene diferentes versiones imaginarias de él. Cada burbuja de creencia tiene su propia versión de Steve y del futuro. El mundo que percibimos, cómo vemos a las otras personas, y las interpretaciones que hacemos, cambian según el personaje que adoptemos.

Las perspectivas de "Jane la Romántica", "Jane la Fuerte", y "Jane la Víctima son generadas por diferentes conjuntos de creencias de su identidad. Cuando sus creencias de "Jane la Fuerte" están activas, ella tiene una autoimagen positiva y creencias positivas. Cuando sus creencias de "Jane la Víctima" están activas, ella tiene una autoimagen negativa. Cuando "Jane la Romántica" está activa, sus sentimientos son también positivos y el mundo parece diferente. Jane reconoce que tiene estas creencias contradictorias acerca de ella misma, pero no es consciente de que su perspectiva está alternando entre diferentes personajes. Como resultado, se siente confundida y no sabe quién es realmente.

Jane también tiene diferentes versiones contradictorias de Steve, dependiendo de cuál de sus burbujas de creencias esté activa. Cuando observa a estas imágenes contradictorias una al lado de la otra, se siente confundida. Ella no sabe "quién" es Steve realmente y si puede confiar en él o no. Este problema surge del hecho de que las imágenes que Jane tiene de Steve, son sólo proyecciones. ¡No es de sorprenderse entonces que tenga dificultades en comprometerse con la relación! Ella debería comprometerse con al menos tres versiones de ella misma y con múltiples versiones de Steve.

El mundo que percibimos, cómo vemos a las otras personas y las interpretaciones que hacemos, dependen del personaje que adoptamos.

Definiendo el problema

Como no está acostumbrada a ver sus emociones como una función de las perspectivas y burbujas de creencias de sus personajes, Jane piensa que, para resolver su problema de inseguridad y celos en la relación, es cuestión de deshacerse de algunos pensamientos negativos. Ella quiere adoptar las creencias de "Jane la Romántica", ya que son las más atractivas, y terminar con el tema. Esto es como poner una tirita adhesiva sobre una herida infectada, que más bien necesita ser limpiada.

A menudo, Jane ve la situación como la Víctima, quién siempre se imagina *"Saldré lastimada"*. Este patrón se deriva de las experiencias de su relación anterior, como en el escenario del perro de Pavlov. Aun cuando de alguna manera borrase sus pensamientos negativos, el personaje de la Víctima podría generar nuevos pensamientos acerca de algo más. La Víctima espera salir lastimada, asume el fracaso y un destino terrible, así que continuará generando nuevos pensamientos negativos — si no acerca de Steve, entonces acerca de otras áreas de su vida.

La perspectiva del personaje "Jane la Víctima" se mantiene en su lugar por otras creencias relacionadas con su autoimagen y autoestima. Estas pueden incluir, "A mí me pasan cosas malas", "Saldré lastimada si me enamoro", "No tengo control sobre mis emociones", "Mis emociones dependen de él, porque es él quien me hace feliz", "Los hombres me abandonarán", "No soy digna de ser amada ni merezco amor", etcétera. Estas creencias negativas acerca de su autoimagen forman la falsa identidad de Víctima. Desde esta identidad Jane crea interpretaciones y pensamientos que no genera cuando está dentro de los personajes de "Jane la Romántica" o "Jane la Fuerte".

Jane no se da cuenta en cómo su mente se desplaza de la burbuja de creencias de un personaje a la burbuja de otro, y así termina confundida por lo que "ella" cree. "Jane la Víctima", "Jane la Fuerte" y "Jane la Romántica" crean y sostienen tres lados del argumento en su cabeza y Jane va rebotando de uno a otro. Porque cada perspectiva parece verdadera dentro de su propia burbuja, ella cree cada pensamiento que surge en su mente. Entonces, cuando cambia su perspectiva, el pensamiento que tuvo desde el personaje anterior, ahora parece falso. Esto causa muchos pensamientos conflictivos, cada uno pareciendo verdadero y luego falso, dependiendo del momento.

Los pensamientos surgen de las creencias, y el conjunto de creencias activo se origina en la perspectiva de un personaje en particular. Las personas que intentan cambiar sus pensamientos negativos sin tomar en cuenta al personaje y a la estructura de creencias que se originan en él, están sólo atacando los síntomas y no las causas.

Ejercicio: Haga el inventario de su sistema de creencias

Ilustrar las burbujas de creencias y dibujar los personajes, puede ser útil para representar lo que sucede en nuestra imaginación. Otra forma de representar un inventario de creencias es con una tabla. Ambas son formas adecuadas de mapas mentales, para ver los diferentes sistemas de creencias que están en nuestra mente. La siguiente tabla es un mapa mental de los pensamientos y creencias contradictorios de Jane y las emociones resultantes con respecto a Steve. Realice sus propias tablas de inventario de los pensamientos, creencias y emociones que desee analizar. Comience utilizando el formato siguiente:

Personaje	Pensamiento/Creencia/Comportamiento	Emoción
Jane la Romántica	Steve y yo somos el uno para el otro. Creencia Implícita: Steve es un gran tipo.	Amor, gratitud. Se siente segura acerca de lo que siente por él.
La Víctima	Él me será infiel. Saldré lastimada. Creencia Implícita: No se puede confiar en él.	Miedo. Sin control sobre las emociones. Dependiente de Steve para ser feliz.
La Controladora	Necesito saber lo que está haciendo. Necesito saber dónde está. Comportamiento: revisa su	Miedo. Miedo a ser lastimada por él. Desconfiada.

	teléfono y sus correos electrónicos. Al estar investigándolo evitaré el dolor.	Falso sentido de poder/protección.
Jane la Fuerte	No me importa si me es infiel. Saldré adelante. Él se lo pierde. No me lastimará. (Negación de las emociones que seguramente está sintiendo desde las otras perspectivas.) Creencia Implícita: Steve es un Tipo Común y Corriente y puedo conseguir a alguien mejor.	Alivio. Confianza. Merecedora, Fuerte. Poderosa. Represión/Ignorando emociones de otras creencias cuando está en esta burbuja.

Usaremos este formato para inventariar y mapear los sistemas de creencias en los capítulos siguientes. En su propio inventario o mapeo del proceso, asegúrese de incluir un mínimo de todos los elementos que forman una creencia, según las tres columnas en esta lista.

Un sistema único de personajes

Cada persona tiene experiencias diferentes en la vida y ha desarrollado sus propias interpretaciones, perspectivas y burbujas de creencias. Como resultado, cada persona tiene su propio conjunto de perspectivas de personajes, aunque hay algunas perspectivas que a menudo compartimos con otros. Cada persona también tiene su propia colección de ideas conceptuales que ha convertido en creencias. Ya que el sistema de creencias de cada persona es único, con sólo leer un libro usted no puede repentinamente ser consciente de cuáles son sus creencias. Tiene que mirar hacia su interior y descubrirlas usted mismo.

También es difícil para otra persona decirle cuáles son sus creencias y qué perspectivas tiene usted. Para empezar, esa persona no está dentro de su mente y no tiene toda la información a la que usted tiene acceso. Un guía experimentado puede ayudar, principalmente haciendo preguntas que guíen su atención a factores críticos que afectan sus emociones. Sin embargo, cuando otra persona le ofrezca opiniones o conclusiones acerca de lo que usted cree, corre el riesgo de proyectar sus propias creencias en usted.

Aun cuando alguien pudiera explicar claramente cuáles son sus creencias, sería poco útil. El simple hecho de saber cuáles son sus creencias, e incluso saber que son falsas, no es suficiente para cambiarlas. Usted también tendrá que cambiar su perspectiva. Para cambiar una creencia, es más importante cambiar su punto de vista que saber en qué cree usted.

Por ejemplo, Jane podría observar la tabla anterior y comprender que tiene un personaje de Víctima y la creencia de que es emocionalmente dependiente de Steve, pero el sólo hecho de saber esto no hace que cambie su creencia. Las respuestas emocionales automáticas, del tipo de los perros de Pavlov, siguen ahí. Si ella mira esta situación desde una perspectiva crítica, el personaje de un Juez podría pensar que ella es una estúpida por creer estas cosas. Su personaje de Víctima podría sentirse atrapada por esta creencia y sentirse impotente. El resultado es que las críticas del Juez y de la Víctima agregan capas de opiniones y emociones al problema original.

Para poder evitar más daño en el proceso, una persona debe primero cambiar su perspectiva a la de un observador neutral. Si no lo hace, lo más seguro es que caerá en las opiniones dolorosas y debilitantes del Juez y de la Víctima, que nublarán lo que descubra. Recomiendo ver el Capítulo 13 acerca de la aceptación, para evitar algunas de estas trampas en el pensamiento.

Un libro u otra persona no pueden decirle cuáles son sus creencias, porque ese libro o esa persona no tienen el inventario de sus creencias personales. Para descubrir sus creencias, usted debe involucrarse en un proceso auto-reflexivo de conciencia y plena atención, desde la perspectiva de un observador. Una vez que haya identificado estos elementos de su sistema de creencias, podrá entonces comenzar a cuestionarlos.

Para cambiar una creencia es más importante cambiar su punto de vista, que saber en qué cree usted.

Ejercicio: Identifique los personajes de su personalidad

Estos son los pasos para usar la herramienta de los personajes y lograr el cambio de sus creencias:

1. Comience observando los diferentes aspectos de su personalidad. Haga una lista de los diferentes estados de ánimo, emociones y actitudes que usted tiene durante el día.
2. Identifique los diferentes aspectos de su personalidad en términos de personajes. Déle un nombre a cada personaje. Nombrarlos le ayudará a reconocer que no son su esencial, auténtico yo. Los personajes que se expresan en una forma amable, amorosa y respetuosa están generalmente más alineados con su yo auténtico. Los personajes que

generan exageradas reacciones emocionales y dramatismo son normalmente indicadores de falsas autoimágenes del ego. Déles nombre a ambos tipos de personajes, los auténticos y los dramáticos. No asuma todavía que sabe cuáles son los auténticos. A veces nos sentimos mejor dentro de algunos personajes, pero eso no significa que sean genuinos.

3. Use nombres de personajes que sean cómicos o divertidos. Eso le ayudará a creer menos en lo que dicen, lo que puede facilitar el cambiar la perspectiva y permanecer como observador de esos aspectos de su personalidad.

4. Busque estos diferentes personajes tanto en la forma en la que piensa como en la forma en la que interactúa externamente en el mundo. Algunos de nuestros personajes internos aparecerán en cómo pensamos acerca de las cosas, las opiniones que tenemos y las interpretaciones que hacemos. Otros personajes serán más fáciles de identificar como comportamientos. Por ejemplo, es posible que tengamos pensamientos de crítica o enojo acerca de alguien, pero que seamos demasiado educados para decirlos en voz alta, sin dar así ninguna pista de que esto es parte de nuestra personalidad interna. En este caso, el comportamiento callado y tímido es parte de un personaje, y diferente de los pensamientos críticos y enojados de otro personaje interno.

A continuación, hay algunos ejemplos de personajes que la gente ha identificado y nombrado como resultado de sus inventarios. Esto puede darle algunas ideas para empezar con su propia lista y mejorar sus habilidades como observador.

Freddie el Pronosticador: Freddie siempre está hablando acerca del futuro de forma dramática. Él está absolutamente seguro de saber lo que va a suceder, lo que la gente va a hacer, y habla con absoluta confianza de que las cosas saldrán mal. Freddie nunca mira hacia atrás para verificar si alguna de sus apocalípticas predicciones se hizo realidad. Él sólo continúa haciendo más.

Arnold el Exterminador: Arnold es el personaje con la solución *Terminator* para todo. Él sale cuando se requiere expresar enojo. Su solución a cualquier problema implica golpear a alguien en la nariz. Si un conductor se me atraviesa, Arnold quiere golpearlo en la nariz. Si mi jefe no me da el crédito y reconocimiento por una idea que tuve, Arnold quiere golpearlo en la nariz. Desde la perspectiva de Arnold, todos los problemas pueden resolverse de esta forma. Arnold cree que el mundo sería un mejor lugar si él lo manejara de esta forma y todos le obedecieran ciegamente.

Abner el Abandonado: Abner es el pequeño niño triste al que su mamá acaba de abandonar en un orfanato. Él se muestra parado en el porche viendo como su mamá se aleja, o en el mismo porche mirando con nostalgia el horizonte, esperando ver su coche regresando. Él no cree que no merece ser amado, así que le sorprende que nadie lo ame; pero cuando se le presenta la evidencia de que sí *es* amado por alguien, Abner tarda en creerlo. Sospecha que lo abandonarán en cualquier momento.

Boyd el Niño Malo: Sólo se muestra cuando alguno de los otros personajes no consiguió cumplir con sus expectativas — especialmente cuando siente que lo dejaron plantado. Boyd el Niño Malo no sabe qué hacer con él mismo. No quiere mirar la televisión ni jugar en la computadora. No quiere llamar a algún amigo o llevar al perro al parque. No *quiere* sentarse y deprimirse, pero seamos sinceros — ¿qué más se puede hacer? Su vida es aburrida y esto es culpa de los demás. Hay muchas cosas que Boyd podría hacer, pero él no encuentra razones para hacerlas, y culpa a los demás por su aburrimiento.

Gilmore el Feliz: Ante la gente, él siempre pone cara de felicidad. Cuando le preguntan cómo está, él siempre dice, "Bien", aunque se sienta terrible. Gilmore el Feliz cree que es su trabajo alegrar a otras personas para no agobiarlos con lo que realmente está sintiendo. Gilmore se da ánimos diciéndose que está haciendo sentir mejor a otras personas. Él es una suerte de estafador y lo sabe, pero su fraude está justificado. Él es la máscara que regularmente usan Abner y Arnold para esconderse.

Gladys la Chismosa: Gladys siempre quiere saber lo que está pasando en la vida de otras personas. Usa los chismes como moneda. Cuánto más dramática es la información que tiene sobre alguien, más valiosa es la conversación. Si puede obtener la primicia de lo que sucede, siente que su valor aumenta porque posee la información más interesante. Así es como Gladys se conecta con la gente y se siente amada y apreciada por los demás.

Patty la Complaciente: Patty siempre está haciendo cosas para otras personas. Ama trabajar como voluntaria y servir a la gente. A veces ve a alguien necesitado y corre a ayudarlo, sin pensarlo dos veces. Otras veces ni siquiera necesita ver a alguien necesitado — ella sólo corre a ayudar. En un extremo Patty puede trabajar hasta el cansancio por otros, sin cuidar de ella misma. Patty también parece querer algo a cambio de lo que da. Desea algo de reconocimiento y elogios. Ella quiere asegurarse que la gente la aprecia. En paralelo a esta necesidad, hay un miedo a no gustar y a que la gente no la aprecie a menos que ella haga estas cosas. Ella tiene miedo a no gustarle a la gente siendo simplemente ella misma.

Use estos ejemplos como base cuando haga su propia lista de personajes y para describirlos. Escriba sus características. Tome nota de qué emociones, actitudes, y estados de ánimo exhiben los personajes. ¿Qué cosas dicen o hacen? Su lista de personajes será exclusivamente suya.

Recuerde que el propósito de usar esta herramienta para identificar los diferentes aspectos de su personalidad en términos de personajes, es para ayudarlo a cambiar la perspectiva fuera de los paradigmas limitados de sus burbujas de creencias. Al cambiar su perspectiva fuera de la burbuja de creencias, le será más fácil desconfiar de un pensamiento o impulso y por lo tanto evitar una reacción emocional o un comportamiento negativo. Definir a estos personajes también lo ayudará a clarificar las creencias acerca de su identidad que ha adquirido y perpetuado a través del tiempo.

Resistencia al proceso

Las preguntas y reacciones que a menudo surgen son, "Si no soy ninguno de estos personajes, entonces ¿quién soy?" o "Si disuelvo a todos estos personajes, no tendré personalidad — no existiré". Puede ser un ejercicio interesante el notar la emoción o la actitud detrás de estas preocupaciones. ¿Hay algún temor de no existir? ¿Hay algún estado de confusión detrás del "Entonces, ¿quién soy?" ¿Qué partes de la mente están haciendo estas preguntas? Más específicamente, ¿qué *personajes* están expresando estas emociones a través de estos pensamientos? La práctica de identificar personajes puede ser utilizada directamente para analizar la resistencia que surja.

El objetivo de esta práctica no es encontrar su ser auténtico o real. Esta práctica sirve más bien para identificar qué autoimágenes e identidades basadas en el ego reclaman falsamente ser usted, y despegarse de ellas. Estos personajes que se expresan desde el sistema de creencias en su mente, usan *Yo* y *a mí* en sus pensamientos. Despegarse de estas identidades falsas del ego, le ayudará a descubrir su ser genuino y auténtico que está debajo de las máscaras de estos personajes basados en creencias.

Sus personajes tal vez sientan que ya no existirán al ser expuestos. Esto tal vez haga que los personajes se sientan emocionalmente incómodos, y eso está bien como parte del proceso. Lo que es auténtico y genuino no se perderá al desarrollar auto-conciencia sobre las creencias de estas falsas identidades.

Unas palabras acerca del ego

He utilizado la palabra *ego* un par de veces en este capítulo y la usaré de nuevo más adelante. ¿Qué es esta cosa llamada el ego? A pesar de que mucha gente ha aportado muchas definiciones, puede continuar siendo un concepto abstracto; las palabras están vacías de significado si no se tiene algo concreto con qué se las pueda relacionar.

Quizá un mejor término que ego, sea *auto-importancia*. El sentido exagerado de la mente acerca de la importancia del individuo, donde todo es acerca de "mi" y cómo las cosas "me" afectan, es la causa central de muchas reacciones emocionales e infelicidad. El ego o auto-importancia se puede manifestar de dos formas opuestas. La primera es cuando nos consideramos como más importantes o mejores que los demás. Llevado a un extremo, significa que creemos que somos mejores que *todos* los demás. Creemos que tenemos la respuesta correcta, que nuestras opiniones son más valiosas y que deben ser reconocidas y valoradas por otros, y que debemos ser respetados y honrados. Ciertos personajes arquetípicos sostienen esta versión de auto-importancia.

Le segunda forma en que la auto-importancia se manifiesta es en las creencias que nos hacen parecer *menos* valiosos o importantes que los demás. En un extremo, está la creencia de que somos la peor persona en el mundo. Creer que somos menos que los demás puede parecer que no involucra el ser importante, pero sí lo hace. Estos pensamientos, historias y creencias giran alrededor de nosotros, de nuestra patética identidad, y del impacto negativo que tenemos en los otros. La gente no nos aprecia por ser *nosotros*, y lo que los otros hacen es el resultado directo de lo terrible e incompetentes que somos. Estamos en el centro del auto-reproche y de la crítica. Somos la causa de los problemas y comportamientos de todos los demás. Ser menos que los demás significa que nos rechazamos a nosotros mismos, o creemos que los demás nos rechazan más de lo que rechazan a otros. De nuevo, hay personajes arquetípicos que prosperan con estas historias negativas.

El ego se construye con las falsas creencias que hemos adquirido y conservado, incluyendo las creencias acerca de nuestra identidad que sostienen a nuestros personajes aficionados al drama. La estructura del ego o auto-importancia también incluye las creencias y burbujas de creencias de estos personajes arquetípicos. Los pensamientos que surgen de nuestros personajes internos surgen todos de la parte del ego en la mente. La suma total de nuestras falsas creencias, incluyendo las falsas creencias acerca de nuestra identidad, crean múltiples capas de burbujas de creencias que actúan como un territorio de niebla entre nosotros y el mundo.

El ego es difícil de identificar porque se esconde detrás de palabras como *Yo* y *a mí*, haciendo extremadamente difícil percibirlo porque estamos parados en su punto focal, mirando al mundo a través de sus ojos. Como vimos en el ejemplo de Jane, puede también cambiar de forma de un momento a otro, adoptando la voz lastimera de la Víctima, la postura enojada de un Juez, la actitud privilegiada de una Princesa, etcétera; (exploraremos estos personajes arquetípicos en detalle en el Capítulo 9.) Es difícil poder ver bien al ego ya que cambia su máscara rápidamente. Al mismo tiempo, distrae nuestra atención de sus máscaras y la orienta hacia los temas de sus historias y opiniones. El resultado es que seremos menos capaces de dirigir nuestra atención hacia nuestro interior y reconocer la fuente de estas expresiones, sin un esfuerzo consciente y comprometido.

A menudo también pasamos por alto el rol del ego como el causante de nuestras emociones, porque pretendemos estar bien. Cuando otros nos preguntan cómo estamos, a menudo decimos "Bien", porque es lo socialmente aceptable. Tal vez experimentemos reacciones emocionales, pero si más tarde, ya sea a través de un esfuerzo consciente o sólo por involucrarnos en otras cosas, nuestro estado emocional ha cambiado y ya no nos sentimos mal, no retrocedemos a mirar qué falsas creencias de cuál de los personajes causaron la reacción anterior. Ya que nos sentimos bien en ese momento, nos imaginamos que estaremos bien de allí en más. Aun cuando hayamos tenido la misma reacción múltiples veces, mientras regresemos a un sentirnos bien, ignoramos el patrón repetitivo una vez que termina, hasta que se vuelve a repetir. Así es que nunca investigamos o desafiamos la falsa auto-importancia que crea nuestra experiencia emocional.

Cuando se trata de encontrar y cambiar nuestros sistemas de creencias, el concepto del *ego* es demasiado amplio. Usted tendrá más suerte buscando las cualidades específicas de los personajes arquetípicos, los pensamientos negativos y las emociones que ellos expresan. Conforme usted practique siendo un observador e investigue, irá viendo cada una de sus máscaras más claramente y se familiarizará con las diferentes danzas del drama. Se distraerá menos mirando dónde el ego hace que su atención se dirija y, en cambio, usted notará estas capas de creencias que generan dramatismo.

Capítulo 9
Arquetipos de drama emocional

Después de escribir en tercera persona por un tiempo (ejercicio del Capítulo 8), su auto-conciencia comienza a cambiar. Usted está desarrollando la habilidad de observar con más claridad y desapego los pensamientos en su cabeza y sus reacciones emocionales. Conforme practica, usted comienza a observar patrones más amplios.

Observar estos patrones más amplios es útil, porque le permite acelerar el proceso de cambio. Si usted tiene un problema de enojo en el trabajo, tal vez también pueda ver su enojo expresándose hacia el tráfico o hacia su pareja. El temor a lo que los demás piensen de usted, podría también ser parte de un patrón de miedo más amplio que incluya preocupación acerca de sus finanzas o sus relaciones. Los mismos tipos de emociones indican los mismos personajes de nuestro sistema de creencias trabajando en diferentes áreas de nuestra vida.

Al observar estas reacciones emocionales, encontramos un grupo estandarizado de seis personajes que se caracterizan por sus dramas emocionales. Ellos no sólo aparecen en nuestros pensamientos y comportamientos, sino que también están presentes en nuestra cultura e inclusive en nuestros relatos de ficción. Cuando usted identifique estos personajes en su sistema de creencias y retire su perspectiva fuera de sus burbujas de creencias, hará grandes cambios en estos patrones de su vida.

¿Qué es un arquetipo?

Los arquetipos son imágenes simples que comunican rápidamente mucha información acerca de un personaje y un sistema de creencias. La Víctima es un personaje arquetípico. Una persona en el estado de Víctima se siente impotente, sin opciones y experimenta sus circunstancias como injustas. Sentirse derrotado y alejarse es una posible respuesta de la Víctima, pero también lo es ponerse a la defensiva y atacar. Ser consciente de ciertos personajes arquetípicos no le dirá qué es lo que va a suceder, pero puede revelar muchísimo acerca de las diferentes creencias que están operando detrás del comportamiento o reacción emocional.

El uso de arquetipos no es original; sin embargo, la propuesta que describiré aquí es probablemente diferente a la mayoría. Normalmente, los arquetipos se usan como un modo de entender, explicar o definir nuestra personalidad. Al utilizar este tipo de sistema tendemos a identificarnos con estos personajes arquetípicos, reforzando el paradigma de que *somos* ese personaje. En cambio, yo utilizo los arquetipos para identificar personajes que fueron desarrollados a través de condicionamientos, como parte de nuestras creencias limitantes. En esta propuesta, vemos a estos personajes como una construcción de las creencias condicionadas, de forma que podamos separarnos de ellos.

Conforme avancemos en esta exploración, recuerde que estos personajes arquetípicos no lo describen a *usted*. Describen una parte condicionada de cómo operan sus creencias, a menudo de forma automática. Le propongo mirar a estos personajes arquetípicos como construcciones de su sistema de creencias, separados de usted. Por ejemplo, si usted se identifica con sus arquetipos podría decir, "Soy una persona crítica". Este tipo de declaración refuerza la perspectiva dentro de la burbuja de creencias. En lugar de eso, estamos trabajando para ser el observador y decir: "Aquí está una parte de mi sistema de creencias que expresa muchos pensamientos críticos". Practicar los ejercicios descritos en este libro, le ayudará a sentirse más cómodo al decir y pensar lo último, y facilitar el cambio de la actividad crítica en su mente.

El comportamiento y las emociones tienen en su mayoría una base de integridad y son naturales. Sin embargo, cualquier comportamiento emocional puede volverse poco auténtico, e incluso destructivo, cuando es exagerado por nuestro sistema de creencias. El enojo es una respuesta natural a una situación amenazante y proviene de nuestra integridad emocional para la auto-protección; sin embargo, también podemos enojarnos con la gente que amamos o con nosotros mismos por tonterías. El cuidar a otro ser humano es una expresión de amor también proveniente de nuestra integridad emocional; sin embargo, podemos llevar este comportamiento de cuidar a otros demasiado lejos y terminar agotados y resentidos. En cada caso donde un personaje arquetípico pudiera estar creando drama emocional desde nuestro sistema de creencias, también podremos encontrar una motivación de nuestro ser genuino. La clave para lograr una vida emocionalmente balanceada y centrada está en eliminar las emociones del personaje basadas en creencias que exageran nuestros sentimientos y comportamientos, y en dejar intactas nuestras expresiones naturales y genuinas.

Definiciones de los personajes arquetípicos del drama

Para identificar a los personajes de nuestro sistema de creencias que generan drama, trabajaremos con un grupo específico de arquetipos de aquí en adelante. Los seis arquetipos más comunes que crean la mayoría de nuestros dramas emocionales son: El Juez, La Víctima, El Complaciente, El Solucionador de

Problemas o El Héroe, La Princesa y El Villano. Ya que son los principales actores, nos tomaremos un tiempo para conocerlos mejor.

El Juez: El Juez es la voz crítica en nuestra mente, ya sea que sólo la pensemos o la verbalicemos. De vez en cuando elogia, pero la mayor parte del tiempo hace notar lo que está mal en nosotros, en nuestro cuerpo, en otras personas y en el mundo. El Juez habla con la autoridad de un experto, sintiendo que tiene la razón acerca de todo y que sabe lo que es mejor. A menudo parece defender nuestros intereses, pero, sin embargo, no parece tener nuestro bienestar emocional y felicidad como prioridad. Está más enfocado en "tener la razón" y en respetar el conjunto de reglas que se "deberían" seguir. Pone mayor prioridad en seguir estas reglas que en ser amable, respetuoso, o feliz. Cuando quebramos alguna de las muchas reglas que hemos adquirido, puede condenar con severidad tanto a nosotros como a otros.

EL Juez, que genera reacciones emocionales a través de la crítica y el rechazo, no se debe confundir con nuestra capacidad para clarificar y hacer evaluaciones útiles de beneficios, desventajas y consecuencias de diferentes acciones. Hacer buenas evaluaciones y tomar buenas decisiones es prudente, y colabora con nuestra genuina integridad.

La Víctima: Mientras que El Juez emplea el abuso verbal o agrega un tinte emocional a un juicio, el personaje de La Víctima lo recibe. Esto es particularmente cierto cuando se trata de una autocrítica. La Víctima está dispuesta a aceptar las críticas del Juez, porque cree que se las merece. También interpreta lo que otros dicen de tal forma que se siente rechazada y no merecedora. La Víctima representa nuestra falta de merecimiento, nuestra impotencia, y todo lo que creemos que está "mal" con nosotros mismos, y se culpa por todos nuestros errores. Usualmente está en el centro de nuestro miedo a ser culpados, a estar equivocados, ser rechazados, a fracasar, o ser juzgados. A pesar de ser capaz de generar experiencias emocionales muy poderosas, La Víctima se siente impotente.

El personaje de La Víctima no se debe confundir con las experiencias reales donde fuimos o somos victimizados, ya sea física o emocionalmente. Existen experiencias en la vida real donde somos maltratados y nuestros miedos y daño emocional son naturales y tienen integridad. Sin embargo, el arquetipo de La Víctima vive en la historia y perspectiva de la burbuja de creencias, mucho después de que el abuso se llevó a cabo.

El Complaciente: El Complaciente a menudo surge como una reacción a la sensación o creencia de La Víctima acerca de no ser amada o apreciada. El sentimiento subyacente de La Víctima es: "La gente me rechaza". Para compensar este estado de la mente, El Complaciente se entrega a comportamientos destinados a intentar "gustarle a la gente". Las estrategias compensatorias de El Complaciente pueden llevar a esforzarse con más intensidad o a preocuparse por lo que la gente piensa. El Complaciente se esfuerza en hacer más por los demás, dejar una buena impresión, y atraer favorablemente la atención. El Complaciente opera bajo el supuesto de que el amor, el respeto, y la aceptación deben ganarse y que están condicionados a lo que uno hace por alguien. El punto de partida de La Víctima es que le faltan estas cosas, así que El Complaciente sale a buscarlas en otras personas. Aunque El Complaciente consiga reconocimiento, aceptación, y amor de otros, La Víctima todavía seguirá sintiendo las mismas emociones de no merecimiento y miedo, así que El Complaciente tiene siempre que seguir trabajando.

Por supuesto, estos mismos comportamientos de cuidar a la gente y ser generosos pueden hacerse desde la postura de integridad en lugar de la del Complaciente. Cuando ofrecemos amor, amabilidad, y servicio a otros en acciones generadas por nuestra naturaleza auténtica, nos sentimos bien y no hay necesidad de recibir aprobación o aceptación a cambio. Desde fuera, las acciones pueden parecer lo mismo. La diferencia entre actuar como El Complaciente y ser genuino es la emoción que motiva el comportamiento. A veces podemos incluso identificar en nuestras acciones tanto el deseo genuino de dar como la esperanza del Complaciente de obtener algo a cambio.

El Solucionador de Problemas: El Solucionador de Problemas es quien responde después de que El Juez emite el juicio acerca de lo que está mal. Otro nombre para El Solucionador de Problemas es El Héroe. Sin embargo, se trata de un Héroe falso porque responde a las falsas creencias del Juez. Si el Juez dice que hay algo malo con el mundo, El Solucionador de Problemas irá a arreglarlo. La naturaleza del Solucionador de Problemas es tratar de obtener la atención, el crédito, el reconocimiento, y la recompensa del elogio. El Solucionador de Problemas/Héroe quiere mostrarle a la gente lo inteligente, capaz, y hábil que es. El Solucionador de Problemas es parecido a El Complaciente en que hace las cosas para ganar amor y reconocimiento, pero su punto de partida es una autoimagen positiva, en contraste con la autoimagen negativa de La Víctima (y de El Complaciente). El Solucionador de Problemas a menudo asume que tiene razón y que tiene una mejor solución o idea que el resto de la gente y, por lo tanto, que debe ser respetado y apreciado. El Solucionador de Problemas siempre es veloz para dar un consejo o hacer sugerencias, y se enorgullece de ser el más listo. Es en este sentido que se está expresando para el beneficio de su propia autoimagen, y no necesariamente para ayudar a otros de forma efectiva.

De nuevo, podemos ayudar a otros y alentarlos, pero sin la necesidad de reconocimiento o respeto; en este caso, no se tratará de El Solucionador de Problemas en acción, sino de nuestro ser auténtico.

La Princesa: La Princesa está personificada por una actitud de tener derecho. Ella vive en su mundo, una burbuja donde cree que merece o tiene derecho a las cosas. La Princesa puede no ser causante de drama emocional por sí misma. A menudo opera silenciosamente en el reino de las expectativas. La reacción emocional viene de los personajes de La Víctima o del Juez cuando algo o alguien no cumple con las expectativas de La Princesa.

La parte de integridad de nuestro ser tiene una inclinación natural a asegurar que nuestras necesidades físicas y emocionales sean abastecidas. Esto nos ayuda a enfocarnos en perseguir lo que queremos y a disfrutar nuestra vida. Sin embargo, la actitud del personaje de La Princesa es que la gente y el mundo *deberían* comportarse de acuerdo a sus necesidades, y de la forma en que ella lo quiera. Una Princesa puede sentirse con derecho a un lugar de estacionamiento porque "Lo vio primero". (*Nota:* Aunque nos referimos a La

Princesa con pronombres femeninos, los arquetipos son todos de género neutral).

El Villano: El Villano, que también puede ser llamado El Rebelde, Perpetrador, Vengador, o Saboteador, tiende a operar con una actitud de enojo, resentimiento, disgusto, o venganza. También puede ser respaldado por la moralidad del Juez, lo que otorga una justificación moral a la emoción y comportamiento del Villano. A menudo El Villano sólo se siente enojado y quiere golpear a alguien. Pero también puede tener un argumento bien articulado o usar un comentario humillante que hace sentir a la gente como pequeña, irrespetada, o estúpida.

Estas emociones y comportamientos pueden ocurrir con integridad y actuar legítimamente en nuestra defensa, cuando somos realmente maltratados, poniendo límites con la gente que es poco amable con nosotros. Debido a esto, El Villano puede enmascararse como nuestro Defensor. El problema es que la Víctima falsamente interpreta muchas situaciones como maltrato, invocando al Villano con enojo incluso cuando ni siquiera hay maltrato. El resultado es que reaccionamos exageradamente, y el Villano se convierte así en el destructor de nuestras relaciones.

Ejercicio: Use los arquetipos para identificar falsas creencias

Tome algunas de sus narraciones en tercera persona y reemplace los pronombres de él/ella o de los personajes con arquetipos donde vea que correspondan.
Nota: Este ejemplo de observar sus creencias tendrá más sentido si lleva ya algo de tiempo escribiendo en tercera persona.

Suponga que estaba haciendo algo y no salió como usted lo planeaba o esperaba. Uno de los pensamientos y sentimientos que usted podría tener es "Soy un estúpido idiota".

Cuando usted retrocede un paso y escribe este dialogo en tercera persona, se convierte en: "La voz en su cabeza dice, 'Soy un estúpido idiota'", o "Él piensa que es un estúpido". Un segundo paso más atrás puede ser: "La voz en su cabeza dice, 'Eres un estúpido idiota'". Al escribir de esta forma estamos intentando dar un paso más atrás fuera de la burbuja de creencias y hacia adentro de la perspectiva de observador.

Al usar arquetipos, podemos identificar las diferentes voces en nuestra cabeza que están teniendo sus propias perspectivas y burbujas de creencias. En este ejemplo, la primera voz que identificamos es la del Juez, así que reescribiremos la frase: "El Juez dijo, 'Eres un estúpido idiota'". El "eres" a quien se dirige El Juez se refiere al personaje de La Víctima, así que si se convierte todo a tercera persona la frase se transforma en: "El Juez dijo al personaje de La Víctima que es un estúpido idiota".

A continuación, notamos que La Víctima escuchó al Juez y automáticamente estuvo de acuerdo con lo que escuchó. El Juez envió el mensaje de rechazo y La Víctima recibió y aceptó ese mensaje. El resultado fue que La Víctima generó emociones de vergüenza o de no merecimiento por ser un "estúpido idiota".

Cuando narramos la historia de esta forma, somos el observador presenciando como testigo estos dos personajes de nuestra mente, manteniendo una conversación entre ellos.

¡Eres un estúpido idiota!   ¡Soy un estúpido idiota!

La *ejecución* de este ejercicio cambiará sus sentimientos más que el análisis intelectual de esto. Por favor note lo siguiente: el hecho de escribir las cosas de esta forma no garantiza que su punto de vista cambiará, pero le da a su mente una buena oportunidad para el cambio. Ver la situación escrita en una hoja de papel lo aleja de la burbuja de creencias en lugar de dejarlo dentro de ella, ya que es allí dónde usted se encuentra cuando sólo "piensa" acerca de estas cosas. Esta herramienta de escribir acerca de las cosas de manera diferente, es un intento para cambiar su perspectiva a la de un observador neutral.

El tiempo que lleva obtener este resultado varía. Es como esas imágenes que tienen escondida una pintura en tercera dimensión dentro de una engañosa serie de puntos. A veces usted ve la pintura de inmediato, y otras tiene que invertir más tiempo hasta conseguir cambiar su percepción. La flexibilidad de cada persona con su perspectiva es diferente, así que no se preocupe en comparar sus resultados contra los de otra persona.

Un examen más detallado

¿Por qué debemos observar de esta forma lo que pasa en nuestra mente? Cuando consideramos que hemos desarrollado diferentes personajes, que piensan dentro de sus propias burbujas, tenemos un modelo más exacto con el que podemos entender lo que sucede en nuestra mente.

Este acto de separarnos de nuestros pensamientos también nos permite escudriñarlos y ser más escépticos de esas creencias. Cuando vemos más de cerca la declaración "Soy un estúpido", varios supuestos se vuelven más aparentes. El notar estos supuestos escondidos en la declaración, hace menos creíble la idea de que somos estúpidos.

La declaración "Soy un estúpido" se está haciendo con una actitud de autoridad y sentido de "tener la razón". Una persona inteligente y con autoridad haría esta declaración. Esta es la actitud y personalidad del Juez, que está seguro de saber más que los demás. El Juez en nuestras mentes actúa como si siempre tuviera la razón, como si nunca se equivocara, así que es mejor no intentar cuestionarlo. Desde la perspectiva del Juez, el hecho está claro.

Sin embargo, el Juez no podría estarse llamando *a sí mismo* "estúpido", porque su naturaleza es ser inteligente y tener todas las respuestas correctas en todo momento. El Juez está hablando de otra imagen de nosotros mismos, La Víctima. La Víctima acepta de inmediato cualquier comentario negativo o de rechazo que haga El Juez, porque los comentarios negativos son siempre creíbles para este personaje. Son completamente congruentes con su autoimagen. Acepta voluntariamente que "estúpido" es una evaluación precisa y no lucha contra ella.

Desde la burbuja de creencias del Juez, la idea de que "sabe más" es completamente congruente. Pero también la creencia de La Víctima en su propia estupidez es congruente dentro de este paradigma. Así que tenemos aquí dos supuestos que se oponen, o creencias escondidas — nosotros "sabemos más" y nosotros somos "estúpidos". Estos paradigmas contradictorios no pueden ser ambos verdaderos. Cuando vemos esta contradicción, nuestra conciencia instintivamente nos mueve fuera de las burbujas del Juez y de La Víctima. Este escepticismo no es posible desde las burbujas de creencias del Juez o de La Víctima.

Separar estos arquetipos dispares nos permite ver lo ilógico de un comentario y empezar a cuestionarlo efectivamente. Si realmente fuéramos estúpidos, no sabríamos lo que es "mejor", en la forma en la que el Juez lo hace. Si nuestro Juez interior "sabe" más, ¿cómo podemos creer que somos estúpidos? Con esta conciencia ahora tenemos una franja de escepticismo con la cual dudar de aquello que previamente sentíamos como verdadero.

El uso del inventario

Cuando usted comienza a desglosar las reacciones emocionales en roles de personajes arquetípicos, cambia su perspectiva hacia fuera de estas burbujas. Desde fuera de la burbuja de estos arquetipos usted puede ver las creencias escondidas y los supuestos que nunca vio antes. Observar estos detalles contradictorios hace que sus creencias sean inmediatamente menos creíbles.

Paul estaba caminando hacia el subterráneo y otro hombre que iba corriendo apurado lo empujó al pasar. La reacción interna no verbalizada de Paul fue, "¡Imbécil! Eso fue muy grosero". Él evitó decirlo en voz alta, pero se sintió simultáneamente ofendido y enojado. Esto disparó un dialogo interno acerca de cómo el tipo debió comportarse y lo que Paul hubiera debido hacer para corregirlo. Más tarde, cuando Paul reflexionó acerca de su reacción y la observó más en detalle, los diferentes personajes se hicieron visibles a partir de un par de pensamientos. La siguiente tabla reproduce la aparición de los personajes en orden cronológico.

Arquetipo/ Evento	Historia/Creencia/Comportamiento	Emoción/ Actitud
Princesa	Los viajeros en el subterráneo deberían comportarse apropiadamente todo el tiempo. A nadie se le debería permitir correr o ir con prisa. Todos deberían tener cuidado y fijarse para evitar empujar a otros en cualquier momento. (Estas creencias existían antes del día del incidente).	Sentimiento de tener derecho. Tengo derecho a un mundo ideal de perfección y cortesía en una estación de subterráneo llena de gente. Cómo "yo" debería ser tratado.

Evento	Un extraño empuja a Paul al pasar.	
Instinto físico y emocional genuino	Incomodidad física y la pequeña respuesta emocional natural a cuando se es asustado. Por sí misma, la sensación debería disolverse rápidamente cuando el hombre pasa de largo.	Un poco de sorpresa. Un nivel natural de respuesta emocional.
Víctima 1	Las historias de ser posiblemente lastimado surgen en la mente (tan rápido que Paul no se da cuenta, hasta que reflexiona en ello más tarde).	Miedo.
Víctima 2	Las reglas de mi Princesa fueron violadas por este extraño. Ese tipo es culpable por hacerme sentir de esta manera (acusación).	Ofendido. Culpando al otro por la incomodidad física y el miedo.
Juez	Esa persona rompió las reglas de mi Princesa. Debería disculparse, no ir tan de prisa, prestar más atención hacia dónde va, etc. Es una mala persona. El Juez usa las creencias de la Princesa como un estándar para juzgar a otros.	Con derecho a sentirse indignado. Con autoridad, poder y justificado.
Villano	Debería ir tras él y golpearlo. Debería gritarle y regañarlo para que no lo vuelva a hacer. Voy a arreglar esta situación, castigándolo verbal y emocionalmente hasta que aprenda a comportarse. Este es el Villano escondiéndose detrás de la máscara del Defensor.	Enojo, frustración. Justicia alineada con el Juez.
Solucionador	Debería decirle que se fije por dónde	Viéndose a sí

de Problemas/Héroe	va. Debería . . . (se imagina todos los roles correctivos que debería jugar, para hacer que el comportamiento de la persona sea el correcto). Intenta restaurar el orden y hacer que la gente en el metro opere de acuerdo a las expectativas de la Princesa.	mismo en una luz positiva dentro de su imaginación. Sentimientos de ser bueno para resolver problemas y de tener una buena autoestima.
Ciclo Completo	Paul se siente mejor emocionalmente después de jugar el papel del Solucionador de Problemas en su imaginación. Esto ayuda a normalizar sus emociones después del miedo, enojo, y sentimientos de ofensa que se crearon con las reacciones de la Víctima y el Juez.	

A primera vista, la reacción de ofensa de Paul sólo tenía una capa. Pero conforme trabajó en este inventario unos días más, se dio cuenta de que era una reacción en cadena, de un personaje a otro. En sí, ser empujado produjo sólo una reacción mínima, pero fue el gatillo para que el sistema de creencias creara el resto de sus emociones.

Cuando Paul vio este sistema de creencias escrito como un inventario sistemático, su perspectiva cambió. Se movió porque él se convirtió en el *observador* de sus personajes y logró salir de las perspectivas de sus burbujas de creencias. No tuvo que intentar dejar de creer en sus pensamientos — estos simplemente dejaron de ser creíbles a raíz de su nueva perspectiva, y sus emociones disminuyeron en el proceso. Paul fue capaz de responsabilizarse por la reacción de su propio sistema de creencias. Pudo ver como sus personajes procedieron para crear muchas de sus emociones. Una vez que hizo eso, le resultó difícil creer la historia de "la culpa es del tipo" por hacerlo sentir de esta manera. Las intenciones del Solucionador de Problemas y del Villano para obligar a cambiar a otra persona, parecieron igualmente artificiales. Una vez que Paul se despegó de de una de las creencias encadenadas, las que la seguían en la secuencia comenzaron a desmoronarse una tras otra.

Al hacer el inventario detallado, la última pieza de la que Paul se dio cuenta fue la de la expectativa de su Princesa. Sólo la detectó y escribió al principio de la tabla de su inventario, después de haber escrito todo el resto. Cuando se dio cuenta de que su expectativa requería a la gente el tener cuidado, ser cortés y considerada todo el tiempo, reconoció lo ridículo de esto. A menudo la gente está preocupada con lo que está haciendo, estresada, con prisa, o tiene una emergencia, más allá de lo que su Princesa espere. Un mundo con buen comportamiento sólo parece posible desde la perspectiva inconsciente de la Princesa.

Cuando usted hace un inventario de las historias de los diferentes personajes y de sus emociones, su perspectiva cambia naturalmente a la del observador, como efecto secundario de buscar a estos personajes.

Los arquetipos son parte de un patrón más amplio

La historia de Paul era acerca de una pequeña reacción emocional al incidente de un empujón. Sin embargo, estos patrones de personajes arquetípicos y sus creencias ocultas son también parte de las reacciones emocionales más grandes de Paul. Si él no es capaz de adelantarse a identificar a estos personajes en las pequeñas interacciones, le será entonces muy difícil identificar sus interpretaciones en las reacciones emocionales de mayor dimensión. Al reflexionar sobre estas pequeñas instancias, Paul es más consciente de los patrones automáticos de su mente. Desarrollar sus habilidades de conciencia y escepticismo en pequeñas situaciones, le da mayor oportunidad de aplicarlas en las situaciones mayores de su vida.

Algunas personas buscan un truco o un conocimiento específico que les proporcione un modo veloz de cambiar sus reacciones emocionales. Están empeñados en encontrar una solución rápida. Éste a menudo es su Solucionador de Problemas pensando que puede resolver las reacciones emocionales fácilmente sólo porque es listo y ha resuelto otros problemas en el pasado. Años de condicionamiento en otras situaciones, como en el aula de la escuela, le han enseñado que tener las respuestas correctas lleva al éxito. Sin embargo, cuando el problema se origina justamente en un punto de vista rígido, el personaje que busca una "respuesta", es parte del problema.

Cambiar un comportamiento generado por una reacción emocional no se logra con información. El cambio se asemeja más a una habilidad que vamos desarrollando, tal como bailar, hablar en público, tocar un instrumento musical, o golpear una pelota de tenis. Comenzamos a aprender a pegarle a una pelota de tenis cuando aprendemos cómo se sostiene una raqueta y dónde debemos plantar nuestros pies. Luego practicamos golpeando pelotas lentas lanzadas hacia nosotros. Más adelante, aprendemos a pegarle a pelotas rápidas con reveses. Conforme seguimos practicando, desarrollamos una coordinación mano-ojo y podemos golpear la pelota mientras corremos. De la misma forma, al empezar con pequeños retos de observar reacciones en el papel desde una cierta distancia, podemos aprender a manejar nuestra atención, perspectiva, e interpretaciones cuando la gente nos "lanza" algunas situaciones rápidas. La clave para el éxito es tomarse el tiempo para desarrollar las habilidades.

Al estudiar y clasificar a los personajes de nuestra personalidad, usted está enfocando su atención hacia su sistema de creencias de una forma que desarrolla su conciencia. Más importante aún, al reflexionar sobre nuestros comportamientos, actitudes y emociones en una forma estructurada, estamos adoptando y desarrollando *la perspectiva del observador testigo*. Usted no tiene que forzarse para que esto suceda. Cuando usted hace un inventario de las historias de los diferentes personajes y de sus emociones, su perspectiva cambia naturalmente a la de observador, como un efecto secundario de buscar a estos personajes.

Como beneficio adicional, cuanto más tiempo pase en el estado de observador testigo, menos tiempo pasará reforzando la perspectiva, las interpretaciones, y emociones del Juez, de la Víctima, y de otros personajes arquetípicos.

Tener un sistema para hacer un "inventario de creencias" le dará una forma de organizar lo que observa. Lo más seguro es que, la primera vez que lo intente, no podrá hacer un inventario con el nivel de detalle y entendimiento de los arquetipos demostrados en el ejemplo de Paul. Es una habilidad que usted desarrollará con la práctica. Ser capaz de observar estos personajes arquetípicos puede incluso ser difícil al principio, ya que nos inclinamos a identificar erróneamente todos estos aspectos de nuestras creencias como "Yo". Es por eso que primero recomiendo a la gente comenzar con los ejercicios de escribir en tercera persona y hacer la lista con los perfiles de sus personajes. Estos son algunos de los pequeños ejercicios que ayudan en el proceso de desarrollar la habilidad.

Al principio, típicamente usted verá las capas de creencias y reacciones emocionales *después* de que sucedieron. Es siempre más fácil discernir estos personajes y sus historias/creencias como un observador, una hora o día más tarde. Cuando usted está en medio de una reacción emocional, está condicionado para asumir la identidad de uno o más personajes y no puede ver las creencias. Desde la perspectiva de un personaje, su mundo de creencias internas parece ser la "realidad". Desde la burbuja de creencias de la Víctima, a Paul le parecía que la persona que lo empujó era el único responsable de hacerle sentir miedo y enojo. Después de hacer el inventario de creencias, Paul se dio cuenta de que él mismo se había hecho sentir enojado con las creencias que tenía acerca de esa persona. Así es que, aun si usted al principio se encuentra atrapado en las reacciones emocionales de un personaje, más tarde ese mismo día o al día siguiente, podrá empezar a escribir sobre los eventos de sus reacciones emocionales desde un punto de vista desapegado. Con algo de

Gary van Warmerdam

práctica, tendrá la habilidad de mantener la perspectiva de observador, y podrá ver a estos personajes tironeando de sus emociones en tiempo real. Entonces tendrá la oportunidad de elegir algo diferente.

Apresúrese y cambie

Al principio, usted puede encontrarse con una voz en su cabeza diciéndole que debe apresurarse y cambiar. Éste puede ser el Héroe/Solucionador de Problemas. También puede encontrar una voz que le dice que estos personajes son una parte dolorosa de su vida y que los debe sacar de ella a como dé lugar. Tal vez se trate aquí del arquetipo del Juez. O puede toparse con una voz que dice, "Los odio y odio lo que me están haciendo y la forma en que me hacen sentir". La emoción de odio es una pista que indica que se trata del Villano, mientras que el "yo" que odia la forma en que lo hacen sentir, es probablemente la voz de la Víctima. Sí, estas voces en nuestra cabeza pueden quejarse ruidosamente de las otras y no pierden ocasión de hacerlo. De hecho, ¡nadie va a protestar más fuertemente acerca del proceso de limpiar las voces en su cabeza, que las mismas voces de los arquetipos en su cabeza!

A veces, le dirán que no está haciendo lo suficiente. Esta es una conversación entre el Juez y la Víctima rechazando el proceso. En la siguiente pausa se quejarán de que esta propuesta no está funcionando y dirán que debería renunciar. Este es un comentario de la Víctima y del Saboteador. Más adelante dirán que usted tiene estas reacciones bajo control y que ya no tiene que trabajar tanto sobre ellas. Esta es la voz confiada del Héroe, declarando victoria. Cuando usted se de cuenta de que esto está sucediendo, incluya en su lista de personajes los que se están quejando de su sistema de creencias y del proceso de cambio. No importa que tan buenas intenciones aparenten, no lo están ayudando a crear una mente tranquila y en paz.

¡Precaución!

Uno de los riesgos de aplicar las etiquetas de personajes arquetípicos a aspectos de nuestra personalidad es que el Juez los utilizará para interrumpir con críticas negativas: "No *deberías ser* esa Víctima, no deberías ser esa Princesa, o deberías ser más bien como. . ." Esto puede pasar con cualquier herramienta que usted use para aumentar su conciencia y cambiar sus creencias. Los mismos personajes pueden apoderarse de esa herramienta y utilizarla emocionalmente en su contra, dando como resultado una dolorosa autocrítica basada en lo que usted descubra. Si usted nota algo como esto sucediendo durante su proceso, preste una cuidadosa atención a las secciones de aceptación (ver Capítulo 13) y regrese a los ejercicios para ser un observador neutral. Escriba lo que estas nuevas voces le dicen desde la

108

perspectiva de una tercera persona, hasta que usted las pueda identificar como personajes separados.

Gary van Warmerdam

Capítulo 10
Cómo se desarrollan los personajes arquetípicos

Una reacción común al descubrir la presencia de estos personajes arquetípicos en nuestra mente y personalidad, es juzgarnos y sentirnos victimizados por las formas en que influencian nuestra vida y nuestras reacciones emocionales. A veces podría parecer que no hay nada bueno acerca de ellos. Otras veces sentimos que nos protegen de ser heridos emocionalmente, y nos ponemos nerviosos cuando no seguimos sus reglas. Estas interpretaciones son en sí mismas los arquetipos del Juez y de la Víctima en acción. Para disolver estos pensamientos reactivos y la influencia de estos personajes arquetípicos, nos ayudará saber en primer lugar cómo se desarrollaron.

Nota: En este libro uso palabras como *juzgar* y *enjuiciamiento* para describir expresiones de crítica, rechazo, o condena. Pueden ser sutiles o crueles, pero el común denominador es la característica desagradable de la emoción. Esto es distintivamente diferente de una *evaluación* o discernimiento, que están hechos principalmente con una desapegada claridad y ecuanimidad. Para poder mejorar nuestras vidas, necesitamos hacer evaluaciones de lo que funciona para nosotros. Un ejemplo es: "Soy más feliz cuando no estoy cerca de esa persona". Esto llega a ser un juicio cuando la actitud emocional cambia a una expresión acusatoria desagradable como: "Son malas personas". Estos ejemplos no son perfectamente claros porque le dejan al lector el incluir en cada uno el tono correcto y la emoción, pero espero que se pueda captar la idea de la diferencia. Este libro no trata de cambiar las evaluaciones, porque ellas no causan drama emocional. Nos estamos enfocando en los juicios, porque ellos contienen la carga emocional que causa infelicidad en nosotros y nuestras relaciones.

El Juez: la voz crítica en nuestra mente

Para muchos adultos, la mente ha desarrollado un aspecto que incesantemente describe, compara, juzga, y critica. A esta parte de la mente la llamo El Juez. Es un personaje muy activo en la mente de la persona infeliz o propensa a reacciones emocionales. Sin conciencia, no nos damos cuenta de lo ocupado que está el Juez y qué tanto domina nuestro diálogo interno.

Algunas veces, no consideramos a nuestros pensamientos enjuiciadores como negativos; pensamos que son sólo opiniones. Sin embargo,

111

dado que nuestra perspectiva está dentro de la burbuja de creencias del Juez, nuestras opiniones parecen verdaderas, así que las consideramos como si fuesen hechos reales. Nuestro sistema de creencias habitualmente defiende y justifica nuestras críticas de manera que éstas parezcan racionales y nosotros, inteligentes. Nos cubrimos con el manto del ego y nos consolamos con su creencia de que somos inteligentes mientras expresamos críticas emocionalmente desagradables.

A menudo, desde esta perspectiva crítica, sólo otras personas y el resto del mundo tienen problemas. Nos sentimos muy bien acerca de nosotros mismos. Si nos sintiéramos infelices y molestos, sería por culpa del mundo o de alguien más. En cuanto la otra persona o el grupo cambien, nos sentiremos mejor. Esto encaja con el supuesto paradigmático de la Víctima en el cual el mundo externo es responsable de nuestras emociones. Sin embargo, en situaciones estresantes, la voz en nuestra mente puede volverse crítica hacia nosotros e incluso despreciarnos, y en ese momento el Juez ya no parecerá ser un amigo inteligente. Para algunas personas, esta es la postura normal del Juez: mirar al mundo exterior y concluir que todo y todos los demás están bien, y luego mirar a nuestro interior para decirnos continuamente cómo no estamos a la altura de los demás. El tema en sus comentarios es siempre que no somos lo suficientemente buenos.

Mucha gente tiene este tipo de diálogo interno crítico en su mente en diferentes grados. Algunas personas se identifican con esta perspectiva y sienten que así son, mientras que otros se dan cuenta de que el Juez se ha apoderado de su vida y se ha transformado en un tirano. Él tiene una lista de cómo deberíamos ser diferentes y de lo fracasados que somos por no cumplir con sus criterios en la lista de "deberías". Cuando termina de recitar su lista de nuestras fallas, empieza de nuevo. Las emociones resultantes son las de no merecimiento, inseguridad, fracaso, y vergüenza. No hemos actuado de la forma que él aprueba. A otros, el Juez nos ofrece una cháchara constante llena de críticas hacia nosotros que puede ser emocionalmente debilitante, generando desesperanza y depresión si creemos lo que dice.

El entender cómo surgió y se desarrolló el Juez puede disminuir nuestra reacción emocional a este personaje y ayudarnos a disolverla.

El origen del Juez

Cuando buscamos eliminar las autocríticas y el diálogo interno en la mente, le ayudará reconocer que *El Juez no tiene intención de perjudicarlo.* Puede ser la fuente de autocríticas y comentarios poco amables, pero esa no es su intención original. Paradójicamente, desarrollamos esta parte crítica de nuestra mente para ayudarnos a sentirnos emocionalmente seguros y felices. La intención de *El Juez es ayudarnos a obtener recompensas agradables y a evitar consecuencias desagradables.* El problema es que, desde su comienzo bien intencionado, la parte del Juez de nuestra mente se ha transformado en algo más.

La voz interna de la autocrítica se desarrolla en la mente joven con la fusión de la memoria y la lógica. Antes de que se desarrollaran la memoria y la lógica, permanecíamos en el momento presente dónde sólo existen el deseo y la necesidad de expresarnos. Actuábamos de forma inocente, por impulso e inspiración. Si queríamos salir a jugar, pero Mamá nos había pedido recoger nuestros juguetes, salíamos de todos modos a jugar. No recordábamos lo que Mamá nos pedía, y no teníamos el razonamiento lógico para darle importancia.

Cuando la memoria y la lógica se desarrollaron, fuimos capaces de recordar la vez en que Mamá nos regañó en una ocasión anterior por no haber recogido nuestros juguetes. Empezamos a recordar cosas de nuestro pasado y a relacionarlas con nuestras acciones del momento presente, y luego a imaginarnos las consecuencias. Nuestra memoria condicionada trabajaba muy bien al hacer estas conexiones, incluso cuando nuestros pensamientos no fueran completamente conscientes.

Nuestra memoria relacionaba el emocionalmente desagradable regaño con el no haber recogido los juguetes. Eventualmente, cuando salíamos a jugar y veíamos los juguetes tirados en el piso, una pequeña voz en nuestra mente nos recordaba, "Debería recogerlos". Esta era nuestra voz del Juez, un eco de nuestra memoria con un recordatorio útil diciéndonos cómo evitar el dolor emocional del castigo futuro. La voz en nuestra mente era una buena amiga, buscando nuestra felicidad.

A veces, después de haber sido castigados por alguno de nuestros padres, esta voz actuaba como un consejero, diciéndonos, "Debería haber recogido mis juguetes". El Juez nos enseñaba como evitar los desdichados castigos en el futuro. Si nos gritaron por jugar en la calle, el Juez nos recordaba este hecho desagradable la siguiente vez que consideráramos hacerlo de nuevo. El Juez almacenaba recuerdos de lo que había sucedido y archivaba las reglas a seguir, de manera que no volviéramos a meternos en problemas. A través de los años agregó muchas reglas y nos las recordaba: "Debería verme bien", "Debería sacar buenas calificaciones", "Debería ser inteligente", "No debería ser un perdedor", "No debería equivocarme", "No debería tener mi escritorio tan desordenado", etcétera. Aprendimos a escuchar al Juez para evitar romper las reglas de Mamá y Papá y no ser castigados. Más tarde agregamos reglas de maestros, figuras religiosas, hermanos y amigos. En la adolescencia, nuestro Juez desarrolló reglas complejas basadas en las reacciones de nuestros pares, acerca de lo que era aceptable—a la moda, *cool*, etc.—y lo que no era aceptable.

El Juez no conocía el futuro, pero seguía recordándonos las reglas del pasado para prevenirnos acerca de lo que nos podría causar dolor. Usaba estas reglas, basadas en las experiencias pasadas, para proyectar supuestos sobre castigos futuros y prevenirnos acerca de lo que era mejor no hacer.

El Juez también nos decía qué hacer para ser premiados con atención, aceptación y amor: "Debería limpiar mi cuarto, comer mis vegetales, estar calladito y quietecito, hacer fila, sacar buenas calificaciones, ser un ganador y obtener mucho dinero". El Juez nos recordaba todos los premios emocionales y castigos almacenados en la memoria: "Haz estas cosas y le agradarás a la gente, te aceptarán, respetarán y amarán. Sigue estas reglas y serás feliz. Si no lo haces, serás castigado, rechazado y te herirán".

Conforme crecimos, experimentamos emociones positivas toda vez que nuestro Juez interior aprobaba lo que hacíamos o cómo nos veíamos. Muchas personas que son muy infelices o están deprimidas, al no poder cumplir con todas sus reglas internas ya casi no son capaces de generar buenos sentimientos. Aun cuando escuchen comentarios positivos, su Juez interior las ahoga con más comentarios negativos acerca de todas las formas en las que están fallando.

De pequeños, es posible que hayamos visto a los adultos como muy impredecibles. Algunos adultos pueden haber tenido diferentes expectativas y reglas a seguir por nosotros, o reaccionaban de forma diferente a las mismas situaciones. Esto podía causar algo de confusión, así que empezamos a confiar en el pequeño Juez en nuestra mente, más que en cualquier otra persona. Aun nuestros padres, que nos amaban, no eran completamente confiables porque ellos nos castigaban si hacíamos algo mal, y a veces aun sin haberlo hecho. Quizá fuimos acusados injustamente y castigados por algo que hizo nuestro hermano, y concluimos que no podíamos confiar en Mamá o Papá.

Con su creciente número de reglas, nuestro Juez interior llegó a ser nuestra guía hacia la seguridad emocional. (*Nota:* En lugar de la palabra *reglas* aquí podríamos también usar *creencias*, *acuerdos*, o *supuestos*. Sin embargo, dado que estamos hablando acerca del Juez, el termino *reglas* encaja mejor, ya que el Juez a menudo usa creencias como si fueran leyes). A través del tiempo, depositamos mucha fe en el Juez y lo hicimos nuestro confiable consejero que nos recomendaba qué hacer, qué no hacer, lo que deberíamos ser y lo que no. El Juez como parte de nuestra mente se transformó en una voz muy fuerte con gran autoridad y poder, y confiábamos en ella para que nos ayudase a tomar las decisiones correctas.

Mientras que algunas personas escuchan la voz de sus padres cuando el Juez habla, la mayoría creció grabando sus propias reglas en la memoria con su propia voz interior. Más tarde, cuando el Juez nos las repite, suena como nosotros hablando y pensando porque es nuestra propia voz en la memoria. A veces confundimos nuestra confianza en el Juez con una indicación de que confiamos en nosotros mismos. Miramos al mundo desde la perspectiva de la burbuja de creencias del Juez y asumimos que es la nuestra. Desde esta perspectiva, todo lo que dice el Juez parece cierto. Como el Juez habla con tanta autoridad y a menudo en nuestra propia voz, algunas personas erróneamente lo etiquetan como su "yo superior".

A pesar de todas sus reglas y certeza, el Juez no está libre de tener algunas contradicciones y confusiones. Tal vez dijimos la verdad, y eso nos metió en problemas. Entonces creamos la regla de que no debemos decir la verdad, pero eso está en conflicto con la otra creencia de que *debemos* decir la verdad. El Juez parece lógico y metódico, particularmente cuando somos más jóvenes. Conforme vamos creciendo y vamos viviendo más experiencias que agregan más reglas, el Juez se contradice a sí mismo sin tratar de conciliar el conflicto. Sólo trata de hacernos seguir todas las reglas, aun si unas se oponen a otras.

Si continuamos viviendo nuestra vida tratando de seguir todas las reglas almacenadas en nuestra memoria, nos metemos en problemas. De niños, interiorizamos las reglas de los adultos en nuestras vidas. Conforme crecemos, vemos que la gente no nos castiga o premia de la misma forma que cuando éramos niños, pero continuamos tratando de vivir bajo todas las reglas contradictorias que hemos coleccionado. Cuando llegamos a la adultez, aplicamos un grupo de viejas reglas de años atrás, aun cuando no hay ya nadie que nos castigue o premie. El Juez continúa haciéndonos responsables de estos estándares, con sus propios castigos internos, aun cuando las reglas de cuando teníamos ocho años ya no sean válidas.

Un ejemplo de estas reglas persistentes es George. Con casi setenta años, a George le ha ido bastante bien y no ha tenido que trabajar en años. Él sigue haciendo algunos negocios de bienes raíces a medio tiempo, pero ha decidido que realmente se ha jubilado y que está bien disfrutar de su tiempo en cualquier forma que elija. El problema es que, cuando se sienta en la computadora a jugar un juego de bridge, o se sienta a tocar el piano, el Juez en su mente le dice, "Deberías hacer algo productivo". La voz de su padre en los años de la adolescencia todavía resuena en la cabeza de George. Uno de los problemas con estas reglas almacenadas en nuestra burbuja de creencias es que el Juez no se ha dado cuenta de que hemos crecido. Para George, ese Juez todavía lo ve como un personaje adolescente aun cuando hoy es un jubilado.

Muchas personas que son muy infelices o están deprimidas, al no poder cumplir con todas sus reglas internas ya casi no son capaces de generar buenos sentimientos.

Lógica defectuosa e ilusiones

Los problemas también surgen porque las reglas en la mente pueden estar basadas en supuestos defectuosos. Mamá tal vez esté molesta por algo más en su vida, y estalla con nosotros cuando le pedimos algo que queremos. Erróneamente asumimos que nos castiga por pedir lo que queremos, cuando en realidad fue por algo que a Mamá le pasó ese día en el trabajo y que no está relacionado con nosotros. Así es que el Juez hace la regla, "No debería pedir lo que quiero", y almacenamos esa creencia en la memoria. La regla se refuerza más tarde con evidencia selectiva y, ya como adultos, dudamos en pedir lo que queremos, aun cuando sería apropiado. El Juez dice que estamos siendo egoístas cuando consideramos lo que queremos y lo que es bueno para nosotros.

Aun si Mamá es amable y no se siente estresada, ella podría tener la sensatez de no darnos el pony o el perro que pedimos. Nuestra sensación de decepción es dolorosa y refuerza el acuerdo: "No debería pedir lo que quiero porque esto sólo conduce al sufrimiento". De esta forma, nuestra mente puede crear protocolos defectuosos a seguir que, una vez que los aceptamos como creencias o acuerdos, pueden permanecer en nuestra memoria inconsciente y, décadas más tarde, continuar afectando nuestras decisiones y comportamientos.

Si cuestionamos estas creencias o reglas, los personajes del sistema de creencias las defienden con declaraciones como: "No pido lo que quiero para evitar ser herido o decepcionado". A primera vista, esto puede parecer como una intención verdadera que usamos para protegernos. Sin embargo, al hacer un escrutinio más de cerca, vemos que el dolor no proviene del pedir. Es la burbuja del personaje de la Víctima que crea la decepción y el dolor, como reacción al no recibir lo que pedimos. El no pedir es una estrategia compensatoria para evitar la respuesta emocional de nuestra Víctima. Desde un paradigma de respeto mutuo, podemos pedir lo que queremos. Y desde ese mismo paradigma de respeto mutuo, es posible que nos digan que no y no tener una respuesta emocional.

De niños, no había ninguna otra parte de nuestra mente monitoreando al Juez para detectar exageraciones, malas interpretaciones, creencias basadas en miedos o mentiras. Confiábamos en sus reglas y estábamos de acuerdo con ellas, sin considerar cómo éstas podían limitar nuestra felicidad y elecciones. No éramos conscientes de que estábamos coleccionando estas reglas o cuán fuertes se harían más tarde en nuestra vida. Simplemente estábamos haciendo lo mejor que podíamos para interpretar nuestras experiencias, y navegar en el mundo de adultos a nuestro alrededor.

Incluso como adultos, nuestro Juez interior hace reglas que no están basadas en la realidad, sino en reacción a nuestra limitada experiencia. Si nos rompen el corazón, el Juez hará reglas para evitar que nos hieran de nuevo. Afirmará: "El amor duele. El amor sólo hará que me rompan el corazón. Todos los hombres son unos _____," o "Las Mujeres son unas _____". El Juez puede juzgar y descalificar al género entero, como reacción al sentirse emocionalmente herido. Esta regla basada en creencias no se elimina una vez que el dolor emocional se disipa. El Juez la trae de vuelta y nos la recuerda cada vez que nos enamoramos de nuevo. Más adelante en la vida, tememos expresar nuestro amor porque el Juez y la Víctima nos dicen que sólo nos generará dolor y decepción.

El Juez está recetando reglas a seguir para evitarnos ser heridos, pero esto también nos está impidiendo expresar amor y ser amados por otra persona. A veces no somos conscientes de los pensamientos o diálogo interno asociados a estas reglas. Podemos sólo sentirnos inquietos o ansiosos cerca de alguien que nos expresa su amor por nosotros o cuando comenzamos a enamorarnos. Fuera de nuestra conciencia, un personaje puede entonces comenzar a sabotear la relación, de manera de evitar esos sentimientos de incomodidad.

La mayoría de nosotros no recibe ninguna guía o instrucciones para ser conscientes de esto y cambiar nuestros pensamientos, creencias y emociones. No nos damos cuenta de que estas reglas que hemos creado pueden ser almacenadas en nuestra memoria y regresar a nosotros como un eco durante décadas. Aprendemos a seguir estas reglas confiando en ellas, inadvertidos acerca de las consecuencias. Depositamos nuestra fe en la voz del Juez y la tratamos como a un consejero de confianza que no cuestionamos. En el Capítulo 11 exploraremos como despojar a la autoridad y reglas del Juez de nuestra fe y así disolver su influencia sobre nosotros.

De ayudante a crítico: las transformaciones del Juez

A través de los años, la voz del Juez se va haciendo más severa. Tal vez la segunda vez que nos rompen el corazón nos hace una dura crítica como, "Ya lo sabía y no me hice caso; soy un idiota". Aceptamos la crítica dolorosa porque dentro del paradigma de esa creencia asumimos que el seguir las reglas del Juez significa que no saldremos heridos nunca más. En otros escenarios, seguir las duras instrucciones del Juez nos ayudará a esforzarnos a ser exitosos. De cualquier modo, sus reglas parecen apuntar hacia el camino de la seguridad emocional y felicidad.

Eventualmente el Juez tiene críticas no sólo acerca de nosotros, sino también del tráfico, los conductores, el trabajo, el gobierno, de nuestros cuerpos, de los extraños y de la gente que amamos. Cree que todos los demás también deberían seguir sus reglas. El Juez se justifica con el manto de su superioridad. Siempre está dictando opiniones acerca de cómo las cosas podrían estar mejor hechas. El Juez sigue interesado en nuestro éxito y felicidad, pero está completamente comprometido con las reglas programadas en nuestra memoria. Su intención predominante es conseguir que sigamos todas las reglas que hemos adquirido desde que éramos niños. Dejamos atrás la conciencia de cuál era la intención original de estas reglas—nuestra felicidad—y así este objetivo final se pierde. Todo lo que queda es un programa dogmático y quizá hasta fanático del Juez, exigiendo que sigamos sus reglas.

Hemos creído en el Juez por tanto tiempo, que ha tomado vida propia. Su autocrítica y parloteo suenan constantemente en nuestra cabeza, como una estación de radio que no podemos apagar. Ya no más un útil y confiable consejero, el Juez es ahora un ruidoso y cínico crítico, rechazándonos duramente a nosotros y a los otros.

Asumimos que apaciguar a esta voz tiránica, la callará. Invertimos nuestra energía tratando de obedecer sus reglas, aun cuando muchas de sus creencias están basadas en miedos, desactualizadas, o surgidas de malas interpretaciones. Estamos tan ocupados tratando de apaciguar al Juez, que rara vez notamos cómo sus reglas se contradicen unas a otras. "Debería luchar por la promoción" está en conflicto con "No creo que pueda hacer ese trabajo". "Debería invitarla a salir" está en conflicto con el miedo a sentirnos rechazados si ella nos dice que no. Entonces agregamos la autocrítica de "No debería tener miedo" o "Debería sentirme más feliz con mi vida".

A pesar de este caos mental olvidamos que la programación de todas las reglas fue para prevenir el dolor y traernos felicidad. Pero las emociones como amor y felicidad apenas pueden sentirse cuando nuestra atención está dedicada a reglas de lo que deberíamos o no hacer.

Liberándonos del Juez

Algunas personas entran en una crisis vital después de seguir todas las reglas y ver que no terminan siendo felices del modo que sus creencias les prometieron. Un ejemplo de esto es Bill, el doctor del Capítulo 1. En cada fase de su vida, su sistema de creencias le aseguraba que sería feliz una vez que lograra lo *siguiente* en su lista. Bill fue de la universidad a la escuela de medicina, y de trabajar en una clínica grande a ejercer en una pequeña ciudad, y de ahí al divorcio, siguiendo las reglas del Juez que prometía un resultado futuro. Cuando uno se da cuenta de cuántas de esas reglas se referían a miedos y a tratar de evitar el dolor, o que eran sólo zanahorias para obtener elogios como una recompensa emocional, ya no sorprende que no condujeran a Bill a la felicidad.

A algunas personas, este tipo de crisis les da una oportunidad de examinar las reglas y las creencias que hay detrás. Para otras, incluso las crisis de la edad mediana y la desilusión no serán suficientes para hacerlos cuestionar las falsas reglas en su cabeza. Es posible, en cambio, que generen más reglas y opten por conseguir nuevos juguetes, una nueva promoción, o una nueva relación y dejen las viejas reglas intactas. Tal vez su Juez cree nuevas reglas acerca de los logros y el éxito y les dice que, si consiguen alcanzar ese *mayor* nivel de éxito, entonces serán felices. Una vez más tratarán de obedecer todas las reglas del Juez hasta el cansancio, permitiéndole ser el tirano en su cabeza nunca cuestionado.

El primer paso para lograr la libertad de la tiranía del Juez es ser conscientes de un par de simples verdades. La primera es que *la voz crítica en su cabeza no es usted.* Este cambio en la perspectiva puede ser difícil de mantener porque nos hemos alineado con la perspectiva del Juez por mucho tiempo. Asumimos que los pensamientos que él está promoviendo, son *nuestros* pensamientos y que sus críticas y opiniones son la única forma de ver las cosas. Podemos empezar a romper con esta identificación con el Juez cuando nos damos cuenta de que no podemos apagar estos pensamientos críticos. Si la voz del Juez fuera realmente *nuestra* voz, podríamos ser capaces de dirigirla conscientemente en cualquier y en todo momento. Para ayudar a aclarar el punto, le propongo hacer un experimento. Haga un pacto con usted mismo de que, durante una semana, no criticará a nadie, ni siquiera a usted mismo. Observe cuánto tiempo es capaz de hacerlo. Descubrir que usted no puede controlar al Juez, es una pista de que el Juez no es el usted real.

La segunda verdad a aceptar es que *el Juez no sabe cómo ser feliz.* Sólo sabe de las reglas (creencias) que ha almacenado en la memoria desde el pasado acerca de cómo la gente reaccionará con nosotros y cómo deberíamos comportarnos. El Juez crítico no sabe cómo expresar amor o alegría, o incluso cómo reír. El Juez crítico no sabe qué hacer para que usted pueda aceptarse. El Juez sabe y practica auto-rechazo bajo el supuesto de que es así como se logra "mejorar". En la burbuja del Juez no hay emoción de auto-aceptación o auto-amor. Sólo hay reglas a seguir que nos permitirán obtener aceptación de los demás. La única noción de auto-aprobación que tiene el Juez es la de seguir todas sus reglas, incluso cuando estas reglas son obsoletas.

Por más que el Juez parece ser una figura de autoridad que todo lo sabe, sólo conoce los patrones de una experiencia socializada y condicionada del pasado. Basa todo en interpretaciones pasadas, y proyecta que todas las experiencias futuras resultarán en lo mismo. Pretende conocer el futuro rotundamente. No conoce la felicidad, alegría y libertad que conocíamos instintivamente cuando éramos niños, y, por lo tanto, está desconectado de esa parte real y natural de nosotros. El Juez no sabe cómo disfrutar y estar presente en el momento, porque sólo está preocupado en lo que los demás pensarán de nosotros en ese momento. Esto demuestra cuánto se ha alejado el crítico interno del Juez de su posición original de consejero confiable que trataba de mantenernos seguros emocionalmente y, que se ha alejado tanto que, como adultos, hasta necesitamos hacer algo para protegernos emocionalmente de él.

Podemos liberarnos de las reglas defectuosas del Juez adoptando primero una perspectiva diferente. Desde una nueva perspectiva de observador podemos comenzar a elegir no creer más en sus reglas — que son muchas.

Dejamos de someternos a la tiranía del Juez cuando dejamos de tomar lo que dice como si fuera un evangelio. Esto es simple, pero no necesariamente fácil. Requiere conciencia para cambiar de perspectiva y ver al Juez desde fuera de su burbuja de creencias, y fuera también de la burbuja de la Víctima. Practicar los ejercicios presentados anteriormente, tal como escribir en tercera persona y atribuir personajes a los pensamientos y reacciones emocionales, ayudará en la tarea.

Resistencia a cambiar al Juez

El sólo hecho de pensar en cuestionar al Juez puede hacernos sentir miedo. Dado que hemos confiado nuestro bienestar emocional en el seguir todas sus reglas, pareciera que nos arriesgamos a ser heridos o a ponernos en peligro si nos desviamos de ellas. Al menos así parece desde la perspectiva del arquetipo de la Víctima, que exploraremos más adelante en este capítulo. A pesar del hecho que acepta mucho abuso de parte del Juez, la Víctima es un personaje de la dependencia, y busca la personalidad fuerte del Juez y sus reglas como guía.

Como mencioné con anterioridad, el Juez no ofrece una felicidad real o seguridad emocional, a pesar de que la Víctima cree que sí. No hay seguridad emocional desde la voz en su cabeza que regaña y critica. A veces el premio por seguir las reglas es aceptación, respeto, o elogios de la gente nos rodea, pero buscar esto en los demás, establece una dependencia que refuerza el paradigma de la Víctima, y cualquier felicidad lograda de esa forma es efímera. Nuestro Héroe y el Complaciente empiezan cada día tratando de conseguir una y otra vez aceptación de los demás, lo que puede ser agotador. La verdad es que podemos experimentar una gran felicidad cuando nos permitimos expresar amor, y muy poca cuando estamos tratando de aplacar al Juez.

El Juez que hemos desarrollado en nuestra mente a través de los años fue un guía muy útil para navegar el muy grande y quizá caótico mundo de nuestro crecimiento. Su sistema de reglas ayudó a nuestras jóvenes mentes. Realmente fue un consejero confiable y nos sirvió muy bien por muchos años. Sin embargo, las reglas acerca de la vida, el amor, las relaciones, el dinero y la felicidad que aprendimos cuando teníamos seis, dieciséis, y veintiséis años usualmente contienen muchas distorsiones y malas interpretaciones que interfieren con nuestra felicidad de hoy en día. Si todas estas reglas almacenadas en nuestra memoria fueran verdaderamente el camino a la felicidad, a esta altura ya hubiesen funcionado.

Soltaremos más fácilmente la perspectiva del Juez cuando dejemos de comprar la ilusión de seguridad emocional y felicidad condicionada, que supuestamente ofrece. Desafiaremos al Juez en nuestra mente cuando el sufrimiento que experimentemos bajo sus severas reglas sea mayor que el miedo del personaje de la Víctima a no tenerlas, o cuando simplemente nos demos cuenta de que lo que hace el Juez, ya no nos funciona emocionalmente. Nos resistiremos a aceptar la lógica defectuosa del Juez, cuando seamos lo suficientemente conscientes de que sus reglas se basan en el miedo a lo que otros piensen de nosotros, o son respuestas condicionadas de cuando éramos niños, y no lo que nos ayudaría a ser felices hoy. El deseo de ser feliz es la fuerza que nos empujará a dar los pasos que nos permitan liberarnos del Juez en nuestra mente.

La verdad es que experimentamos una gran felicidad cuando nos permitimos expresar amor, y muy poca cuando estamos tratando de aplacar al Juez.

Manteniendo el equilibrio

Todo lo que diga el Juez debería ser examinado para detectar las inexactitudes y distorsiones. Sin embargo, detrás de sus reglas y regaños, podría haber algo de sabiduría en forma de discernimiento y evaluación. El reto es poder discriminar las percepciones exactas de lo que realmente nos ayudará a ser felices, del anticuado conjunto de reglas y miedos almacenados que nos conducirá a la infelicidad.

Tomará un poco de conciencia el lograr extraer las evaluaciones útiles y desmantelar las reglas y miedos dogmáticos. Lo que saldrá de este proceso, es un sabio sentido de discernimiento y evaluación, pero sin el regaño, la crítica, y esa actitud de rechazo que es tan dura emocionalmente. El Juez ha acumulado una gran sabiduría y entendimiento que pueden ser utilizados. Sin embargo, los aspectos dogmáticos, inflexibles, y emocionalmente reactivos del Juez no responden ya a la intención original, nuestro bienestar emocional.

Lo que saldrá de este proceso, es un sabio sentido de discernimiento y evaluación, pero sin el regaño, la crítica, y esa actitud de rechazo que es tan dura emocionalmente.

El Juez: Resumen

Lo más útil para conservar de esta discusión es que el Juez surgió en nuestra mente como un útil ayudante que nos recordaría cómo conseguir amor, aceptación, y aprobación de otros. También desarrolló muchas reglas a seguir para evitar el rechazo, el castigo y la infelicidad que los acompaña. En el mejor de los casos, el Juez puede guiarnos a una condicionada respuesta emocional de felicidad, usando las reglas que aprendió de experiencias pasadas con otras personas. En el peor de los casos, obliga a cumplir una serie de reglas desactualizadas que sólo se aplicaban a una versión más joven de nosotros y que en el presente sabotean nuestra búsqueda de la felicidad. En ambos casos, nunca fue la intención del Juez hacernos sentir desdichados. Es, sin embargo, una parte del programa desactualizado que necesita escribirse de nuevo si deseamos ser felices.

Cómo aprendimos a actuar el rol de víctima

Así como la intención del Juez es ayudarnos a obtener recompensas y evitar el dolor, el arquetipo de la Víctima en nuestra mente también está interesado en nuestro bienestar. Su intención era ayudarnos a obtener lo que queríamos y mantenernos seguros al reducir o evitar el castigo o maltrato, ya fuesen cometidos por otros o por nuestro propio Juez interior.

Observe a los niños en el supermercado. Cuando encuentran caramelos o un juguete que quieren, van intentado una infinidad de comportamientos para conseguirlo. Quizás primero piden con dulzura (Princesa). Si eso no funciona, recurren a la negociación: si Mamá se los compra, prometen portarse bien (Héroe). Si Mamá no responde, cambian mostrando tristeza, decepción (Víctima), y luego pasan a un berrinche total (Villano). Tal vez el niño intente entonces hacer sentir culpa a su madre diciéndole, "Eres mala. No te quiero. Te odio".

En este punto el niño se comporta como si sus padres lo hubiesen maltratado. En su mundo imaginario, el niño se siente abusado (Víctima) por ellos, por no serle permitido obtener lo que quiere.

La reacción emocional de los padres por el comportamiento del niño puede ser lo suficientemente intensa como para que cedan a darle lo que quiere. Note que es la propia respuesta emocional de los padres al comportamiento del niño, lo que determina si le compran lo que pide o no. Si esto sucede en un sitio público, la influencia del niño en las emociones de los padres puede ser mayor, disparando los miedos hacia lo que puedan pensar los demás de su capacidad como padres. Tal vez le den lo que pide para eliminar esos miedos.

A primera vista, podría parecer que el problema está resuelto: las lágrimas y los gritos paran, el niño disfruta lo que pidió, y todos se sienten mejor. Sin embargo, si esta dinámica de la Víctima es exitosa, la mente del niño forma una memoria e intentará esta táctica de nuevo la próxima vez que quiera algo. El niño está aprendiendo que adoptar la identidad de Víctima y expresar emociones de Víctima, le conseguirá lo que quiere. Desde la perspectiva del niño, actuar el rol de una Víctima es una forma de controlar a estos adultos mucho más grandes y conseguir lo que quiere.

Esta no es una forma de aprendizaje intelectual o racional. No es de ningún modo una manipulación consciente. Los niños desarrollan patrones automáticos al producir acciones y observar las reacciones de los otros. Todos hemos aprendido esto, incluso antes de empezar a hablar. Aunque más tarde en la vida hay un estigma social asociado al actuar como una víctima, aprendimos estos comportamientos porque tienen muchas ventajas. Conforme crecemos, no hay tantos beneficios al actuar el rol de Víctima, pero ese patrón no se elimina por completo. Recurrimos a él en algunas situaciones, particularmente cuando nos sentimos estresados, temerosos, o emocionalmente heridos.

Además de hacer sentir culpables a los demás cuando desea alcanzar un objetivo, la Víctima también siente y expresa culpa, vergüenza y debilidad para poder minimizar el castigo y el abuso. Imagínese en la escuela, jugando o hablando en clase. La maestra quiere que nos callemos, y si su primer intento para atraer nuestra atención no funciona, entonces incrementa el volumen de su voz, su tono cambia, y empieza a enojarse. En este momento, ya no es suficiente que sólo regresemos a nuestro lugar y nos callemos. Si todavía tenemos una conducta alegremente despreocupada, la maestra enojada puede continuar con un regaño o reprendernos, diciéndonos "¡Borra esa sonrisa de tu cara!". Ésta es la pista que necesitamos para cambiar nuestro estado emocional y lograr apaciguarla.

El mensaje es que hemos hecho algo malo, que somos malos y debemos aceptar esta amonestación y no volver a hacer lo mismo. La maestra continuará escalando el castigo hasta que reconozcamos nuestro error y expresemos remordimiento. La maestra sabe que entendimos el mensaje cuando bajamos la cabeza, nos mostramos tristes, expresamos culpa y regresamos a nuestro lugar. Cuando adoptamos la expresión de la Víctima de ser una mala persona, el castigo y los regaños seguramente pararán.

De forma simple, a menudo por acción y reacción inconsciente, aprendemos a evitar el enojo y disminuir el castigo de otros, asumiendo la identidad de la Víctima. Intentamos demorar o detener los regaños y juicios de otras personas hacia nosotros, adoptando el rol de Víctima. En este caso, la historia de la Víctima es, "He hecho algo malo. Soy una mala persona que no merece nada. Siento culpa, tristeza, vergüenza, y pena por lo que he hecho". Esta historia comunica las creencias, el carácter, y la emoción del arquetipo de la Víctima. Podemos no tener ningún pensamiento o palabras en nuestra mente a este efecto, pero representamos este sentimiento y esta identidad mental y emocionalmente y también físicamente a través de nuestra postura y expresiones faciales. Cuanto antes nos comportemos de esta manera, más pronto pararán la crítica y el castigo.

En nuestra niñez estas respuestas eran automáticas y genuinas. Más adelante, inconsciente y automáticamente las expresamos para influenciar el comportamiento de otras personas. Un ejemplo de esto es como algunas personas insertan la expresión "Lo siento" en sus conversaciones. Sus creencias inconscientes proyectan que otras personas se sentirán ofendidas y las criticarán. Sus disculpas frecuentes son utilizadas como una defensa contra las críticas imaginarias, esperando disminuir la atribución de fallas y los juicios que creen que la gente les hace.

Advierta que dije que *influenciamos* el comportamiento de otras personas, no que lo *controlamos*. La gente responde a las reacciones emocionales de la Víctima, de acuerdo a su propio sistema de creencias. La idea de que la Víctima controla el comportamiento de otras personas es falsa. En la escena de los caramelos y el juguete, las reacciones de los personajes de Juez y Víctima en los padres generando culpa, vergüenza y miedo a lo que los demás piensen, determina su comportamiento. El niño sólo puede influenciarlos al actuar como disparador de sus personajes arquetípicos y sistema de creencias. Si esos arquetipos no son fuertes en los padres, el comportamiento del niño puede no tener ningún efecto.

El sistema de creencias en desarrollo del niño no toma en cuenta el sistema de creencias de Mamá. El niño simplemente ajusta sus acciones a la reacción de su Mamá, sin saber que las facetas del sistema de creencias de su Mamá están afectando sus emociones. Por lo tanto, el niño desarrolla un falso entendimiento del mundo, uno en el que asume que puede cambiar el comportamiento de otros con sus acciones.

Viendo el árbol de la víctima en el bosque colectivo de la sociedad

De niños, aprendimos a hacer mucho con nuestra imaginación. En un momento, creíamos que éramos un vaquero; al siguiente, éramos Superman. Jugábamos con figuras de acción o muñecas, e imaginábamos servir el té como una Princesa, allí donde todo lo que veíamos era nuestro reino. Adoptábamos toda la personalidad de cada personaje, con el tono de voz, la emoción, y el estado mental. Éramos maestros de la imaginación, construyendo un mundo virtual en nuestra mente, y actuando luego los personajes.

Hacíamos lo mismo cuando actuábamos el personaje de la Víctima. Realmente creíamos que estábamos siendo maltratados si no nos daban una galleta o algo no salía como deseábamos. Incluso podíamos crear sentimientos de dolor emocional porque no conseguíamos lo que queríamos. Al crear estas experiencias poderosas en nuestra imaginación, establecimos firmemente nuestra perspectiva de Víctima con su propia burbuja de creencias en la compresión del mundo, y adoptamos esta personalidad en respuesta a ciertos disparadores.

No estoy diciendo que algunos de nosotros no hayamos experimentado abuso o maltrato reales por parte de nuestros padres u otras figuras de autoridad cuando éramos niños. Hay muchas experiencias de abuso real que crean respuestas emocionales genuinas. De hecho, en los hogares donde el abuso era real, asumimos paradigmas de Víctima aun en momentos de calma porque recordábamos escenas pasadas horribles e imaginábamos otras en el futuro. Sin embargo, incluso en los mejores hogares, bajo las mejores circunstancias, sin ningún maltrato real, crearemos de todos modos algún tipo de personaje de Víctima dentro de nuestro sistema de creencias.

Los roles de víctima no están limitados al reino de los niños o a las creencias en nuestras mentes; también son perpetuados y reforzados por nuestra sociedad. Debido a que mucha gente está condicionada por el arquetipo de Víctima en su sistema de creencias, esto parece normal para la mayoría de nosotros. Aclaro, "normal" no significa sano emocionalmente. "Normal" significa que es un arquetipo común y un comportamiento socialmente aceptable. El hecho de que sea tan ampliamente aceptado hace más difícil identificar nuestras propias creencias de Víctima como una capa condicionada o algo que podría ser útilmente cambiado.

Cuando un servidor público o un deportista famoso ha cometido una indiscreción en su matrimonio, los medios exigen una disculpa, a pesar de que esto es un tema personal con su familia. El público y los medios continuarán las críticas hasta que la persona confiese su mala conducta y se disculpe públicamente. Se espera que realice una conferencia de prensa y que actúe con arrepentimiento. Al igual que la maestra en el aula, los medios comentarán si la persona ha demostrado suficiente remordimiento, tristeza y culpa por la ofensa. Si lo hace, la crítica cesará y todos pasarán a la siguiente historia. Si se considera que la persona no mostró suficiente remordimiento, entonces la crítica de los personajes del Juez de otras personas continuará. De esta forma, tenemos un ejemplo público de como al utilizar el rol de Víctima se puede cambiar la postura de los medios en la opinión pública, así como sus emociones.

A pesar que la Víctima es generalmente asociada con la impotencia, las personas en posiciones de mucho poder a menudo la adoptan para su propio beneficio. Un líder de un partido político se parará en el podio y explicará cómo ha sido ofendido. Dirá que alguien del partido opositor lo calumnió y describirá como ha sido dañado por las palabras o acciones de tal persona o grupo. Exigirá una disculpa y pedirá que el partido infractor revise sus acciones, declaraciones o posición acerca del tema. En un nivel emocional fundamental, esto es similar a cuando un niño se siente ofendido porque los padres no le dan lo que quiere y reacciona acusando a los padres de ser malos. La única diferencia es que el político que está actuando el rol de la Víctima está hablando con el lenguaje inteligente de un adulto, de manera que su reacción no se vea descaradamente infantil. Las emociones y los roles son los mismos, pero las palabras articuladas enmascaran la dinámica infantil de la Víctima.

No es posible saber cuánto de esto es manipulación para cortejar a la opinión pública y cuánto es sincero. Pero ver a la gente representar personajes de Víctima para influenciar a otros, perpetúa nuestros paradigmas personales de la perspectiva de la Víctima, proveyendo una confirmación externa de que nuestros propios procesos y creencias de Víctima son "normales". Sin más, nos recuerda lo atractivo que es representar el rol de Víctima para conseguir lo que la Víctima quiere. Separarnos del arquetipo de la Víctima es mucho más difícil cuando la gente a nuestro alrededor lo hace parecer como algo normal y justificado. A pesar de lo común que es el comportamiento de la Víctima en la sociedad, éste viene con un precio emocional de infelicidad. Podremos conseguir lo que el personaje de la Víctima quiere, pero esto no significa que obtendremos lo que genuinamente queremos o expresará lo que nos haga felices.

La víctima y el Juez interior

Desafortunadamente, la aceptación automática de la Víctima de un regaño para reducir el castigo, no funciona con nuestro Juez interior. La Víctima acepta las críticas del Juez esperando que cesen una vez que ella muestre suficiente culpa y vergüenza. Sin embargo, nuestro personaje del Juez continúa repartiendo sus críticas, incapaz de ver que la Víctima ha sido ya castigada y se siente con remordimientos. Castiga y critica una y otra vez, como si la Víctima no lo escuchara la quinceava vez. La Víctima no se defiende porque en su burbuja de creencias todavía merece ser castigada, o cree que, si soporta el abuso lo suficiente, éste disminuirá. Nunca lo hace. Atrapados en este paradigma, los personajes hacen las mismas cosas una y otra vez, mientras esperamos genuinamente que haya un resultado emocional diferente.

El enemigo en la autoayuda: "No seas una víctima"

Un mantra común en el mundo del desarrollo personal es "No seas una víctima". Esta sugerencia es en realidad más perjudicial que útil, consiguiendo lo opuesto de lo que queremos. Cuando le decimos a alguien, "No seas una víctima", las palabras llevan mensajes implícitos que causan que el consejo se vuelva en contra.

Cuando le decimos a alguien, "No seas estúpido," también estamos diciendo, "Creo que estás siendo estúpido" — al menos así es como el receptor muy probablemente lo escuchará. De la misma forma, decirle a alguien "No seas una Víctima" implica, "Estás siendo una Víctima, y estás equivocado en serlo". Lo más seguro es que esto sea interpretado como una crítica. Es probable que eso perpetúe la experiencia de ser rechazado en la Víctima y refuerce esta identidad.

Quizás la comunicación más exacta de lo que intentamos decir sería: "La esencia de lo que eres es bella. No eres una víctima, así que no hay necesidad de actuar como tal". Sin embargo, no es esto lo que decimos, es escuchado, o es reforzado.

Cuando nos decimos a nosotros mismos "No seas una víctima", la orden típicamente viene de nuestra perspectiva del Juez, llevando significados implícitos, ya sea intencionalmente o no. Algunos de los significados implícitos de este consejo bien intencionado son:

1. Eres una víctima.
2. Yo te juzgo y te rechazo por ser una víctima.
3. Deberías ser algo diferente a lo que eres.
4. Ese algo es lo que sería aceptable, y tú no eres eso.
5. No eres aceptable en la forma en que eres.
6. No te acepto, ni te respeto.

A pesar de que intentamos darnos ánimos a nosotros mismos o a otros para "no ser una víctima", con estos significados implícitos estamos en realidad reforzando todas las creencias, identidad y autoimagen negativa de la Víctima. Así es como el camino al infierno emocional, se pavimenta con buenas intenciones.

En un nivel más sutil de los disparadores, usted puede notar que el lenguaje utilizado para empezar la oración, *"No seas . . ."*, es el comienzo del tipo de regaño que recibimos en nuestra infancia. Esas dos palabras pueden disparar un cambio hacia la perspectiva y emoción del personaje de la Víctima, antes de que el resto de la oración haya sido formulada.

Entonces, ¿qué debemos decirle a alguien que está actuando como una víctima, o incluso a nosotros mismos? En este punto es más importante saber lo que no debemos decir. Tal vez no esté completamente claro cómo podemos apagar el fuego emocional de la Víctima, pero al menos podemos abstenernos de echarle más gasolina. Eso en sí mismo, ayudará mucho. También considere que, puesto que el significado principal de la comunicación se transmite a través del tono, la actitud, y la emoción, quizás las palabras no sean tan importantes. Puede ser más importante ponerse en un estado emocional respetuoso antes de decir algo. La compasión, la aceptación, el respeto y el amor se pueden transmitir tanto a través de gestos silenciosos como con palabras.

Las espirales de la autoayuda

Cuando la gente se da cuenta por primera vez de su personaje de Víctima, a menudo prueba el cambio a través de varios intentos. Este es el proceso normal hacia la mejoría. Avanzamos por un camino hasta que nos damos cuenta de que es un callejón sin salida, y luego mejoramos nuestros métodos tomando un camino diferente.

Una de las preguntas en estos callejones sin salida es: "¿Por qué sigo haciendo esto?" En respuesta, la mente piensa: "Debo estar obteniendo algo a través de esto". El supuesto es que obtenemos alguna ventaja al continuar actuando el rol de Víctima. En el pasado, tal vez nos beneficiábamos al representar este personaje, como explicamos anteriormente. Sin embargo, de adultos, raramente nos beneficiamos con las creencias y patrones emocionales de la Víctima, y a largo plazo los resultados son perjudiciales.

Sin embargo, las creencias y patrones emocionales de la Víctima pueden continuar a pesar de que no se obtiene ningún beneficio. Puede que surjan rara vez, pero en momentos estresantes, circunstancias atemorizantes, grandes cambios en la vida, o problemas en las relaciones, es probable que volvamos a los viejos patrones que residen en nuestras creencias inconscientes. Tal vez no comprendamos a nivel consciente que esto está sucediendo, pero programada en nuestro subconsciente, después de haber intentado otras estrategias, se encuentra la suposición de que, si adoptamos nuestro arquetipo de Víctima, el dolor que sentimos se detendrá y obtendremos lo que queremos. Esto no es realidad, pero es la burbuja de creencias en la que vive el personaje de la Víctima.

La dinámica de la Víctima puede haber sido reforzada en los años de adultez como una estrategia emocional exitosa para conseguir lo que queremos. Por ejemplo, si demostramos que nos sentimos decepcionados o tristes, tal vez estemos esperando inconscientemente que el comportamiento de nuestro conyugue cambie. Si actuamos enojados o mostramos que nos sentimos traicionados, entonces la gente tal vez se apresure a entrar en su personaje de Héroe para resolver el problema por el que estamos reaccionando.

Dentro de la burbuja de creencias de la Víctima el supuesto que "Si estoy actuando / sintiéndome como una Víctima, debo estar obteniendo algo de ello", aparece como verdadero. Sin embargo, la realidad es que *no necesariamente usted está obteniendo algún beneficio al actuar el rol de Víctima. Y lo que obtiene viene con el precio emocional de la infelicidad.* Ser consciente de cómo usted se siente realmente, y de lo que realmente quiere, le permitirá pedirlo de otras formas.

El problema de buscar una respuesta para la pregunta "¿Qué obtengo de todo esto?", es que asume que hay una ventaja. Por lo tanto, mantiene a nuestra mente buscando la forma de justificar y valorar las emociones y acciones de la Víctima. Preocupados buscando una respuesta que justifique el comportamiento de la Víctima, evitamos hacer una pregunta mejor: "¿Cuánto me están costando en términos de felicidad esta perspectiva de la Víctima y las creencias que la acompañan?"

La Víctima: Resumen

Jugar el rol de Víctima tuvo un valor importante en nuestro pasado y fue parte de nuestra respuesta emocional natural ante situaciones reales. También fue una postura aprendida y condicionada que nos ayudó a influenciar el comportamiento de otras personas, para detener o disminuir los castigos, o para obtener lo que queríamos. No fue algo malo en su momento, y es entendible que hayamos aprendido este comportamiento y rutina emocional, pero continuar así de adultos tiene consecuencias emocionales negativas.

Continuando con el cambio

El propósito de invertir tanto tiempo en entender el detalle de estos arquetipos no es para llenar su cabeza con una abundante cantidad de conocimiento intelectual. Eso en sí mismo no logra nada. El valor de entender estos personajes arquetípicos es que usted podrá identificarlos mejor en su comportamiento, sus pensamientos y sus sentimientos. Al notar estos personajes dentro de su personalidad avanzará un paso más para lograr ser el observador. El mayor beneficio de ser el observador, es que dejamos de ver las cosas desde la perspectiva de estos personajes que generan drama. Este es el principio del cambio. De esta forma, al salir de la perspectiva que las mantenía, usted habrá comenzado a cuestionar sus viejas creencias, incluyendo creencias básicas acerca de su identidad.

Conforme cambia su perspectiva, también cambian sus interpretaciones. Una vez que usted salga de las burbujas de creencias de estos personajes y se establezca en la perspectiva del observador, cuestionar y desmantelar los pensamientos negativos le resultará más fácil y más rápido.

Gary van Warmerdam

Capítulo 11

La fe: el poder que sostiene las creencias

Como sucede con muchas palabras, la palabra *fe* puede tener varios usos. Uno de ellos es en un contexto religioso, refiriéndose a creer en algo acerca de lo que no se tiene evidencia. Comprender la fe de este modo resulta demasiado limitado para el propósito que nos ocupa.

La fe es una forma de poder personal. Puede crear un sentimiento de confianza, seguridad, conocimiento o certeza. Cuando encendemos la llave de contacto en nuestro auto, confiamos en que funcionará. Cuando abordamos un avión, tenemos confianza en que despegará y aterrizará sin problemas. Cuando mezclamos los ingredientes para hacer un pastel, estamos seguros de cuál será el producto final, incluso antes de verlo. Una persona puede tener fe en que su gobierno está funcionando sin problemas, o en que otras personas son honestas en sus interacciones. Algún otro tiene certeza de que el gobierno es corrupto, despilfarrador, o que no se puede confiar en la gente. Un científico puede tener fe en su metodología, formulas y principios científicos. Todos estos son ejemplos de la fe, creando un cierto estado de certeza y confianza que no tiene nada que ver con la religión.

Depositamos fe en algunas de nuestras creencias, porque podemos mostrar la evidencia que las sostiene. Para otras creencias, no tenemos evidencia, pero nos basamos en lo que otros nos han dicho o en lo que hemos leído en un libro o en la red. Tenemos fe en nuestras creencias acerca del futuro cuando nuestra experiencia pasada lleva a nuestra mente a proyectar un supuesto acerca de cómo resultarán las cosas.

La fe es invisible, algo que raramente notaremos, y, sin embargo, es una fuerza arraigada en mucho de lo que hacemos. Usada de manera consciente o inconsciente, la fe es la principal fuerza detrás de las decisiones que tomamos, las acciones que emprendemos, las que no, y de muchas de las emociones que sentimos.

Nuestras creencias influyen en nuestras acciones y emociones, porque es el poder de nuestra fe lo que sostiene a esas creencias en su lugar. Si deseamos cambiar nuestros comportamientos y cómo nos sentimos, debemos ser conscientes de cómo manejamos esta fuerza invisible de la fe personal.

El poder de la fe

Uso el término *fe* en un sentido general. Como una forma de poder personal, la fe es una fuerza, una energía de vida sobre la cual mandamos. Es intangible, como una emoción, así que no se puede medir, y, sin embargo, podemos observar su impacto en nosotros mismos y en los demás.

A pesar de que tendemos a pensar acerca de la gente segura como gente con fe en sí misma, la fuerza de la fe puede ser igualmente fuerte cuando se trata de dudar de sí mismo y de tener miedos: una persona con ansiedad deposita una poderosa fe en sus creencias basadas en miedos, y una persona tímida tiene fe en la idea de que es torpe socialmente. También podemos invertir nuestra fe en cualquiera de los innumerables pensamientos que cruzan por nuestra cabeza durante el día, y a menudo lo hacemos, aun cuando esos pensamientos son falsos. El efecto acumulativo de esta fuerza de fe tiene un profundo impacto en nuestras emociones y comportamientos.

En ciertos momentos se puede percibir cuánto de las palabras de una persona están respaldadas por la fuerza de la fe. Cuando alguien dice algo con una fuerte convicción, podemos percibir el poder detrás de sus palabras. Esto es cierto, ya sea la persona que hable Martin Luther King o Adolfo Hitler. Su fe le da poder a su voz y a sus palabras, sin importar si son honestos o mentirosos, o si son amables o llenos de odio. El poder de la fe es también evidente en su propia voz, en diferentes medidas, cuando usted habla.

Las palabras y las ideas se hacen poderosas según cuánta fe la gente deposite en ellas.

El vínculo entre la fe y las creencias

Una creencia es una idea conceptual en la que depositamos fe. Cuando inyectamos una idea conceptual con la energía de la fe, le damos vida y poder, y se transforma en una fuerza activa en nuestra mente. Es demasiado simple decir que las palabras o las ideas son poderosas. Las palabras y las ideas se hacen poderosas, según cuánta fe la gente deposite en ellas. Podemos depositar fe cuando expresamos nuestras propias ideas y pensamientos, y también podemos depositar fe en las ideas de otros cuando las aceptamos como verdaderas.

Idea conceptual + fe = Creencia

En el momento en que aceptas una idea como verdadera, la fuerza de la fe incorpora este concepto en tu burbuja de creencias. La fe es como el pegamento que mantiene aglutinados en su lugar los conceptos abstractos y las imágenes. La cantidad de fe que usted deposite, determinará que tan poderosa llegará a ser la idea y cuán dominante el lugar que ocupará en su burbuja de creencias.

No todas las ideas permanecen y llegan a ser parte de su burbuja de creencias. Para que una idea se instale como una creencia, usted tiene que estar de acuerdo con ella. Imagínese a alguien que llama a su puerta y le ofrece una carpeta llena de papeles con ideas para aceptar y vivir de acuerdo a ellas; usted puede elegir aceptarlas o no. Desde que usted era joven, la gente le ha ofrecido ideas a través de sus opiniones, libros y películas de forma continua, pero si usted no las acepta, no llegarán a ser creencias para usted.

Usted olvida o ignora muchas creencias momentos después de aceptarlas como verdaderas. A través del tiempo, se pueden ir sumando a otras, haciéndose más fuertes. Esto puede continuar sucediendo durante muchos años, sin que usted siquiera sea consciente de que las creencias están ahí. Permanecen almacenadas en la parte subconsciente de su sistema de creencias, a menudo demasiado insignificantes para ser notadas, o gracias a que su atención está puesta en otras cosas de su vida. Aunque usted no sea consciente de ellas, estas creencias pueden afectar sus emociones, impulsos, comportamientos automáticos, y pensamientos e interpretaciones de las cosas. Usted sólo será consciente de estas creencias cuando salgan a la superficie emocionalmente o a través del comportamiento, en formas destructivas, o cuando vaya a buscarlas.

Este mecanismo de aceptar las ideas, está sucediendo mientras usted lee este material. Las ideas que le parecen tener sentido, las que entiende, "comprende", o con las que está de acuerdo, están siendo digeridas dentro de su mundo de creencias y obteniendo acceso a la energía de su fe. Conforme los pensamientos pasan a través de su mente durante el día, y usted los acepta a nivel subconsciente, están consiguiendo pequeñas partes de su poder personal y convirtiéndose en creencias.

Cuando una opinión llega a ser parte de su burbuja de creencias, se convierte en parte de su paradigma acerca de cómo funciona el mundo. Usted ve el mundo a través de esa burbuja de creencias y asume que está viendo la realidad. Puede perder la conciencia de que se trata sólo de una construcción interna de la burbuja de creencias que usted usa para describir e interpretar la realidad externa. Usted está apegado a su paradigma y lo mantiene vivo en su mente con su fe. (*Nota:* Mientras que las ideas y las creencias no están técnicamente vivas en un sentido orgánico, usar el ejemplo de que están "vivas" y tienen una "vida propia" es útil para entender la dinámica de los sistemas de creencias).

Cultivar ideas en su mente es como plantar semillas en un jardín. Si usted riega una semilla, brota, echa raíces, y se arraiga en la tierra. Cuando usted acepta una idea como verdadera, está sembrando la semilla en la tierra de su mente. Si usted deposita fe en una idea, es como regarla y darle los nutrientes que necesita para crecer y llegar a ser una creencia. A menudo, cuando una creencia ha enraizado en su mente, puede continuar extrayendo su propio poder personal y creciendo a través de los años, sin que usted se de cuenta. Conforme la creencia crece puede entrelazarse con otras creencias y crear un sistema.

Hemos visto cómo esto sucede en los personajes arquetípicos. Las creencias del Juez necesitan que el personaje de la Víctima responda y acepte la crítica. La Víctima entonces se siente no merecedora. Las creencias del Héroe y el Complaciente entonces responden al no merecimiento de la Víctima con sus esfuerzos para probar su valor, o conseguir que alguien los apruebe. El abuso que la Víctima siente es necesario para lanzar y justificar el enojo del Villano.

Más adelante, cuando usted identifique una creencia y decida dejar de creer en esa idea u opinión, dejará de depositar fe en ella. En ese punto, usted estará dejando de alimentar la idea conceptual con los nutrientes para que sobreviva. Pero las plantas no necesariamente mueren el día que se deja de regarlas. Se marchitan poco a poco en un periodo de días o semanas. Lo mismo se aplica a sus creencias. Muchas continuarán estando vivas un tiempo después de que usted deje de depositar fe en ellas. Cambiar sus creencias de esta forma es un proceso lento, pero muy efectivo. Si usted arrancase la planta/creencia, en cambio, se marchitaría y moriría mucho más rápido. Ambas soluciones son viables y tienen sus méritos.

La mayoría de nuestras creencias están en un nivel subconsciente. Hemos depositado fe en varias ideas, autoimágenes y opiniones desde que éramos pequeños. No recordamos mucho de aquello en lo hemos depositado nuestra fe, pero ello puede permanecer vivo en nuestras mentes por años, operando en nuestro subconsciente, a veces en forma latente y a veces activo sin que seamos conscientes de ello. Podemos llamar a estas creencias parte de nuestro inconsciente o mente subconsciente.

Las creencias inconscientes son silenciosas y están ocultas debajo de lo que conscientemente pensamos y decimos. Los pensamientos que tenemos y las palabras que salen de nuestra boca automáticamente, pueden ser pistas de nuestras creencias subconscientes. Al poner atención y reflexionar sobre sus propios pensamientos, emociones y acciones, usted puede hacerse una idea de estas creencias escondidas. El propósito de un inventario de creencias es traer estas creencias subconscientes a su atención consciente, donde pueden ser cambiadas y donde usted puede recobrar el poder personal que estaba almacenado en ellas.

La fe dirige de forma invisible nuestras acciones y emociones

Cuando usted se dirige a su auto en la mañana, confía en que estará en su cochera o garaje, allí donde lo dejó. Debajo de esa sensación de confianza está la idea no expresada, "Mi auto estará donde lo dejé". Usted tiene fe en este supuesto, que crea un sentimiento de confianza. No hay un pensamiento consciente involucrado en este proceso — usted sólo lo asume. Este es un ejemplo de una creencia que existe sin ningún pensamiento o palabra de por medio.

Una vez que usted va manejando, los autos en dirección contraria pueden ir pasando a sólo unos metros de distancia, pero usted se siente seguro porque tiene fe en ideas como "Manejar es seguro", "Soy un buen conductor", y "Los otros conductores siguen las reglas". Estos tampoco son pensamientos conscientes, pero están operando en un nivel de supuesto silencioso. Ya que usted tiene años de experiencias seguras como evidencia, ha depositado mucha fe en estas creencias. Después de un tiempo el paradigma está tan arraigado, que usted confía completamente en esta idea de seguridad y ni siquiera piensa en lo contrario. O tal vez usted simplemente creció con todos alrededor suyo manejando de forma segura, así que le pareció natural desde un principio no tener temor en la carretera. Su sensación de confianza está creada y sostenida por la fe que depositó en estos supuestos a través de los años. En contraste, la gente que tiene miedo a manejar, por la razón que sea, quizá por haber tenido un accidente, ha depositado su fe en creencias basadas en miedos.

Si hemos tenido años de experiencias de manejo seguro, entonces nuestra realidad externa de manejo seguro, coincide con nuestras creencias internas acerca de esto. Podemos entonces vivir nuestra vida entera sin notar jamás que hemos depositado fe en ideas sobre lo seguro que es manejar autos.

Lo mismo es cierto sobre nuestra fe y creencias acerca del dinero, las relaciones, la comida, nuestros cuerpos, el amor, la política, el ambiente, las teorías científicas, nuestras opiniones, y nuestros juicios acerca de nosotros mismos y de otros. Utilizamos el poder de nuestra fe cada día, sin darnos cuenta de cómo lo utilizamos. Casi todo lo que hacemos o dejamos de hacer, depende de la fe que hemos depositado en una creencia relacionada con esa acción.

Usted puede subir a un avión con plena confianza, ya que tiene fe en la creencia de que es seguro. Si tiene miedo a viajar en avión y no se sube a uno, es porque tiene fe en la creencia de que es peligroso. La intensidad de la emoción es proporcional al grado de fe que se deposita en esas creencias. (Sentirse completamente seguro y relajado puede no ser una emoción intensa, pero es ciertamente un indicador de fe).

Una creencia no tiene que ser cierta para que tengamos fe en ella y la hagamos emocionalmente poderosa. Una persona puede creer fuertemente en la posibilidad de que el avión se estrelle y por lo tanto se sienta mucho más cómodo manejando, aun cuando viajar en avión es estadísticamente más seguro que viajar en auto. Nuestras emociones a menudo se generan basadas en la burbuja de creencias de nuestra mente, más que en los hechos externos de la realidad.

La mente puede ser un generador espontáneo de pensamientos, los que tienden a proyectarse como historias. Un pensamiento lleva a otro, y luego a otro, y luego a otro, hasta que la mente construye toda una historia, incluyendo una conclusión. La gente sin conciencia de lo que está haciendo, depositará su fe en estas historias que su mente propone, aun cuando no sean ciertas. Si depositan su fe en la conclusión que les proyecta su mente, crearán una experiencia emocional basada en algo que no ha sucedido. Por ejemplo, si alguien asume que su pareja lo está engañando, su mente puede generar historias todo el día. Su historia incluirá ramificaciones acerca de cómo sucederá y con quién, cómo se sentirá emocionalmente, y lo que hará para protegerse. Construye esta historia con la creencia de que es una Víctima que ha sido herida, un Villano que se enojará, o un Solucionador de Problemas que salvará su relación. Cada personaje y ramificación de la historia consiguen para sí una parte de poder personal cuando son representados en la mente y aceptados como reales. La intensidad de la emoción indica que tanta fe tenemos en la historia, y no si la historia es verdadera o no.

Cuando no somos conscientes de que nuestra mente está proyectando una historia, caemos en estas ilusiones y percibimos la proyección como la "realidad". El resultado es una experiencia emocional que ha sido disparada por una imagen proyectada o por un pensamiento. Depositar el poder de nuestra fe en los guiones imaginarios de nuestra mente, es una de las formas en las que generamos emociones.

Casi todo lo que hacemos o dejamos de hacer, depende de la fe que hemos depositado en una creencia relacionada con esa acción.

La fe: una fuerza en la sociedad

La fe se usa comúnmente durante el día de muchas formas. La gente usa la fe cuando intercambia dinero. Un dólar, un euro, o un peso tienen valor porque la gente tiene fe en que es así. La gente tiene fe en que el dinero se puede cambiar por comida, gasolina, ropa, servicios, y otras cosas con un valor intrínseco. Sin esa fe, no tendrían confianza en esa transacción.

Cuando la gente deja de tener fe en un banco, sacan su dinero y el banco colapsa. Cuando suficiente gente pierde la confianza en una moneda, todos corren al banco para tratar de cambiar su dinero por una moneda en la que tengan confianza. El resultado es que el valor de la moneda y el sistema monetario de ese país colapsan. La moneda de un País o un banco es tan fuerte, como lo sea la fuerza de la fe colectiva de su gente puesta en ella. Usualmente esta fuerza de la fe no se nota, hasta que una duda o el miedo empiezan a quebrantarla.

La fe es el poder o fuerza detrás del precio de una acción bursátil. La dirección de nuestra fe puede cambiar por un hecho real o por una falsa percepción, pero, de cualquier forma, la fe es la fuerza detrás del sentimiento de confianza de una persona en una acción, o la falta de ella. Cuando un grupo grande de inversionistas modifica el grado de fe que tienen en una acción, se generan compras o ventas y las acciones cambian de precio. Podríamos decir que el precio de una acción es el resultado en el mundo real de una creencia proyectada colectivamente. El precio de una acción en el mundo real cambia para igualar el precio en la burbuja de creencias colectiva de la gente.

Es importante ver la idea conceptual, tal como en el precio de una acción, como algo separado de la fuerza de la fe que la afecta. Si usted es consciente de que la *fe es la fuerza real* detrás del precio de una acción, tendrá un mejor entendimiento de las burbujas. Las burbujas en el Mercado de Valores son una forma exuberante de fe depositada en una *idea* de valor, independiente del valor *real* o intrínseco. Si usted acepta el precio de una acción como su valor real, sin la conciencia de cómo la fuerza de la fe crea el valor, tal vez concluya que el precio de la acción representa algo real. Si usted es consciente de cómo la gente usa y abusa del poder de la fe, puede ver como una gran cantidad de fe puede mantener el precio de una acción, aun cuando no haya nada real para sostenerlo. El resultado es una burbuja de creencias colectiva que a menudo termina colapsando.

Estos son sólo algunos ejemplos que muestran cuán a menudo ejercemos el poder de nuestra fe de forma muy práctica y tangible. En este libro estamos más interesados en cómo la fe afecta nuestra emociones, comportamientos y relaciones. Sólo utilicé estos ejemplos de las acciones, bancos, monedas, y dónde estacionamos nuestro auto, para aumentar la conciencia acerca de esta gran fuerza. La fe está igualmente activa en nuestras relaciones personales y comunitarias. Es parte de la ecuación de en quién confiamos, cómo nos sentimos, qué historias y pensamientos nos afectan, y también de qué expectativas tenemos de otras personas y de nosotros mismos.

La fe en usted mismo

Todos tenemos fe en ciertas habilidades que hemos adquirido, tales como leer, hacer el balance en nuestra chequera, arreglar un grifo que gotea, o atarnos los cordones de los zapatos. Con práctica y experiencia, desarrollamos fe en nuestra habilidad para manejar tareas más complejas, como hacer un truco en la patineta, escribir un programa de computadora, realizar una cirugía, lograr un tiro de golf, o tocar un instrumento musical. Las habilidades difíciles o complejas se aprenden con la práctica. Conforme desarrollamos nuestras habilidades paso a paso a través del tiempo, nuestra fe en nuestras creencias acerca de nuestras habilidades también se va construyendo paso a paso.

Al comienzo, no nos sentimos confiados acerca de nada de lo que intentamos, excepto tal vez en una confianza de que podemos aprender algo. Asumimos que lo lograremos con práctica. Los niños pueden pasar horas aprendiendo trucos en la patineta. Lo hacen porque tienen fe en que llegarán a dominarlos. Por otra parte, ellos tampoco tienen fe en la idea de que no lo lograrán. Si hubiera algún miedo o duda, pero fuesen muy pequeños, estos niños continuarán practicando y aprendiendo, aunque de forma menos eficiente. Ellos tal vez no sean conscientes de esta fuerza de la fe detrás de sus acciones, pero allí se encuentra, de todos modos.

Sin embargo, alguien que está enfermo o tuvo un accidente y que tiene que *volver a aprender* a caminar tal vez luche con varias historias en su mente. Una persona puede estar plagada de dudas y miedo a no poder caminar de nuevo. Estas dudas y este miedo son pensamientos que han cautivado su atención. Cuando se refuerzan con un depósito de fe, estos pensamientos llegan a ser parte de su burbuja de creencias, si la persona lo permite y no es consciente de ello.

De esta forma, es fácil poner en marcha ciclos de profecías autocumplidas. Si creemos que caminaremos de nuevo, o que aprenderemos un truco en la patineta, practicamos, y al practicar, mejoramos. Si practicamos y trabajamos en algo, lo más seguro es que obtendremos resultados positivos como evidencia. Esta evidencia nos permite depositar fe en las historias de nuestros éxitos y sentirnos más confiados. Este sentimiento de confianza nos inspira a intentarlo con más empeño y a practicar más. También nos ayuda a ser más escépticos con las historias de miedo, duda y fracaso. La fe engendra acción, la acción engendra resultados, los resultados engendran evidencia, y la evidencia nos inspira a depositar más fe y emprender más acciones.

Si hemos experimentado fracasos, podríamos también depositar nuestro poder personal en historias negativas. Estas historias negativas proyectan un futuro de fracaso. Si creemos en esta proyección, imaginaremos nuestras acciones como generadoras de fracaso y podríamos decidir entonces no emprender esas acciones.

Por ejemplo, si a un estudiante le dicen que es muy malo para las matemáticas o él piensa eso de sí mismo, puede generar esa creencia. Junto a ésta, llegarán otras creencias implícitas tales como "Las matemáticas requieren un talento natural — una persona lo tiene o no, y trabajar más no creará un resultado diferente". Entonces será menos probable que el estudiante haga algún esfuerzo o practique, y como resultado no mejorará. Cuando saque un 5 o 6 en un examen, aceptará que es una calificación apropiada y reforzará sus creencias originales. Ahora pondrá, además, más fe en compararse con otros y en sentir que no es lo suficientemente bueno.

Dado que él puede imaginar a su personaje del futuro dentro de la burbuja de creencias de fracaso, siente como si "él" estuviera fallando y fracasando en el futuro. Entonces decide que tratar de estudiar es una pérdida de tiempo y esfuerzo. Él deja completamente de accionar, por lo que no hay un resultado exitoso. Su falta de esfuerzo real da como resultado una calificación reprobatoria, lo que "prueba" que él es malo para las matemáticas. Su fe se refuerza en la historia y en la identidad de fracaso del personaje.

Una persona no empieza siendo mala para las matemáticas. Es a través de la fe en las historias que se repiten a sí mismos, lo que crea la profecía autocumplida de ser malos para las matemáticas. Parte del problema es la creencia asociada de que ciertos tipos de inteligencia o talentos son fijos, en lugar de ser habilidades que pueden ser mejoradas con la práctica. Algunas investigaciones[2] han demostrado que la gente que cree que las matemáticas son una habilidad que se puede aprender y mejorar con la práctica, han mejorado. Aquellos que creen que "nacieron así" tienden a permanecer dentro de esa fija y limitada identidad y un igual desempeño.

Este es uno de los modos en que nuestro sistema de creencias da forma a la realidad externa para que coincida con nuestra creencia. Entonces podemos culpar a esa realidad externa, ya sea por nuestro fracaso o éxito, como evidencia que prueba que nuestro modelo mental de creencias e identidad era "cierto".

Sea nuestra experiencia de éxito o de fracaso, nuestra fe está depositada en algo de lo que tenemos evidencia, aun cuando hayamos creado nosotros mismos la evidencia a través de nuestras acciones o inacciones. La dirección en la que usted deposite gran parte de su fe, lo estimulará hacia las acciones que sean congruentes con su creencia. Estas acciones entonces validarán su fe, y la fe lo espoleará hacia más acciones. De esta forma, la fe es parte del ciclo donde usted convierte las creencias de su mundo interno en una realidad externa que se auto-cumple.

La fe engendra acción, la acción engendra resultados, los resultados crean evidencia, y la evidencia nos inspira a depositar más fe y emprender más acciones.

Congruencia y disparidad entre fe y experiencia

Tener fe en usted mismo y en sus habilidades no es suficiente para ser bueno en algo. Si usted es un piloto, ha tomado lecciones y ha practicado volar. Ha desarrollado sus habilidades, y a través del tiempo también ha depositado su fe en su habilidad para volar un avión. Con suficiente práctica y convicción, su fe

---

[2] Se han hecho muchos estudios; para una visión general, lee "El mito de 'Soy malo en matemáticas'" de Miles Kimball y Noah Smith en *The Atlantic*, del 28 de octubre de 2013, http://www.theatlantic.com/education/archive/2013/10/the-myth-of-im-bad-at-math/280914/.

es tan fuerte que se siente confiado como piloto. Cuando su fe es firme en un área como ésta, usted puede actuar sin dudarlo.

Este tipo de fe en uno mismo y sus habilidades no se refiere a creer en algo para lo que no hay evidencia. Su fe en su habilidad existe, porque para ello usted creó evidencia en el mundo real múltiples veces. Esto no significa que usted sea arrogante o engreído. Un piloto confiado puede también estar siempre alerta acerca del clima, el combustible y los problemas mecánicos que pudieran ocurrir. También puede estar consciente de que hay diferentes aspectos de volar, con los que no se siente cómodo. Un piloto de aerolínea no necesariamente tiene fe en su habilidad cuando se trata de hacer piruetas en un avión de acrobacia.

Sin embargo, nuestra habilidad y nuestra confianza no son siempre congruentes, gracias a las diferentes creencias en las que hemos depositado nuestra fe. Una persona puede desarrollar una habilidad hasta un grado muy avanzado y, sin embargo, tener poca fe en su habilidad. Podemos ser capaces y expertos, pero no sentir confianza. Una de mis clientas, Angela, disfruta de cantar desde hace años. Ha viajado y cantado en grupos desde pequeña, y ha disfrutado cantar por diversión hasta más allá de sus cuarenta años. Sin embargo, a pesar de que ha cantado sobre un escenario por décadas, siempre disfrutándolo y sin tener una mala experiencia, Angela siempre tiene un terrible pánico escénico antes de cualquier presentación.

Si es un show muy importante, su ansiedad empieza un día o dos antes. Las escenas que atraviesan su mente son: se olvida la letra, su voz se quiebra, se tropieza en el escenario, y como estas, muchas otras. El hecho de que nunca le haya sucedido ninguna de estas cosas no impide que ella proyecte estas imágenes, ni impide que deposite su fe en esas imágenes mentales. Emocionalmente, el resultado es un miedo nauseoso proveniente de la perspectiva del personaje de una Futura Víctima, convencida de que el fracaso es inminente.

A pesar de estos sentimientos, Angela se fuerza a subir al escenario y empezar a cantar. A Angela sólo le toma cantar dos líneas de la canción para salir de la perspectiva de la Víctima. Ella se mueve entonces en el momento presente y disfruta el cantar, y su miedo a las escenas proyectadas se disipa. De ahí en más, la burbuja de creencias permanecerá latente hasta el siguiente show.

Obviamente, Angela tiene mucha fe en su habilidad, como se evidencia en el hecho de que suba a un escenario repetidas veces. Sin embargo, aun cuando tiene fe en un grupo de creencias, respaldado con evidencia sólida por la experiencia que tiene, ella puede también sostener creencias totalmente contradictorias. Por sí mismos, treinta años de experiencias positivas no han sido suficientes para apartar a Angela de su fe en las escenas negativas que su mente proyecta. La experiencia en el mundo real no se equivale necesariamente con el cambiar nuestras creencias internas. Se requiere más atención específica en esas creencias, con la intención de recuperar la fe que ha aglutinado y mantenido a esas creencias en su lugar.

También usted puede tener creencias en una dirección opuesta, generando una confianza desproporcionada en sus habilidades. Este tipo de arrogancia viene de un personaje que puede causar mucho daño con su auto-sabotaje. Puede ser algo divertido, como cuando alguien en un bar de karaoke cree que tiene una gran voz y luego arruina la canción. Sin embargo, para el doctor que no refiere a sus pacientes a un especialista cuando es necesario, o el piloto que descarta rápidamente las preocupaciones del copiloto, las consecuencias de su arrogancia son mucho más serias. Un ejemplo más común de una creencia de sabotaje es cuando invertimos en una acción bursátil o en una propiedad, completamente confiados de que ha sido un gran acierto. Después de sufrir una pérdida financiera, nos damos cuenta de que el sentimiento de confianza era una burbuja en la que nosotros, y quizá también otros, estábamos inmersos.

La fe da poder a nuestros personajes arquetípicos

Como hemos visto en los capítulos anteriores, las acciones que usted emprende y las emociones que usted siente, comienzan con la perspectiva del personaje que usted adopta. Esa perspectiva determina en qué interpretaciones usted deposita su fe. Cuando usted está dentro de la perspectiva de un personaje, la fe que usted deposita entra en su burbuja de creencias. Esa burbuja es el único mundo que usted puede ver, y le parece real desde esa perspectiva. Para remover su fe de esa burbuja de creencias, usted tiene que desplazar su perspectiva fuera de esa burbuja.

Un evento no determina cómo usted se siente o lo que significa para usted. Dos personas pueden tener la misma experiencia de sufrimiento y fracaso, pero depositan su fe en interpretaciones opuestas acerca de lo que significa. Una persona decide que es un fracasado y que no debería haber intentado hacer algo porque ahora se ve como un idiota. El segundo interpreta que ha aprendido mucho acerca de lo que no funcionó y que ahora tendrá una mejor oportunidad de tener éxito en su siguiente intento. Ambos usan la energía de su fe, pero están dando poder a creencias diferentes, dependiendo de la perspectiva de su personaje.

La perspectiva del personaje inseguro y temeroso, con una autoimagen más pobre, proyectará fracaso en el futuro de su mundo. Desde esa perspectiva, su burbuja de creencias filtrará e ignorará posibles acciones que podrían determinar un desenlace exitoso. Como resultado, la persona emprenderá menos acciones para lograr los cambios en su vida.

La persona que pone su atención en lo que ha aprendido del desenlace y lo ve como una experiencia beneficiosa y de crecimiento que lo llevará a tener éxito en el futuro, construirá una mentalidad de éxito. Mirar el mundo desde el personaje de un "Aprendiz de las experiencias de la vida" enfocado en crecer y aprender, hará posible que perciba las cosas que podrían funcionar o que vale la pena intentar. Esa persona pondrá fe en la idea que hay cosas que vale la pena intentar, aun cuando no siempre funcionen como ella lo esperaba. Su sentimiento de confianza y voluntad para accionar, generará más intentos y, por lo tanto, mayores probabilidades de éxito. Su enfoque está en crecer y mejorar, y esto se hace a través de la prueba y el error. En contraste, el foco del Juez y de la Víctima está colocado más en la evaluación de sí mismo, de acuerdo a conceptos de fracaso o éxito.

Cada uno de estos individuos está depositando el poder de su fe en una versión diferente de su autoimagen, y reforzando la perspectiva de un personaje diferente. Cada depósito de fe produce diferentes creencias y emociones. Una persona generará miedo, inseguridad, y desesperanza, y la otra estará más concentrada, comprometida y confiada. Las acciones futuras de cada persona se alinearán con sus creencias más fuertes y con la perspectiva dominante de su personaje. Como vimos con anterioridad, su fe y sus creencias tienden a convertirse en una profecía autocumplida de sus acciones y resultados futuros.

Mal uso del poder: la Víctima y sus usos de la fe

Cada día, usted se levanta descansado y tiene una cantidad de poder personal o energía para usar. Si usted gasta su poder personal depositándolo en creencias falsas o basadas en miedo, no le quedará mucho para ser feliz.

Al crecer, no aprendimos a prestar atención a cómo utilizamos nuestro poder personal de la fe. De adultos, continuamos siendo inconscientes de la fuerza profunda y silenciosa que gastamos cada día en nuestros pensamientos e imaginación. Sin conciencia, el poder de la fe se infiltra en nuestros pensamientos, opiniones, y juicios, y se pierde como dinero cayendo de nuestra billetera. Como resultado, terminamos sintiéndonos débiles e impotentes, pero sin saber por qué.

¿Puede imaginarse el número de juicios y opiniones que usted ha aceptado como verdaderos? Cada pequeña parte de fe que usted haya colocado en un pensamiento acerca de usted mismo, de alguien más, o del mundo está dándole poder a una idea conceptual en su cabeza, a menudo a costa de usted mismo.

Si su jefe le hace un comentario crítico, o no reconoce su trabajo, su mente podría asociar esto con el fracaso o la pérdida, y traduciéndolo como un indicador de que usted tiene un mal desempeño, que es un fracaso, o que no vale nada. Su fe llega a estas conclusiones o creencias, y el resultado es que usted se siente poco valioso. O sus emociones pueden surgir de la fe que usted depositó años atrás en esas creencias —el comentario de su jefe o la falta de reconocimiento pueden ser sólo el detonador de una creencia que se encontraba latente en su mente.

De cualquier forma, el comentario lanza su perspectiva hacia una burbuja de creencias donde usted ve el mundo como el personaje de la Víctima. Su atención va a las interpretaciones específicas acerca de lo que hizo su jefe, lo que dijo o no. Su burbuja de creencias provoca que usted filtre todos sus logros anteriores. Su personaje de Víctima tiene control sobre su atención y se enfoca en este momento singular del día o año y descuenta todos los demás éxitos y logros. El personaje de la Víctima irrumpe en el mundo de una burbuja de creencias y consigue todo tipo de evidencias e interpretaciones para sostener esta perspectiva.

A veces sólo pensar un pensamiento del tipo de "A ellos quizá no les guste mi trabajo" puede ser suficiente para activar la burbuja de creencias y ponerlo a usted en un estado mental que lo hace sentir emocionalmente sin valor. Un actor exitoso que no fue elegido para un papel puede sentir la reacción emocional del fracaso. Una bella modelo que no es elegida para un proyecto, puede sentirse fea simplemente por lo que ella cree de sí misma. El evento externo de ser rechazado no tiene un poder o emoción inherente. Es nuestro sistema de creencias el que ha asociado un valor personal a ese evento. Estas creencias entonces activan otras creencias inconscientes y autoimágenes de ser poco valiosos.

Mal uso del poder: usos de la fe para criticar

Considere el propósito de comenzar a hacer ejercicios regularmente que se formulan muchas personas en Año Nuevo. Durante un tiempo, irán al gimnasio todos los días. Eventualmente, un día pensarán que no tienen ganas de ir. Aceptarán ese pensamiento como una buena idea, lo que le inyecta algo de fe y crea una creencia en su mente. Aun cuando no actúen la intención ese día, se ha plantado una semilla. Otro día, se les hace tarde y piensan en faltar al gimnasio. De nuevo, aceptan esto como una buena idea. Esta semilla crece y se incrementa la pequeña creencia de que está bien no seguir con el propósito. De esta forma aparentemente intrascendente, aceptan estos pequeños pensamientos que contradicen su propósito de Año Nuevo, depositando más y más fe en la creencia de que está bien no seguir haciendo ejercicios.

Eventualmente, su creencia de "no hacer ejercicio" es más fuerte que su propósito de Año Nuevo. La balanza se inclina y sus acciones cambian en la dirección de su fe. Continúan haciendo ejercicio, pero menos frecuentemente porque su fe se ha dividido entre dos creencias opuestas. Cuando se dan cuenta de cuánto han violado su compromiso original, su personaje del Juez introduce pensamientos acerca de que son un fracaso, indisciplinados, o que tienen poca voluntad. Si aceptan estos pensamientos como verdaderos, que es lo más seguro si ven la situación desde la perspectiva de la Víctima, entonces usarán su poder personal para construir otra creencia que se alinee con las acusaciones del Juez.

Aunque cualquiera de estas personas crea que es débil, indisciplinada, o un fracaso, en realidad son muy fuertes. Tienen una increíble cantidad de poder personal — aunque lo estén utilizando para justificar el no hacer ejercicio y estén depositando más fe en las críticas del Juez y la Víctima por no ejercitarse. Se podría decir que estas personas también son disciplinadas. Requiere de mucha práctica el continuamente adoptar estos mismos puntos de vista y depositar fe en el mismo tipo de realidad imaginaria, hasta que se convierte en un hábito. El hábito que tienen de convencerse para no hacer ejercicios o de auto-criticarse tal vez no sea saludable, pero no es débil. Este es un ejemplo de un sistema de creencias muy poderoso que consume una gran cantidad de poder personal. Una persona débil no puede crear un sistema de creencias tan bien reforzado. En este caso, no se trata de que estas personas sean carentes de poder, sino más bien de en qué utilizan su poder personal. Conforme usted logre ser escéptico de sus pensamientos y creencias, irá recobrando control sobre su poder personal.

Ejercicio: Excave a través de las capas de emociones hasta encontrar las creencias de fondo

El proceso para encontrar e identificar sus creencias puede ser a veces semejante a resolver un misterio. Esto es particularmente cierto cuando se trata de las creencias de fondo. Usted empieza estudiando sus pensamientos y las palabras que salen de su boca. Luego investiga el significado de estos pensamientos y los supuestos que los sostienen. Un par de capas de supuestos más adelante, usted encuentra la creencia de fondo. La fe que usted ha depositado en estos supuestos escondidos que sostienen un pensamiento es a menudo más poderosa que el pensamiento o idea expresada en sí mismos. Son estas creencias ocultas las que usualmente están en la raíz de nuestras reacciones emocionales y sentimientos.

Veamos un ejemplo de cómo encontrar una de estas creencias ocultas. Ed se sentía frustrado e incluso enojado con su hijo adulto, Jason. Jason tenía 28 años y un trabajo bien remunerado, pero a Ed le preocupaba cómo estaba gastando su dinero. Sus autos tenían que ser nuevos. Tenía vehículos de todo terreno en su cochera y estaba considerando comprarse un barco. Cuando se le preguntó acerca de esto, Ed se lanzó a una larga perorata acerca de la irresponsabilidad y estupidez de su hijo. Para respaldar su opinión, compartió abundantes ejemplos de su propia experiencia en los negocios y de ser cuidadoso con el dinero. Se sentía muy virtuoso y justificado en sus críticas hacia su hijo. Pero sus pensamientos acerca de cómo se debía manejar el dinero sólo eran una parte de la historia.

Cuando interrogado más adelante acerca de cómo se sentía emocionalmente, Ed eventualmente logró encontrar una capa más profunda: su miedo era que Jason no fuera capaz de cuidar de sí mismo, se fuera a la bancarrota, y terminara regresando a casa de sus padres. Estos miedos no habían previamente sido conscientes o aparentes para Ed. Fueron descubiertos sólo cuando se le pidió que compartiera todas las diferentes emociones que estaba sintiendo.

Después de explorar sus miedos, Ed investigó como se sentiría emocionalmente si lo que temía realmente sucediera. En ese momento, una tercera capa, una de auto-crítica, surgió cuando Ed se dio cuenta de que se juzgaba a sí mismo como un fracaso como padre, por educar a un hijo que era financieramente tan descuidado. Cada vez que Jason gastaba de forma estúpida, Ed inconscientemente se culpaba por haber fallado como padre. La atención de Ed se concentraba en cómo gastaba su hijo el dinero, pero sus emociones profundas tenían que ver con sus propias creencias de fracaso. Esto era parte de la creencia de fondo de Ed, de no ser lo suficientemente bueno. Para poder evitar la culpa, vergüenza y castigo en su sistema de creencias, el personaje Solucionador de Problemas de Ed trataba desesperadamente de cambiar el comportamiento de su hijo. Esto causaba mucho conflicto entre Ed y Jason.

Los pensamientos y creencias de Ed acerca de cómo gastaba el dinero Jason tal vez eran útiles, sabios y congruentes con la realidad. Pero eso no era lo que estaba causando el problema. El problema emocional que Ed estaba experimentando residía en sus creencias inconscientes acerca de su propia autoimagen y de sus críticas hacia sí mismo como padre. Conforme Ed se hizo más escéptico de estas auto-críticas, su depósito de fe comenzó a disminuir. Las reacciones emocionales, juicios e impulsos para controlar el comportamiento de su hijo tuvieron menos influencia sobre él.

Una forma efectiva de identificar las capas de creencias que originan nuestras reacciones emocionales y comportamientos de sabotaje, es hacer un *inventario de creencias*. En un inventario de creencias hacemos un recuento de todas las ideas conceptuales en las que hemos depositado nuestra fe. Al hacer esto desde una perspectiva de observador, podemos ver estas creencias como falsas y empezar a recobrar desde ellas nuestro poder personal de fe. Conforme reclamamos nuestra fe a estas creencias, éstas pierden su poder y nosotros lo recuperamos, lo que nos permite conseguir más fuerza con la cual lograr más cambios.

Inventario de creencias: un ejemplo

Como ha sido mencionado en capítulos anteriores, podemos tener múltiples emociones acerca del mismo evento porque podemos adoptar múltiples perspectivas de personajes y sus interpretaciones y tener fe en cada una de ellas. El siguiente ejemplo muestra cómo podemos hacer un inventario de las perspectivas de múltiples personajes y sus burbujas de creencias acerca de un mismo evento. Al desglosar las capas de nuestras falsas creencias, podemos separar la verdad de las ilusiones en nuestra mente.

La novia de Richard había roto con él recientemente, después de haber estados juntos durante un año. Ahora Richard está atravesando muchas emociones y tiene varias historias conflictivas en su cabeza. En un momento se siente triste y rechazado; el siguiente, se siente enojado y quiere herirla. Sin embargo, al día siguiente la extraña y piensa en qué puede hacer para que regrese con él. Él rápidamente descarta esta historia con el juicio de que ella realmente no lo apreciaba y que él se merece alguien mejor. Se llena de orgullo y se repite que no regresará con ella, aun si ella se lo ruega. Se convence a si mismo de que es mejor que ella y de que puede encontrar una mejor pareja. A veces Richard pasa por todas estas diferentes perspectivas y emociones en tan sólo unos minutos.

Cada una de las emociones de Richard es comprensible. Pero él está siendo trasladado de una burbuja de creencia y reacción emocional a otra, y éstas no tienen sentido cuando se las coteja una junto a la otra. En un momento se siente rechazado y la quiere de vuelta en su vida, en el siguiente está enojado y la considera inferior. Si inventariamos los personajes arquetípicos y las respectivas historias de sus burbujas de creencias, se verá como lo siguiente:

Perspectiva / Arquetipo	Historia/Creencia	Emociones Asociadas
Víctima	Estoy triste por lo que perdí.	Tristeza.
Víctima	Me siento rechazado porque ella ya no me quiere.	Sin valor.
Víctima	La extraño. Estoy solo. Creencia asociada: soy un solitario. Nadie me quiere.	Solo. Sin Valor.
Héroe/Solucionador de	Quiero que regrese. Eso	Esperanza: esto va a

Problemas (con una estrategia compensatoria para cambiar sus emociones)	me hará sentir mejor. Múltiples pensamientos de estrategias para poder atraer su atención y lograr que regrese. La imagina queriendo regresar con él.	cambiar lo que ella siente por él. Sintiéndose aceptado, amado y deseado.
Complaciente (una estrategia compensatoria alterna para cambiar sus emociones)	Cambiaré y me transformaré en aquel que a ella le gustaría.	Esperanzado, pero con un sentimiento de falsedad y falta de autenticidad.
Víctima	¿Por qué tendría que cambiar? Ella es la que me dejó.	Herido, rechazado.
Juez	Ella me hirió. Es una mala persona.	Virtuoso, autoritario, poderoso.
Villano	Ella merece ser castigada por el modo en que me hirió.	Enojado.
Juez	Ella es una mala persona. Yo soy mejor que ella.	Justificado, orgulloso.
Princesa	Soy mucho mejor que ella. Merezco a alguien mejor.	Sintiéndose valioso, positivo, mejor que ella.

Como resultado de todas las diferentes perspectivas, las historias contradictorias y las emociones, Richard se siente confundido acerca de lo que debe hacer o creer. Todas estas emociones, manejadas por la fe que él ha depositado en estos antiguos personajes, son poderosas y controlan su atención.

Cada vez que Richard considera una idea desde la perspectiva de cada personaje arquetípico, ésta tiene sentido. Eso es porque cada creencia crea una emoción y la emoción está siendo usada incorrectamente para determinar que "se siente como verdadero". La Víctima se siente rechazada y sin valor dentro de su burbuja de creencias de auto-rechazo. Al mismo tiempo la Princesa se siente con derechos dentro de su burbuja de creencias. La historia de cada personaje parece verdadera desde su propia perspectiva, mientras que las demás parecen falsas. Y ahora todas están repicando con sus propias versiones acerca de lo que sucedió, por qué sucedió, y lo que debería hacer al respecto. Sólo al salir de estos personajes y entrando en la perspectiva de observador, Richard será capaz de compararlos y reconocer la naturaleza contradictoria y falsa de su sistema de creencias.

Con la conciencia lograda desde la perspectiva de observador, podemos empezar a ver el problema fundamental. La mente de Richard atraviesa diferentes ciclos de emociones porque no tiene control sobre su atención o su perspectiva. Él ha depositado fe en las creencias subyacentes de estos personajes por muchos años. El poder de su fe es lo que lo arrastra a estas perspectivas y burbujas de creencias. El problema no es que Richard sea débil o impotente. De hecho, él es muy poderoso. El problema es que ha usado su poder personal a través de los años en forma de fe, para construir estas estructuras de creencias y personajes en su mente, sin saber que lo hacía.

Aun cuando Richard tuviese suficiente conciencia para ver lo que hace su mente, eso no significaría que tenga el poder personal y control para dejar de hacerlo inmediatamente. Al principio tal vez él requiera de todo su poder para poder permanecer a mitad camino en la posición de observador. En las primeras fases de recuperación del control de su atención, separándola de su sistema de creencias, eso es a menudo lo mejor que se puede hacer para comenzar. Mientras usted está sintiendo todas sus emociones surgiendo de estas creencias, requerirá de todo su poder personal para no creer en los pensamientos o en las creencias de las que nacen. Después de un tiempo, conforme usted practique ser el observador, todo se irá haciendo más fácil hasta el momento en que controlar su atención y perspectiva ya no representen un desafío. Como cualquier habilidad, desarrollar ésta le llevará tiempo y práctica. Mientras usted practique irá viendo resultados, y éstos le ayudarán a tener fe en que puede lograrlo. Conforme tenga más fe en que puede desarrollar esta habilidad, usted practicará aún más. La otra opción es colocar su fe en una historia de miedo y duda acerca de sus probabilidades de ser exitoso, y esto, por cierto, obstaculizará su progreso.

Conciencia de cómo y cuándo usted hace mal uso de la fe

Tener una comprensión intelectual del impacto de la fe no es suficiente para cambiar dónde la depositamos, pero es un comienzo. La forma para salir de todos los dramas emocionales comienza con la conciencia. Llegar a ser consciente de cómo usted gasta su fe en cada momento, le da la oportunidad de abstenerse en gastarla y, por lo tanto, de retener más poder personal. Cuando usted es consciente de lo que sucede en su mente, tiene la oportunidad de rechazar el aceptar los pensamientos saboteadores como verdaderos. Usted está alerta y mentalizado acerca de los pensamientos que pasan y los descarta como falsos, en lugar de aceptarlos como válidos. Cuando usted es consciente, los pensamientos que lo tientan a reaccionar emocionalmente o a violar un compromiso personal, tienen poco poder sobre su perspectiva, atención, fe y, por lo tanto, su estado emocional.

Por "consciente," quiero decir que usted percibe esos pensamientos desde la perspectiva de observador y puede verlos con escepticismo. Los registra conforme van surgiendo en su mente y no los acepta como verdaderos. A través de esta conciencia usted será capaz de conservar su fe. Entonces la tendrá disponible para depositarla en lo que realmente usted quiera hacer. Para desarrollar esta perspectiva y conciencia de observador es útil escribir estos pensamientos y atribuirlos a cada uno de sus personajes. Es mucho más fácil ser escéptico de sus pensamientos cuando están en una página frente a usted.

Conflictos de fe dentro de las relaciones

A menudo nos encontramos en conflicto con otras personas por diferencias en nuestras ideas. Discutimos y tratamos de que la otra persona cambie su punto de vista y vea el nuestro. Esto es lo que Ed, el Papá, estaba haciendo con Jason, su hijo ya crecido. En la superficie puede parecer fácil el hacer que una persona cambie algunos de los conceptos de su mente. Después de todo, las ideas conceptuales no tienen tanto peso, por lo que se debería poder moverlas fácilmente — a menos, por supuesto, que usted se de cuenta de que las ideas de la otra persona están ancladas en la fe.

Lograr que otras personas cambien su opinión significa que deben retirar su depósito de fe en su propia creencia y quizás depositarla en lo que usted propone. Este proyecto es mucho más comprometido que cambiarse de ropa o cambiar una lámpara. Así es que, antes de desafiar a alguien a cambiar sus pensamientos, creencias o comportamientos, considere que usted está en realidad intentando hacer cambios acerca de dónde esa persona deposita su fe. Hacer cambios en nuestras propias creencias y comportamientos requiere un ajuste similar en nuestras expectativas. Cuando haya pasado un tiempo dando los pasos para cambiar su punto de vista, saliendo de sus propias burbujas de creencias y suspendiendo la fe en ellas, usted tendrá más respeto por aquellos que estén atravesando el mismo proceso.

Gary van Warmerdam

Capítulo 12

Las creencias no son lo que usted cree

Podemos desglosar y clasificar por categorías lo que sucede en la mente de muchas formas diferentes. No hay forma "correcta" o "incorrecta" para mapear este mundo interno. Sin embargo, existen métodos de comprensión que son útiles y provechosos, mientras que otros sólo crean confusión. Para el propósito de esta discusión, clasifiquemos el pensamiento en dos modalidades diferentes. La primera es el uso en nuestra mente del lenguaje consciente, con un propósito determinado, al que llamamos *pensar*. La segunda es el pensamiento automático sin plan que pasa a través de la mente, a menudo sin intención, algunas veces a nivel consciente y otras a nivel inconsciente; llamamos a esto el *diálogo interno*.

Pensamiento contra diálogo interno

Aprendimos a pensar al mismo tiempo que aprendimos a usar el lenguaje. Aprendimos a nombrar y explicar las cosas, a imaginar visualmente, a usar o crear modelos mentales, e incluso a procesar conceptos complejos.

El habla nos permite formar símbolos de palabras de forma que puedan ser entendidos por el que escucha. También podemos comunicar dentro de nuestra propia mente, conforme pensamos en un asunto o inventamos el argumento de una historia ficticia.

Pensar se hace típicamente con los símbolos de las palabras, aunque nuestra mente puede también pensar de otras formas. Podemos comunicarnos con un sistema de símbolos matemáticos. Una partitura se escribe con símbolos que nuestra mente convierte a sonidos, o pensamientos de sonidos. Ahora mismo usted está utilizando el pensamiento para leer esta página e interpretar estos símbolos de forma que signifiquen algo para usted. Todos estos tipos de pensamiento tienen sus propios protocolos, que aprendimos a través de la repetición consciente. Aprendimos a formar palabras, escribir y hablar, controlando conscientemente nuestra atención. Aquello que es aprendido primero a través del uso consciente de la atención y del pensar de un cierto modo, al ser repetido llega a ser automático e inconsciente.

No todo pensamiento es un acto consciente. Cuando manejamos un auto y el semáforo cambia de color, nuestro pie cambia de posición automáticamente como respuesta. No tenemos que darnos la orden para mover el pie al pedal. Cuando aprendíamos a manejar teníamos que pensar conscientemente acerca de lo que teníamos que hacer cuando la luz cambiara. Con repetición, este proceso de pensamiento llegó a ser automático y se convirtió más bien en una respuesta inconsciente. Éste es un ejemplo de pensamiento inconsciente que sucede automáticamente, en este caso, sin palabras.

La mente también puede tener un proceso propio de pensamiento automático que usa palabras. Cuando discutimos o debatimos, nuestros pensamientos pueden moverse tan rápido que no podemos seguirlos, y las palabras salen de nuestra boca sin pensar. Son una respuesta automática. Lo mismo puede pasar en una conversación menos acalorada. El impulso de expresar algo se manifiesta y comenzamos a hablar. Podríamos estar sólo pensando conscientemente en algunas palabras por delante de las que estamos diciendo, aun cuando el sentimiento de lo que queremos decir ya se haya formado completamente. O empezaremos a decir una oración sin saber conscientemente cómo la terminaremos. Basada en horas de repetición y práctica, la mente automáticamente forma las palabras y frases en un orden sensato. Cuando los pensamientos atraviesan la mente sin una guía consciente, lo llamamos diálogo interno. A veces estamos conscientes de nuestro diálogo interno, pero muy a menudo no lo estamos.

El diálogo interno es lo que usted nota cuando se sienta a meditar e intenta calmar su mente. Es lo que da vueltas en su cabeza durante la noche, en tiempos estresantes, cuando infructuosamente usted trata de dormir. En estas dos escenas, el diálogo interno aparece más notablemente como no estando bajo su control consciente, del modo en que su pensamiento si lo está. Sin embargo, el diálogo interno está a menudo presente durante el día. Quizás estamos manejando, llegamos a nuestro destino y nos damos cuenta que nuestra mente ha estado distraída en conversaciones internas durante los últimos veinte minutos. Es sólo cuando detenemos el auto que nos damos cuenta de que no nos concentramos conscientemente en conducirlo. En este caso estuvimos completamente absortos en el diálogo interno, aun si no estuvimos conscientes en el momento o no recordamos lo que era.

Puede ser un poco desconcertante para la gente darse cuenta de que no tiene control sobre sus pensamientos y que esos pensamientos surgen de algo más que de su guía consciente. La verdad es que, conforme nos convertimos en adultos, nuestra mente toma vida propia.

Usted puede verificarlo al recordar un evento reciente del pasado, cuando usted se encontraba estresado y su mente estaba ansiosa creando historias y proyectando conversaciones. ¿Usted podía evitarlo? ¿Podría haber mantenido la mente tranquila? Pruebe su teoría de control ahora. Mire la hora en su reloj, o use un cronómetro si tiene uno. Concéntrese en una parte blanca de esta página con la intención de mantener su mente quieta por un periodo de tiempo. O sólo cierre sus ojos y concéntrese en su respiración, de forma que su mente no piense. Observe cuanto tiempo pasa antes de que usted comience a escuchar el diálogo interno. ¿Cuántos minutos o segundos puede usted lograr que su mente no "piense" por sí misma? Si no ha practicado técnicas para acallar su mente, lo más seguro es que el tiempo se pueda medir en segundos.

El diálogo interno también puede tomar la forma de una conversación imaginaria con alguien que vamos a conocer, o recrear un encuentro que ya hayamos tenido. La mente incluso provee palabras y pensamientos para la otra persona. La persona con la que "estamos conversando" en nuestra imaginación, no es realmente la otra persona, sino una construcción de nuestra mente; sus palabras son provistas por una proyección de lo que nuestro sistema de creencias supone esa persona diría. A menudo, si hemos imaginado una conversación antes de que la conversación real tenga lugar, descubrimos que la real no es como la habíamos imaginado.

El diálogo interno no es lo mismo que el pensamiento consciente. Ocurre por medios distintos a nuestra intención consciente, de modo semejante a cuando una canción se repite sin cesar en nuestra cabeza. Entonces, ¿qué proyecta estos pensamientos en nuestra mente si no lo estamos haciendo conscientemente? Lo hace nuestro sistema de creencias. El diálogo interno se origina en nuestro sistema de creencias subconsciente. Hay excepciones, pero la mayoría de nuestros diálogos internos se apaciguan y acallan conforme identificamos y disolvemos nuestras creencias personales basadas en el miedo.

Las creencias son diferentes a los pensamientos

Al usar palabras habladas o escritas, comunicamos lo que estos símbolos invocan, y quizás incluso invocamos algo similar en la imaginación de otros. Dado que mucha gente utiliza el mismo sistema de lenguaje, no percibimos los símbolos de las palabras como algo abstracto y arbitrario — parecen ser intrínsecamente significativos y reales. Sin embargo, cuando leemos o escuchamos un idioma extranjero, somos más propensos a notar que los símbolos de las palabras están separados de su significado. *Sol, sun, taeyang, Sonne, solen, araw,* y *soleil* son algunos de los muchos símbolos usados por la gente alrededor del mundo para transmitir el mismo significado — la estrella más cercana a nuestro planeta. Los símbolos hechos con estas letras y sonidos son bastante diferentes de esa fuente brillante de calor moviéndose a través del cielo. El significado de una palabra o frase reside en la *creencia* que la gente ha aprendido a asociar con ese símbolo.

Cuando tenemos que comunicar algo, comenzamos por el significado, y luego nuestra mente convierte el mensaje al simbolismo de las palabras. Quizá tenemos cierta sensación en nuestro estómago; nuestra mente entonces traduce el significado de eso a palabras como *hambre.* El mismo tipo de traducción sucede a nivel inconsciente, con nuestros pensamientos surgiendo de las creencias.

Unas páginas antes, consideramos los pensamientos que provienen de los personajes, particularmente de los personajes arquetípicos. Estos personajes son estructuras de creencias acerca de nuestra identidad, y cada uno de ellos genera sus propios pensamientos. Conforme usted se hace consciente, podrá notar que su diálogo interno es a veces una conversación entre varios personajes. También funciona de forma contraria, como sucedió cuando creamos nuestro sistema de creencias: un pensamiento surge, luego se convierte en una creencia en la que depositamos nuestra fe. Esta creencia, con todos sus significados, produce luego emociones y más pensamientos. Si depositamos fe en estos pensamientos, entonces estamos creando una tercera capa de creencias, lo que produce más pensamientos.

Esta distinción es esencial, porque cuando se trata de cambiar emociones, es importante poner atención en las creencias que portan el significado y la fe, y no en los pensamientos. También es útil no distraernos con los pensamientos o convertirlos en otra capa de creencias.

Ejemplo de un diálogo interno y creencias

Un comentario atraviesa la mente de John cada vez que hace algo divertido. Él disfruta de tocar el piano, pero después de treinta minutos surge una sensación de incomodidad, junto con un parloteo interno que dice, "Debería estar haciendo algo más productivo". Después de un rato, la voz se vuelve más intensa y genera una sensación que lo obliga a regresar a su oficina o a hacer alguna tarea, incluso si realmente no hay necesidad de realizarla. Cuando se toma un descanso para jugar al *bridge* en la computadora, los mismos pensamientos parlotean en su cabeza. También surgen otros pensamientos como "Estoy perdiendo el tiempo" o "Soy un haragán".

Inicialmente, no pensamos que este diálogo interno sea un problema. Tal vez incluso lo consideremos como una voz saludable de motivación para movilizarnos. Pero John tiene sesenta y ocho años. Se ha jubilado hace ya varios años. El único "trabajo" que realmente tiene que hacer es manejar sus inversiones a tiempo parcial, e incluso podría ignorarlas y, aun así, estar bien financieramente. Las únicas fechas tope son las que él se impone. Aun así, el diálogo interno "Debería estar haciendo algo más productivo" resuena continuamente. No es un pensamiento que elige pensar conscientemente. Él ha notado que esto es parte de su diálogo interno. Surge junto con la sensación de incomodidad cuando toca el piano o juega *bridge*, al ver una película, o al hacer otras cosas divertidas. El pensamiento sigue surgiendo aun cuando John sabe intelectualmente que no es cierto.

La declaración del diálogo interno de John no es la suma total de sus creencias. Surge de un conjunto de creencias que hacen en silencio una evaluación de su personaje y de su comportamiento, comparándolo con otras alternativas imaginarias. El pensamiento de que él debería estar haciendo algo más productivo es solo la conclusión.

John sabe muy bien de dónde vienen estos pensamientos repetitivos. Mientras crecía, su padre le dijo muchísimas veces, "Deberías hacer algo más productivo". Lo decía cuando John se reía "demasiado" o cuando se estaba divirtiendo. Su padre agregaba, "Vete a leer un libro, o haz algo que te ayude a mejorar". Así que ahora, a sus sesenta y ocho años, y contando con una seguridad financiera, John todavía se siente incómodo cuando hace algo sólo para divertirse.

Cuando John comenzó a examinar esta dinámica, pensó primero que un juego de *bridge* en la computadora desencadenaría la crítica, y que ésta luego generaría emociones de culpa y de no valer nada. Sin embargo, después de prestar más atención a sus emociones, John descubrió que era la emoción la que surgía primero, antes de que el diálogo interno empezara. Los sistemas de creencias de sus personajes arquetípicos generaban inconscientemente autocrítica y producían emociones de culpa, vergüenza y de no valer nada. Para responder a éstas emociones, el personaje del Solucionador de Problemas sugería hacer una tarea para sentirse mejor, aun antes de que John supiera que se sentía mal. El pensamiento "Debería estar haciendo algo más productivo" expresaba tanto la solución, como la autocrítica oculta que estaba sintiendo. Dado que John siempre notaba primero el pensamiento, asumía que surgía primero, pero su sistema de creencias realmente producía la emoción antes de que el pensamiento consciente surgiera.

Esas pocas y simples palabras, "Deberías hacer algo más productivo", tienen mucho más significado que una sugerencia de acciones alternas. El enunciado de su padre y el tono utilizado, implicaban otros significados: "Te desapruebo, me decepcionas y no cumples con las expectativas que tengo de ti".

Al aceptar estos mensajes como ciertos, John ha mantenido durante muchos años fe en un sistema con numerosas creencias, una autoimagen falsa de quién es o debería ser, y también expectativas de lo que debería estar haciendo. Esta imagen de "debería", representa un estándar idealizado contra el que su Juez lo compara constantemente. Cuando su Juez lo declara como un fracaso, su Víctima responde sintiéndose culpable y sin valor.

La punta del iceberg

A pesar de que las palabras del diálogo interno de John eran simplemente "Debería estar haciendo algo más productivo", esas palabras simbólicas estaban asociadas a varios significados. Las emociones asociadas revelan que la estructura de su sistema de creencias puede verse así:

- Existen requisitos con los que debo cumplir para poder ser perfecto/bueno.
- Ser productivo es uno de los requisitos con los que debo cumplir e incluye un número de acciones a realizar.
- Cualquier acción que no esté en la lista de las actividades productivas, es un desperdicio y demuestra pereza.
- Para ser aceptado y amado, yo "debería ser" esta imagen de perfección/bueno.
- Ya que hago cosas que no son "productivas", soy un fracasado/malo.
- Soy una decepción, no valgo nada, no soy aceptado, no soy amado.

Estos no son pensamientos que John piense conscientemente, pero son parte de su diálogo interno bajo la forma de un significado implícito. Surgen de una estructura de creencias que reside en su subconsciente. Sus emociones son el resultado de estas creencias y son un mejor indicador de las creencias que el pensamiento. El pensamiento del Solucionador de Problemas salta por sobre las creencias y emociones y crea una estrategia compensatoria de corrección. El Juez anima las imágenes del sistema de creencias, apuntando al estándar de perfección y diciendo: "Esto es lo que deberías ser". El Juez concluye rápidamente que John no cumple con todos los requerimientos de esa imagen, y, por lo tanto, que es la pura imagen del fracaso. Como siempre, la Víctima automáticamente acepta la condena del Juez.

Así que John deposita fe en este sistema de creencias y luego siente culpa por fallar al no ser más productivo y vergüenza por ser un fracaso. El sistema de creencias en su totalidad ignora completamente el historial de vida productiva y exitosa de John, y el hecho de que ya está jubilado. Sigue haciéndose eco de los pensamientos del personaje adolescente a quien le dijeron estas palabras por primera vez. Dentro de la burbuja de creencias de John, estos personajes todavía lo ven como un adolescente.

John ha depositado su fe en esta estructura de creencias desde que era un niño. Dado que su fe sigue depositada en estas imágenes y creencias, él continúa sintiéndose culpable y sin valor cuando se divierte. Cuando cree en el pensamiento de su dialogo interno, "Debería estar haciendo algo más productivo", él vuelve a depositar su fe en todas las creencias asociadas y en los personajes de una falsa identidad conectados a este pensamiento. Todo esto, incluyendo las reacciones emocionales, puede suceder *incluso antes* de que se forme el pensamiento consciente de tener que hacer algo productivo.

A veces, cuando notamos un pensamiento del diálogo interno, sólo estamos viendo la punta del iceberg de nuestro sistema de creencias. El sistema de creencias reside en gran medida bajo la superficie de nuestra conciencia. La estructura de las creencias de John se creó en base a tres diferentes autoimágenes — el Juez, que se asemeja a su papá; la Víctima, que se asemeja a un adolescente improductivo; y la Imagen de la Perfección—así como a través de un catálogo de significados acerca de lo que es ser "productivo" y lo que es ser "improductivo". Sus pensamientos sólo eran conclusiones de su diálogo interno, surgidas de su sistema de creencias.

El pensamiento de John era simplemente que debería ser más productivo, pero la estructura de creencias debajo de este pensamiento estaba llena de significados de auto-rechazo y de una imagen de fracaso provenientes de la Víctima. Estas creencias eran las que producían la emoción de no valer nada, no el pensamiento de que debería hacer algo diferente. Los pensamientos eran fáciles de identificar debido a que estaban vestidos con los símbolos de las palabras. Las creencias se descubrieron cuando John observó más a fondo sus emociones y el significado de lo que simbolizaban esas palabras.

A menudo la gente cree erróneamente que los pensamientos producen o crean emociones. Claramente esto no es así. Los pensamientos son a menudo la punta del iceberg que podemos percibir. La estructura de creencias se encuentra por debajo y puede estar creando emociones antes de que surja el pensamiento. Lo importante no es si usted nota primero el pensamiento o la emoción. Aquello a lo que es crítico prestar atención, es a la estructura de creencias de dónde surgen los pensamientos y las emociones.

Identificando pensamientos, creencias y creencias de fondo

Las creencias de fondo son troncos desde donde otras creencias se ramifican. En el centro del diálogo de John estaba la creencia de la Víctima, acerca de ser un fracaso y no valer nada porque no estaba siendo lo que su Padre quería. Una gruesa rama saliendo de ese tronco de la Víctima era la creencia de tener que ser lo suficientemente perfecto para ser aprobado por su Papá. Más específicamente ligada a esa rama, había otra rama que tenía que ver con la productividad. Como lo mencioné en el Capítulo 11, identificar una creencia de fondo es como resolver un misterio. A menudo se requiere atravesar y examinar varias capas de pensamientos y creencias, hasta encontrar la creencia central en el núcleo de nuestras reacciones emocionales.

Usemos el ejemplo del "miedo a hablar en público", para entender mejor este proceso de investigación. El temor a hablar en público no es una creencia de fondo. Es un pensamiento acerca de una reacción emocional. Atribuir esta emoción a "hablar en público" nos distrae de las creencias que son la fuente real del miedo. Una persona lo puede explicar con, "Me da miedo hacer el ridículo" pero "hacer el ridículo" es vago y no podemos estar seguros del significado. Hacer el ridículo podría también fácilmente ser un motivo para el disfrute de todos, incluyendo el nuestro. Los comediantes y actores se esfuerzan en ser ridículos y en hacer reír a la gente. Por sí mismo, el pensamiento de hacer algo embarazoso no inspira temor. Tenemos entonces que buscar significados más específicos que podrían estar causando el miedo.

Los miedos asociados a lo que otras personas piensen de nosotros son muy comunes. Esta misma dinámica puede ocurrir cuando pedimos un aumento de sueldo, invitamos a salir a alguien, o al pedir lo que queremos. Sin embargo, el pensamiento "temor a lo que piensen los demás", tampoco es una creencia de fondo. Debemos tener cuidado de no sacar conclusiones demasiado pronto. Cuando usted resuelve un crimen, usted sigue la ruta del dinero. Cuando se trata de encontrar estas creencias de fondo, usted debe seguir la ruta de la emoción. ¿El miedo está realmente generado en lo que pueda pensar alguna otra persona? ¿Cómo podrían los pensamientos en la cabeza de otra persona lograr que sintamos diferentes emociones? Lo que sucede en la cabeza de otra persona podría afectar las emociones de *esa persona*, no las nuestras. Si otra persona tiene un pensamiento de temor, es *a ella* a quien le da miedo. Si otra persona tiene un pensamiento de crítica, *ella* la experimenta, no nosotros.

Así que la pregunta es, ¿qué creencia nuestra se activa cuando alguien tiene una opinión negativa de nosotros? De hecho, ninguna, ya que nosotros no sabemos realmente lo que otras personas están pensando o cuando lo están pensando. En nuestra mente asumimos que ellos tienen una opinión negativa de nosotros. Siendo más específicos, podríamos preguntar: ¿Qué creencia se activa cuando *imaginamos* a otras personas teniendo una opinión negativa de nosotros? Es nuestra propia creencia acerca de lo que otros piensan de nosotros, lo que activa nuestra emoción de miedo.

Si alguien señalara su cabello y dijera que es verde, y luego empezara a reírse por lo ridículo que usted se ve, ¿se sentiría herido? Probablemente no, si su cabello no es verde y usted es consciente de ello. Si usted sabe que su cabello no es verde, sabría también que la persona sólo está bromeando, está drogada, o tiene problemas con su vista. Usted sabe que el problema está en la percepción de esa persona y no en usted, así que no reacciona, excepto quizá para divertirse. Esto no es un problema para usted; no activa ninguna de sus creencias emocionales. Si su cabello realmente fuese verde, por una elección de estilo, usted podría ser indiferente a lo que otros piensen de usted, siempre y cuando a usted le guste. El que alguien tenga una opinión negativa de usted no le molesta cuando usted no piensa o cree en una visión negativa de usted mismo.

Con este entendimiento, es obvio que no podemos sentirnos heridos emocionalmente por lo que otros piensen o digan de nosotros. Sólo nos hiere si adoptamos esa creencia nosotros mismos, o sus acciones disparan la respuesta de una burbuja de creencias existente. Es nuestra propia estructura de creencias de Juez/Víctima la que produce emociones dolorosas, y es a esas emociones dolorosas a las que les tenemos miedo. Una actividad como hablar en público, es sólo un detonador del sistema de creencias. Así que, en lugar de decir, "Tengo miedo de hablar en público", sería más preciso decir, "Tengo miedo a que mi sistema de creencias genere una experiencia emocionalmente dolorosa de auto-rechazo, cuando me encuentro en la situación de hablar en público".

Excavando a través de capas de pensamientos para encontrar las creencias

Jack tiene que hacer una presentación. Como parte de su proceso de pensamiento consciente, quiere que la presentación sea informativa y divertida para su audiencia. Se imagina diferentes modos de presentar el material con ejemplos, historias graciosas y anécdotas. Planear la presentación es un paso útil y esencial.

Sin embargo, otra parte de la mente de Jack empieza a engancharse en "hacer las cosas como se debe". Tal vez un buen chiste para empezar. Él quiere ser gracioso y relajar a la audiencia, causar una buena impresión. Piensa en diferentes chistes, pero quiere tener cuidado de no ofender a nadie. Entonces piensa que quizá debería hacer un chiste sobre él mismo — así no ofenderá a nadie. Luego piensa que tal vez no sea una buena idea, porque no quiere disminuir su imagen y credibilidad.

Conforme trabaja en su presentación, su mente recrea más y más escenas. En su imaginación, la gente le pregunta y cuestiona su material. En este punto, su mente está pensando por sí misma, basada en creencias que Jack creó hace mucho tiempo, así como en creencias acerca de esta presentación en particular.

Uno de los pensamientos de Jack puede ser, "Tengo que hacer esta presentación de PowerPoint perfecta". Pero si investigamos más a fondo, encontraremos otras capas de motivación. Si le preguntamos a Jack *por qué* necesita hacerla perfecta, tal vez responda, "Quiero que se vea bien".

¿Por qué?

"No quiero parecer estúpido".

¿Por qué?

"No quiero que la gente piense que soy un estúpido idiota".

En este punto podríamos simplificar y decir que Jack tiene miedo a hablar en público, y tal vez esto sea así. Pero dado que el diablo está en los detalles, sería útil descomponer el miedo en sus diferentes partes. Este inventario más detallado del miedo a hablar en público nos ayudará de dos formas. Primero, nos ayuda a incrementar nuestra conciencia de los elementos de la mente. Segundo, cuando somos conscientes de estos pequeños elementos, tenemos la oportunidad de cambiarlos. Es mucho más fácil cambiar un elemento pequeño, como un punto de vista o el componente individual de una creencia, que eliminarlos todos al mismo tiempo.

Las capas de los pensamientos y creencias de Jack se ven algo así como lo siguiente. El pensamiento inicial, "Tengo que hacer esta presentación de PowerPoint perfecta", encaja con un proceso de pensamiento razonable y el deseo genuino de hacer un trabajo de calidad. La mayoría de los pensamientos y motivaciones de Jack pueden ser parte de este deseo de hacer un trabajo de calidad y de disfrutar de lo que hace. Sólo al observar la emoción podremos decir con qué tipo de pensamiento y creencia estamos lidiando. Si continuamos dejando que todos los pensamientos de este tipo salgan a la luz, la mayoría lo hará sin emociones desagradables. Podríamos también encontrar aquí y allá otros significados y emociones que nos lleven a las creencias del ego falsas o basadas en el miedo.

Suponga que existe una creencia del personaje del Héroe/Solucionador de Problemas como ésta: "Quiero impresionar gratamente a esta gente y que todos salgan con una buena imagen de mí". Si investigamos más a fondo encontramos que el deseo de impresionar gratamente a la gente se acopla al miedo a fallar y no poder crear esa grata impresión. Este deseo de impresionar gratamente tiene el mismo pensamiento de origen, pero la motivación emocional viene de una creencia basada en el miedo. Esta creencia es otra capa del personaje de la Víctima: "Me verán y pensarán que soy un estúpido idiota".

Dentro de la declaración de Jack, "No quiero que la gente piense que soy un estúpido idiota", se encuentra la suposición de que la gente sólo lo verá así. ¿Por qué creería él que eso es una posibilidad? Porque una de las imágenes de sí mismo en las que cree —muy probablemente desde la perspectiva del Juez y la Víctima— es la de un estúpido idiota. Esta es la razón fundamental del por qué el pensamiento surge en su mente. Esta creencia podría ser una de los cientos de creencias en funcionamiento, muchas o la mayoría de ellas muy positivas. Pero, entre todas esas creencias, hay una que produce miedo y en ella la Víctima se aferra a la imagen de "Soy un estúpido idiota".

La historia del Héroe/Solucionador de Problemas, "Quiero impresionar gratamente a esta gente y que salga con una buena imagen de mí," es una estrategia reactiva para compensar la creencia de su Víctima. Después de someterse a un sentimiento rápido de rechazo basado en la creencia de ser un "idiota", la mente se tranquiliza al adoptar la imagen exitosa del Héroe. Observe que, en el proceso de investigación de Jack, la versión del Solucionador de Problemas surgió primero como un pensamiento a nivel superficial. Esto es porque estaba cubriendo la creencia de fondo de la Víctima. Cuando le preguntamos acerca de la motivación del Solucionador de Problemas para hacer la presentación tan perfecta, descubrimos las creencias ocultas basadas en los miedos de la Víctima.

Si sólo hubiéramos enfocado nuestra atención en los pensamientos de Jack, sólo habríamos identificado las intenciones del personaje Héroe/Solucionador de Problemas. Esta es la razón por la cual la cuestión de la atención ha sido enfatizada con anterioridad en el libro. Para identificar más creencias de fondo, no sólo debemos enfocar nuestra atención en los pensamientos, sino también en las creencias y significados desde dónde surgen estos pensamientos. Debemos mirar por detrás de los pensamientos que tenemos y seguir las conexiones emocionales directas.

En contraste con este tipo de historias en nuestra cabeza, considere el tipo de pensamientos que se podría tener si la mente se liberase de estos personajes del ego y de sus creencias de autoimagen. Para esta persona, la preparación de la presentación no gira en torno a preocupaciones o pensamientos acerca de cómo "Yo" me veré o la opinión que otros tendrán de "mí". En cambio, el proceso de pensamiento gira en torno a entregar una presentación en la forma que sea mejor para el público.

Siguiendo la rama de una creencia

Como hemos visto, un pensamiento no es lo mismo que una creencia. Los pensamientos pueden surgir de nuestra intención consciente o desde nuestro dialogo interno, desde un sistema de creencias existente. De cualquier modo, cada nuevo pensamiento puede convertirse en una creencia si depositamos fe en él y lo aceptamos como verdadero. De esta forma, una única creencia puede dar lugar a más capas de pensamientos que también se convierten en creencias. Es así como una falsa creencia se transforma en todo un sistema de creencias.

En el ejemplo de Jack, el "miedo a hablar en público" no existiría a menos que al mismo tiempo haya fe depositada en lo siguiente:

- *Creencia:* Mis supuestos acerca de lo que otros piensan de mí son confiables.
- *Creencia:* Si alguien cree que soy estúpido, entonces soy estúpido.
- *Creencia Corolario:* Si alguien cree que soy listo, entonces soy listo.
- *Extensión:* Lo que sea que los demás crean de mí, es lo que soy.
- *Creencia de Víctima:* Lo que otra gente piense de mí, me hiere emocionalmente.
- *Creencia de Víctima:* No tengo poder sobre mis emociones – otros las controlan.

La mente usa estas falsas creencias para generar miedo a sentir dolor emocional. Sabemos que no son ciertas porque los pensamientos en las mentes de otras personas no determinan nuestras emociones. Lo que creemos acerca de nosotros mismos, es lo que determina como nos sentimos. A veces lo que creemos acerca de nosotros mismos está oculto debajo del pensamiento de lo que otros creen de nosotros. Lo que otros piensan u opinan—o lo que imaginamos que ellos *podrían* estar pensando—es sólo un detonador que expone la burbuja de creencias y los personajes en los que hemos depositado nuestra fe.

Una rama del sistema de creencias de Jack contiene el supuesto de que podemos conocer con precisión lo que otras personas opinan de nosotros. Cuando tenemos miedo a lo que otros puedan pensar, ya nos encontramos en la perspectiva de una Víctima. Desde el personaje de la Víctima, el supuesto proyectado en la burbuja de creencias es que alguien tiene una opinión negativa de nosotros. Si treinta personas están en la habitación, la Víctima asume que las treinta personas tienen la misma opinión negativa. Sin embargo, cuando nos hacemos conscientes de que esto es una burbuja de creencias de la Víctima, empezamos a ser más escépticos. En cualquier situación, ¿las treinta personas tendrían exactamente la misma opinión? Lo más probable es que no — esto simplemente no pasa la prueba de sentido común. Cuestionar la validez de este supuesto hace más difícil el continuar depositando fe en la imaginaria burbuja de creencias de la Víctima. Este escepticismo ayuda a romper el ciclo de depositar fe en creencias preexistentes. Cuando utilizamos la conciencia, nos damos cuenta de en qué estamos creyendo, y podemos reclamar nuestro poder personal mientras las creencias se desmoronan bajo el escrutinio.

Ejercicio: Explorar el origen de los pensamientos

La próxima vez que usted medite, si lo hace, intente ir un paso más allá con la siguiente práctica avanzada. En lugar de sólo observar sus pensamientos, preste atención a cómo y dónde se forman sus pensamientos. Ponga su atención en el espacio y el silencio que preceden a las palabras. Desde ese espacio silencioso puede surgir un impulso de sentimiento y desde ese sentimiento, un pensamiento surge. Con la práctica, usted podrá notar cuál es la creencia que da origen a los pensamientos o el sentimiento que los genera.

Estas creencias subyacentes son a menudo silenciosas. Tal vez usted las perciba como un sentimiento o sensación que precede a las palabras de un pensamiento. Los pensamientos de su diálogo interno a menudo son generados por las creencias en su mente. Conforme usted va recuperando fe desde sus falsas creencias, irá teniendo menos de éstas y su mente se irá silenciando. Esto no sucede de la noche a la mañana, sino más bien a través del tiempo, con la práctica.

Esta meditación puede llevarlo a un estado más profundo de conciencia. Al practicar esta técnica y otras, usted desarrollará un mejor control sobre su atención y perspectiva. Con su atención consciente enfocada específicamente en el sentimiento silencioso de las creencias, éstas se van modificando y cambiando. Usted no necesita controlar los pensamientos, ideas e imágenes que atraviesan su mente. Éstos son sólo subproductos de las creencias que los generan.

Piense en un proyector de cine. Si usted mira una película, ve las imágenes y una historia proyectada en la pantalla. Éstas son como los pensamientos e imágenes proyectados en su mente. El proyector dispara luz a través de la cinta de película y produce lo que está en la pantalla. Para cambiar la película que está proyectando usted no va a la pantalla a tratar de mover y cambiar las imágenes. Para cambiar la película, usted va al proyector y ajusta o cambia la cinta y la fuente de luz. De la misma forma, los pensamientos y las imágenes en su mente son proyectados a través de sus creencias. Para cambiar los pensamientos y las imágenes tiene que ir a las creencias que funcionan como la cinta y a la fuente de energía de la fe que las proyecta.

Cuando utilizamos la conciencia nos damos cuenta de en qué estamos creyendo, y podemos reclamar nuestro poder personal, mientras las creencias se desmoronan bajo el escrutinio.

Una falla común de la autoayuda

A menudo la gente no tiene éxito en cambiar sus creencias porque en realidad están tratando de cambiar sus pensamientos. Su atención queda atrapada en los pensamientos y las imágenes en la pantalla. Para encontrar la cinta y la fuente de luz de las creencias usted necesita controlar su atención y su perspectiva. Con la perspectiva de un observador o un escéptico, usted debe poner su atención en la fuente de las creencias. Una vez que usted aprende a ser consciente y a controlar dónde deposita su fe y a cómo retirarla de allí, esos pensamientos, ideas e imágenes ya no se proyectan más de la misma forma.

Distracción

Uno de los modos en los que no estamos mentalmente alertas es cuando perseguimos nuestros pensamientos. En la historia de Jack, su mente empezaba a dar vueltas y vueltas con pensamientos acerca de cómo hacer perfecta la presentación. Jack seguía las instrucciones que sus pensamientos le iban dando. Cada pensamiento acerca de cómo hacerla mejor era considerado y todos los pros y contras, evaluados.

Ciertamente, algunos de los pensamientos eran relevantes para construir una mejor presentación, pero muchos de ellos estaban dirigidos por los personajes arquetípicos de Jack, como el Héroe y la Víctima. Él podía ver cualquier idea y convencerse acerca de ella según los argumentos del personaje del Héroe o descartarla según las opiniones del personaje de la Víctima. Estos personajes contaban historias que encarnaban sus propias creencias. Al carecer de la perspectiva del observador, Jack no tenía forma de evaluar las ideas, o de percibir que su Héroe y Víctima estaban saboteando su proceso de evaluación con sus propias creencias. Él no podía ver la línea divisoria entre sus buenas ideas e intenciones y allí dónde comenzaban a ser exageradas por su Héroe o saboteadas por su Víctima.

Conforme usted desarrolle más conciencia acerca de estos personajes arquetípicos y de sus creencias, será capaz de darse cuenta rápidamente cuando está escuchando los pensamientos de ellos dentro de su diálogo interno, y no a su propio buen juicio y discernimiento. Con la conciencia agudizada, el diálogo interno tiene menos habilidad para enganchar y controlar su atención, su perspectiva, o su fe.

Quebrando la regla de los pensamientos

El sistema de creencias establece reglas dentro del modelo mental de la realidad externa. Si usted se siente terriblemente mal emocionalmente cuando pierde (falla) y se siente maravillosamente bien cuando gana (triunfa), el sistema de creencias establece el criterio de que usted *debe* ganar para sentirse bien, y crea un patrón de miedo a perder. Si usted se siente desdichado cuando está solo, y feliz cuando alguien le presta atención, el sistema de creencias concluye que *tiene que* atraer la atención de alguien para ser feliz. Esto también le genera el miedo a estar solo. Estas son las reglas y los "debería" de su sistema de creencias.

Sus emociones siguen estas reglas (o creencias), creando la experiencia emocional dictada por estas creencias. Porque sus creencias se lo dictan, usted se sentirá mejor cuando alguien le preste atención y se sentirá triste cuando esté solo. Este resultado emocional se usa entonces como evidencia de que las creencias son verdaderas. De hecho, estas creencias no son ciertas, pero operan para producir estas emociones dentro de la burbuja de creencias, de modo de parecer y ser sentidas como ciertas. Se trata de una profecía auto-cumplida: la burbuja de creencias produce respuestas emocionales y luego pretende que estas respuestas emocionales prueban la "realidad" de la burbuja de creencias.

Por ejemplo, el "Creo que no valgo nada" produce una sensación de no tener valía. La mente entonces interpreta esta emoción como evidencia: "Si siento que no valgo nada, es porque realmente no valgo nada". Mientras que esta conclusión pretende que la emoción "prueba" que la persona no vale nada, la realidad es que el sentimiento de no valer nada es simplemente evidencia de la creencia y la perspectiva falsas de un personaje.

La regla de John era que tenía que ser productivo para sentirse valioso. Si él seguía las reglas y era productivo, no tenía pensamientos negativos ni se auto-criticaba. Si no seguía las reglas tenía sensaciones de incomodidad y se auto-criticaba. La creencia en estas reglas producía emociones que entonces hacían que las reglas se percibieran como ciertas. John realmente no podía hacer cosas de las que disfrutara y siempre tenía que trabajar en algo para poder sentirse bien consigo mismo.

Desde ese razonamiento de circuito cerrado acerca de qué determina nuestras emociones, la única forma de sentirse mejor es obedecer los pensamientos negativos. De esta forma, nuestro falso sistema de creencias no sólo define como nuestras emociones se crean, sino que también propone una solución basada en estas falsas creencias. Trate de identificar este tipo de pensamientos que lo encierran y obligan a seguir las reglas de sus creencias.

Una persona se encuentra a menudo en el camino de perseguir la felicidad como un proceso *interno*, después de lograr algún tipo de éxito externo y sorprenderse porque éste no los hizo sentir mejor. A veces incluso descubren que el éxito los hizo sentir peor.

El supuesto de una correlación directa entre nuestro éxito externo o actividades, nuestras relaciones, y nuestro estado emocional, falla al no tener en cuenta el impacto de la fe que hemos depositado en nuestras creencias y en las interpretaciones acerca de ganar, perder, la productividad, el éxito y el fracaso. También ignora la influencia de las perspectivas de los personajes arquetípicos, como aquellas de la Víctima y el Juez, que determinan lo que percibimos y cómo lo vemos.

Con nuestra conciencia, nos damos finalmente cuenta de que los eventos externos y los logros a menudo son sólo el gatillo que dispara estas creencias emocionales internas. Con más conciencia, también llegamos a darnos cuenta de que no es necesario controlar los eventos externos o a otra gente, para poder ser felices y evitar las reacciones emocionales.

Es cierto que muchos estudios recientes muestran correlación entre cierto tipo de actividades y estilos de vida y el nivel de felicidad de una persona. Por ejemplo, la gente con fuertes lazos familiares, círculos sociales saludables, y un trabajo significativo tiene altos niveles de felicidad en los estudios estadísticos. Sin embargo, enfocarnos sólo en estos factores externos es muy limitado. Los promedios estadísticos esconden las excepciones que podrían invalidar las conclusiones. Existen personas que no tienen estas cosas y son de todos modos felices. También hay personas que tienen todo esto y, sin embargo, son infelices. Si existen excepciones donde estas condiciones no dan como resultado la felicidad, entonces estas no son reglas definitivas que gobiernan nuestras emociones.

También sucede algo diferente dentro de las mentes de la gente feliz. Lo que está sucediendo en un nivel más fundamental es algo que tiene que ver con cuáles son las creencias en las que depositan su fe, en qué enfocan su atención, y cuál es la perspectiva desde la que ven las cosas. Estas creencias de fondo subyacentes producen diferentes pensamientos e interpretaciones acerca de las circunstancias externas. Estas dinámicas fundamentales afectan las diferentes emociones que las personas crean y sienten, pero éstas no se toman en cuenta en esos estudios acerca de la felicidad.

Usted no siempre podrá tener un control total o influencia sobre las circunstancias externas de su vida. Sin embargo, siempre hay dinámicas movilizando su atención, perspectiva e interpretación que pueden afectar el cómo se siente usted acerca de su vida. Seguir el rastro de sus pensamientos y emociones para descubrir y desafiar su sistema de creencias, le dará mayor control sobre cómo *se siente* usted acerca de sus circunstancias, y esto es lo que al final determina su experiencia. Sus pensamientos y emociones son una pista de los paradigmas de creencias que están funcionando en su mente. Como con un iceberg, cuando usted mira sus pensamientos, está probablemente viendo menos del diez por ciento de la estructura de creencias que los produce. Descríbalos por escrito en detalle y comience a buscar los significados y supuestos entretejidos en ellos.

Capítulo 13
Despertar y aceptación

Para sacar una astilla usted tiene que poner su atención en ella. Sacar la astilla dolerá, pero sólo una vez; después sanará. Dejar la astilla puede significar que usted evite el dolor ahora, pero sufrirá otro tipo de dolor por mucho tiempo. Ignorarla puede causar que supure y se infecte, causando otros problemas.

Cuando usted cree en falsas creencias (mentiras), éstas son como astillas en su mente, que le causan dolor. Deshacerse de una mentira puede ser un proceso desagradable, pero sólo por una vez. Dejarla allí donde está puede causar una herida supurante por el resto de su vida.

Pasos para cambiar las creencias

Ya hemos cubierto los pasos iniciales para cambiar las creencias. El primer paso es ser conscientes. ¿Pero ser conscientes de qué? Los diferentes componentes a tener en cuenta son:

- Su perspectiva
- Su atención
- Pensamientos
- Las creencias que generan los pensamientos
- Dónde deposita su fe
- Sus emociones

Esto puede parecer abrumador, con demasiadas cosas para rastrear. Escribirlas puede ayudarlo a conseguir claridad y evitar sentirse abrumado, distraído, o arrastrado hacia ellas. Utilizar el sistema de inventario para graficar los diferentes elementos de su sistema de creencias, puede ayudarlo a permanecer en la posición del observador, y registrarlos a todos.

La perspectiva neutral del observador

Al inicio, la perspectiva de observador es la herramienta más importante para cambiar las creencias. Sin esta perspectiva neutral, la mayor parte de los intentos de cambiar se frustran. Como ya lo hemos discutido, la forma práctica para desplazarse a la perspectiva neutral incluye:

167

- Escribir en tercera persona.
- Atribuir las creencias y reacciones emocionales a los personajes arquetípicos correspondientes.
- Descomponer las creencias en sus elementos más pequeños y sus supuestos.
- Aplicar escrutinio y escepticismo a estas pequeñas creencias incrustadas, implícitas y asociadas.

Mantener los diferentes elementos de sus creencias a una cierta distancia, puede ser de gran ayuda para cambiar su perspectiva a la del observador. Esto no sólo asegura que usted ya no quede atrapado en las perspectivas y reacciones del Juez y la Víctima, sino que se sienta libre para aplicar otras técnicas para disolver sus creencias.

Al comenzar a ser usted más consciente de sus emociones, comportamientos, y pensamientos negativos, a menudo acontece otra dinámica: usted comienza a criticar y a tener reacciones emocionales sobre lo que va descubriendo. Lo más probable es que sus reacciones lo saquen de la perspectiva neutral del observador, ya que provienen de diferentes personajes arquetípicos. En ese momento, usted debe redoblar la perspectiva de observador y aplicar a estos nuevos pensamientos y creencias las mismas herramientas de escribir el inventario. Conforme vayamos avanzando en este capítulo, el practicar activamente alguna forma de aceptación nos ayudará a evitar caer en expresiones de rechazo sobre lo que vayamos descubriendo.

Despertar

Al tiempo que usted va aumentando su conciencia, se dará cuenta de que partes de su mente automáticamente crean supuestos e interpretaciones y sacan conclusiones. Usted se da cuenta de que las creencias detrás de estos pensamientos están creando reacciones emocionales. Usted puede haber logrado este entendimiento porque comenzó a meditar, porque algo cambió en su vida, tal como una separación o un giro sorprendente en su carrera profesional, o porque se enamoró. (Así es, enamorarse puede causar que sus personajes se vuelvan ruidosos, se asusten y generen comportamientos saboteadores).

Cualquiera sea la razón, el resultado es el potencial de un entendimiento profundo: *usted* no *controla* los pensamientos, creencias y emociones resultantes que su mente produce. A pesar de sus años de educación, su fuerza física, y todos sus logros, usted no puede detener un simple pensamiento negativo. Tal vez usted sea capaz de mantenerlo a raya, pero no por mucho tiempo. Y, si ha sido exitoso en su vida y, en general, ha logrado lo que se proponía, esto puede ser algo muy doloroso de aceptar.

Por supuesto, usted no querrá admitir su falta de control. La mayoría de las personas se resisten a este hecho usando varios mecanismos de negación. Ellas tal vez señalen varias situaciones en las que *estuvieron* a cargo de su mente, momentos en los que decidieron pensar o creer en algo y lo lograron. Estas cosas tal vez sean ciertas, pero no son relevantes para el tema que nos ocupa. Estas historias sólo demuestran un gesto defensivo—obtener evidencia para probar que tienen el control—o, por lo menos, una distracción del hecho de que no controlan sus pensamientos, emociones, y comportamientos. Toda esta negación y distracción es, en realidad, una capa más de la reacción de los personajes del sistema de creencias.

Un paso útil en este punto es notar la parte de la mente que se resiste a admitir que no está en control, y nombrarla como otro personaje o aspecto del ego. Estos son aspectos de su sistema de creencias que no quieren reconocer esta carencia de control. Utilice las mismas herramientas de escribir en tercera persona, las perspectivas de los personajes y el inventario, para observar estas reacciones de negación y distracción.

Esos personajes no están dispuestos a aceptar el hecho incómodo y confuso de no controlar los pensamientos que surgen de sus creencias, y a menudo intentan otras estrategias. Deciden superar su falta de control adoptando formas rápidas para controlar su mente, como la hipnosis o las afirmaciones positivas, como si esto fuera a resolver la totalidad del problema. A menudo el resultado es la creación de una burbuja de creencias del Héroe de la Autoayuda, en la cual parecemos tener el control. Esto puede tomar la forma de repetir una afirmación y hacernos creer a nosotros mismos que estamos a cargo de nuestros pensamientos y comportamientos. De este modo, nos sentimos mucho mejor, pero no necesariamente hemos disuelto otras burbujas de creencias, o nuestro hábito de adoptar las perspectivas de varios personajes cuando éstas son detonadas. Las creencias subyacentes permanecen intactas. Estas técnicas de afirmación positiva pueden ser temporalmente efectivas, pero con el tiempo, la parte enterrada de la mente generalmente se cuela de regreso y reclama su viejo territorio. La gente que utiliza estos métodos debe implementar la técnica de nuevo, o intentar otra cosa.

Para algunas personas este ir y venir representa un éxito suficiente, y están dispuestas a hacerlo por el resto de su vida. Para otras, todos estos intentos estériles de controlar sus pensamientos y emociones las dejan frustradas y confundidas, e incluso es posible que se sientan como un fracaso. Pero la verdad es que no son un fracaso. Estas personas han hecho realmente un trabajo extraordinario. Al utilizar afirmaciones tomaron el control sobre su atención y la usaron para crear un conjunto de creencias más positivas que las ayudan a controlar o manejar las negativas. Este es un gran avance para lograr el control de sus creencias usando directamente su atención. Sin embargo, no terminaron el trabajo. El resultado puede ser un éxito parcial o temporal. Si su expectativa era tener cien por ciento de éxito, entonces los personajes del Juez y la Víctima tienen con qué justificar sus acusaciones de fracaso.

Nuestra lucha para cambiar rápidamente nuestros pensamientos y creencias negativas a menudo resulta en una apariencia superficial de éxito. El no llegar a las capas de fondo de las creencias que generan el problema, puede resultar en una solución insatisfactoria. Si vamos a ver a un doctor por un problema de salud, queremos que escuche nuestra descripción de todos nuestros síntomas. Si nos interrumpe por la mitad de nuestra descripción, hace un diagnóstico rápido, y nos da un tratamiento basado en sólo la mitad de lo que ha visto y escuchado, no es probable que haga un buen trabajo. Lo mismo sucede cuando intentamos soluciones rápidas para cambiar lo que hace nuestra mente. Cuando intentamos eliminar un pensamiento o reemplazarlo con otro mejor, estamos actuando demasiado rápido y no podremos notar—ni cambiar—la creencia en la que se origina.

Aceptación

Si usted desea un cambio duradero y real, tiene que hacer algo diferente. Un enfoque más exhaustivo para cambiar creencias requiere honestidad. El miedo del ego a perder el control utiliza la negación y la autodefensa. Para mantener el control, lucha para encontrar soluciones rápidas y que sean lo más simples posible.

La honestidad requiere reconocer y aceptar la verdad. El hecho es que tenemos pensamientos que no elegimos y que afectan nuestras emociones. A la parte del ego de nuestra mente no le gusta reconocer las creencias que hemos adquirido involuntariamente. Esta es una característica del ego — tiende a aferrarse a ilusiones y a alejar verdades.

Si la distracción, la autodefensa, y la negación son el camino del ego, entonces la observación aguda de su atención, la evaluación honesta, y la aceptación de los hechos, son el camino de la integridad.

La oportunidad de experimentar un cambio en la conciencia se centra en hacer algo diferente a las conductas del ego que hemos venido teniendo. Incluso podría ser totalmente contraintuitivo al enfoque que nuestro actual sistema de creencias tomaría. Pero la alternativa, seguir haciendo lo que su actual sistema de creencias le dice, lo mantendrá atrapado en sus burbujas.

Un impulso común es apresurarse y cambiar los pensamientos. El paso contraintuitivo es abstenerse del impulso de controlar y cambiar sus pensamientos, creencias, y emociones. Usted logra esto sólo con observar este deseo de cambiar. Usted notará que el impulso insiste en empujar, jalar, o en tratar de obtener el control. Eso está bien—ese deseo es sólo una parte de la mente tratando de controlar a otra parte de la mente. Es importante dar un paso atrás para ver toda esta dinámica y romper el patrón de seguir la primera, segunda, o incluso la tercera reacción impulsiva de la mente.

Este enfoque contraintuitivo es aceptar completamente que su mente en su estado actual *es* simplemente como *es*. Acepte que aún no tiene las habilidades para cambiarla; después de todo, usted todavía no las ha desarrollado. Pero quizás usted pueda desplazar su perspectiva a la del estado de observador y comenzar a abstenerse de seguir automáticamente cada pensamiento que la mente le arroja. El cambio que usted está haciendo es abstenerse de actuar en cada reacción impulsiva.

Esto no quiere decir que usted se da por vencido. Tampoco quiere decir que usted ha fracasado o que es débil, que no puede cambiar o que no lo logrará. Sólo quiere decir que usted se da cuenta de que no podrá controlar todos esos pensamientos impulsivos y emociones en los próximos cinco minutos, o ni siquiera el día de hoy. Quiere decir que usted se da cuenta de que no va a desarmar esas reacciones sólo siguiendo ciegamente un nuevo conjunto de reacciones impulsivas. Usted se está tomando un momento para ser honesto acerca de dónde se encuentra y reconocer las reacciones que sus personajes están teniendo a sus descubrimientos. Usted está diciendo acertadamente: "Estoy cansado de golpear mi cabeza contra la pared en una dirección que no funciona. Déjenme sentarme y obtener una mejor perspectiva de lo que está sucediendo aquí, porque obviamente hay algunas piezas que me estoy perdiendo en todo esto".

Si la distracción, la autodefensa, y la negación son el camino del ego, entonces la observación aguda de su atención, la evaluación honesta, y la aceptación de los hechos, son el camino de la integridad.

Más creencias fueron construidas que disueltas

La mayoría de los enfoques de autoayuda requieren que usted deposite mucha fe en ellos. En esencia, usted está aplicando una "nueva técnica" para controlar sus pensamientos, emociones, y creencias—pero, en realidad, a menudo usted termina agregando más creencias a la estructura de su mente.

Estas capas de creencias vienen en forma de supuestos. Usted asume que la "nueva" técnica funcionará, que sabe todo lo que necesita saber, que tiene todas las habilidades necesarias, y que los pensamientos, creencias, y emociones en su mente responderán apropiadamente a sus buenas intenciones de cambiar. Posiblemente usted no note que supone todo esto, o que deposita fe en estos supuestos subyacentes, pero esta es la cuestión con la mente: la mayor parte de lo que sucede en nuestro sistema de creencias ocurre inconscientemente hasta que prestamos atención específica para ser conscientes.

Un enfoque más eficaz comienza al cambiar nuestra perspectiva y observar con mayor claridad lo que está sucediendo. Logramos esto saliendo de algunas de nuestras burbujas de creencias. Nos abstenemos luego de depositar fe en nuestros primeros supuestos acerca de lo que está sucediendo, de apresurarnos a sacar conclusiones acerca de cómo "cambiarlo", o de correr a "arreglarlo". Estos son los patrones usuales que nuestro Héroe de la Autoayuda y otros personajes arquetípicos nos mostrarán.

Cuando nos damos cuenta por primera vez de nuestros pensamientos y creencias negativos, nuestros personajes comienzan a generar un comentario interno acerca del sistema de creencias. Si empezamos a actuar de inmediato motivados por estos comentarios, es porque hemos depositado fe en los pensamientos de los personajes y los hemos convertido en creencias. Sin embargo, si podemos permanecer como un observador, podemos abstenernos de depositar fe en estos pensamientos, y eso hará más fácil el abstenernos de reaccionar. Esto conserva nuestro poder personal, no sólo en forma de fe, sino también al no ejecutar acciones innecesarias.

A primera vista, el enfoque de sólo reconocer honestamente qué es lo que pasa con sus pensamientos y emociones puede no parecer mucho, pero es una parte muy importante del cambio. Un paso importante para eliminar las creencias negativas es abstenernos de agregar más creencias, o de depositar fe en las interpretaciones de nuestro Juez y Víctima acerca de lo que descubrimos. Ser un observador y practicar la aceptación rompe con todos estos patrones.

No hacer daño

"Pero no quiero seguir teniendo estos pensamientos, creencias, y reacciones emocionales. Las quiero cambiar". Este es un deseo genuino y tiene mucho mérito. Hay algunas cosas que podemos cambiar, incluyendo las creencias, pero primero tenemos que asegurarnos de no empeorarlas.

Suponga que vamos manejando en nuestro auto y un neumático se pincha. Estacionamos el auto con cuidado al costado del camino, salimos, vemos el neumático, y sacamos una conclusión: el neumático está pinchado. Entonces comenzamos a decirle cosas como: "Estúpido neumático. Podrías haberte pinchado en otro momento. ¿Qué estabas pensando? Sabes muy bien que no deberías estar pinchado. No estás haciendo lo que deberías hacer. Deberías estar lleno, inflado, y rodando agradablemente. Desearía que dejaras de hacer esto y que hicieras lo que se supone deberías hacer. Todas los demás neumáticos están haciendo lo que deberían. Mira a los demás autos—todos tienen neumáticos en buen estado. Tú eres el único neumático que está fallando. Todos los demás tienen buenos neumáticos. Sólo míralos. Es tan simple, sólo sé como ellos. Deja de estar pinchado y compórtate".

Después de unos diez minutos de hablarle, dejamos de reprenderlo, criticarlo, persuadirlo y de desear que fuese diferente. Entonces sacamos la llave de tuercas de la cajuela y comenzamos a aflojar las tuercas. O quizás llamamos a un amigo o a un servicio de reparaciones para que mande a alguien que nos ayude a cambiar el neumático.

Los diez minutos que pasamos hablando y pensando acerca del neumático y cómo debería ser diferente obtuvieron cero resultados y sólo perdimos tiempo y energía. La parte de nuestro ser que acepta la realidad del neumático pinchado nos lleva al siguiente paso: ejecutar una acción efectiva para el cambio. Una vez que reconocemos y aceptamos que el neumático está pinchado, lo único que queda por hacer es actuar en forma práctica. Cuanto más tiempo pasemos diciendo que desearíamos que las cosas fueran diferentes, o nos quejemos porque las cosas no son como quisiéramos, estamos siendo menos productivos. Nuestra atención está en una burbuja de creencias idealizada de un neumático inflado, en lugar del que está en frente de nosotros.

El mismo tipo de enfoque se aplica a tratar de cambiar nuestros pensamientos, creencias, y emociones. Mientras estemos involucrados en los discursos del Juez y de la Víctima de desear que nuestra mente fuera diferente, o de pensar que no deberíamos de ser como somos, o nos comparemos con otros, no podremos cambiar nada. Sería lo mismo que estar hablando al neumático pinchado y esperando a que cambie. Y no sólo no cambiamos, sino que reforzamos las perspectivas y expresiones habituales de los arquetipos.

Algunas personas pueden decir que una imagen de como "deberían" ser las cosas funciona como un buen recordatorio y motivador. La verdad es que usted no necesita recordatorios como éste bajo la forma de regaños y declamaciones. Usted ya sabe cómo se ve un neumático inflado. Usted ya sabe cómo es sentirse bien, y no necesita que el Juez se lo recuerde regañando a la Víctima. Esto sólo es energía desperdiciada en las perspectivas del Juez y de la Víctima, reforzando los hábitos negativos con su atención y su fe. No lo hará sentirse bien, y le quitará energía de las acciones que lo ayudarán a cambiar. La parte de la evaluación es útil y sólo toma un par de segundos, pero las críticas y regaños nos hacen tropezar y pueden durar varios días.

Reconocer y aceptar una situación no significa ceder, darse por vencido, o que las cosas no cambiarán. Sólo significa que usted no se va a alinear con el diálogo como estrategia de los personajes del Juez y de la Víctima. Esto por sí mismo es un cambio en la dirección correcta, porque lo aparta de esos puntos de vista limitantes. Si usted no ve esto como un paso en la dirección correcta, entonces considérelo al menos como un modo de evitar ir en la dirección incorrecta. El enfoque del Juez y la Víctima para cambiar sólo crea circuitos y espirales de drama emocional. Reconocer y aceptar lo aleja del circuito de los gritos al neumático y lo acerca a las herramientas correctas que lo ayudarán a cambiar el neumático.

Ejercicio: El gran no-hacer para el cambio

Despegarse del deseo de los personajes para cambiar las reacciones emocionales y las creencias negativas es un paso para poder cambiarlas. Esto parece una paradoja, hasta que usted observa más de cerca y ve cómo los personajes del Juez y de la Víctima típicamente corrompen el deseo de cambiar transformándolo en un rechazo a la situación actual. Esta expresión de rechazo es parte de una espiral descendente. Un inventario puede ayudar a separar el deseo auténtico de cambiar, de las expresiones de rechazo. A continuación, hay un inventario de las creencias con las que se puede encontrar cuando usted trata de controlar y cambiar otras creencias y pensamientos.

Observar lo que su mente está haciendo puede ser una parte limpia del proceso. Usted está sólo observando y dándose cuenta. La intención de "arreglar" o "cambiar" su mente es habitualmente una *reacción* a esta conciencia. Cualquier fe que usted deposite en sus intenciones de arreglar las cosas, típicamente refuerza también las creencias del Juez y la Víctima en las que están basadas.

Inventario básico de creencias: "Voy a cambiar mis pensamientos negativos".

Perspectiva	Pensamiento / Creencia / Comportamiento	Emoción / Sentimiento
	Tema original: "Tengo miedo a lo que los demás piensen de mí".	
Observación: Sentido Común	Sería más feliz si no tuviera este miedo que afecta mis emociones.	Evaluación clara.
Solucionador de Problemas	Voy a detener todo este pensamiento negativo e inseguridad. Creencia implícita: Rechazo de la situación.	Motivado. Esperanza y buenas intenciones.
Juez	Esto está mal/es malo/es inaceptable. El miedo y la inseguridad están mal.	Justificado/correcto/que sabe más. Mayor ego.

174

	Mis emociones están mal/ son malas. Mis pensamientos están mal. (Asociado) Estoy equivocado. (Estas creencias tal vez no sean conscientes, pero éstas o creencias similares, están detrás de la intención del Solucionador de Problemas).	
Víctima	Lo que la mente está haciendo me hace sentir desdichada. Estos pensamientos negativos y creencias están abusando de mí. Mis pensamientos/sentimientos son malos. (Asociado) Estoy equivocada por tenerlos.	Herida, derrotada, sintiendo impotencia sobre las reacciones emocionales y el diálogo interno. Sin valor, menos que otros.

El anterior es un inventario aproximado y es representativo de cómo pueden verse las cosas a la primera pasada. Conforme usted practique el prestar atención a las sutilezas y mejore su habilidad, podrá percibir los supuestos y las creencias con más detalle.

En el siguiente inventario más detallado, cambiamos el orden y el lugar del deseo de cambiar, que surge primero de las emociones de la Víctima. En este inventario hay más de tres capas de creencias de la Víctima y dos capas de las creencias del Juez. Las creencias alrededor de estos deseos de cambiar son a menudo más dolorosas emocionalmente que las creencias iniciales que nos propusimos cambiar.

Perspectiva	Pensamiento / Creencia / Comportamiento	Emoción/Sentimiento
Observador	Observa el sentimiento de inseguridad, la actividad sin control, los pensamientos negativos, las creencias, y la creación de reacciones emocionales.	Reconoce la verdad de lo que está pasando. Aceptación— simplemente es lo que es.
Observación: Sentido común	Sería más feliz si no tuviera este miedo que afecta mis	Evaluación clara.

	emociones.	
	Los personajes entonces nos dan su opinión de lo que observan.	
Víctima I	Estos pensamientos negativos /reacciones emocionales me están haciendo sentir desdichada. Me están causando dolor. (Estos pensamientos pueden ser bastante objetivos, pero el tono y punto de vista agregan nuevas emociones).	Abusada, herida, derrotada, impotente, autocompasión.
Juez I	Lo que esta mente hace está mal. Está haciendo algo malo. No debería tener esos pensamientos de inseguridad. Debería ser diferente a esto. Creencia implícita: Expectativa de como la mente debería ser—perfecta, tranquila, segura de sí misma.	Justificado/correcto/sabe más; con autoridad.
Princesa	Desearía no tener estas creencias e inseguridades. Desearía que desaparecieran.	Con derecho a cambiar su mente con tan sólo desear que fuera diferente.

Víctima II (Receptora de la crítica del Juez)	No soy lo que el Juez dice que debería ser. No estoy haciendo las cosas bien. Me estoy haciendo sentir desdichada. Es mi culpa. Soy un fracaso. La Víctima II acepta las críticas del Juez de que es responsable de los pensamientos negativos y reacciones emocionales de inseguridad. Debería ser lo que el Juez espera de mí, pero no lo soy.	Sentir auto-rechazo. Estoy mal, soy mala. Culpa y vergüenza, por lo que el sistema de creencias está haciendo. Sentimientos de fracaso.
Ser Auténtico	Deseo de parar el dolor emocional. Este es un deseo genuino para evitar el dolor y experimentar placer. Este deseo genuino luego se distorsiona y es re-direccionado por los personajes.	Deseo genuino.
Solucionador de problemas El primero en responder a la evaluación crítica del Juez.	Voy a detener todo este pensamiento negativo. Arreglaré esta mente y la mejoraré. Creencias Implícitas: —Veo y entiendo todo el problema. —Sé cómo arreglar/cambiar esto. (Quizás sólo debo enfocarme en algo positivo, etc.) —Sé cómo la mente reaccionará a mis acciones.	Esperanza, buenas intenciones, confianza en sí mismo. Imagina un resultado positivo. Confiado, Esperanzado.

	Supuesto: El tiempo previsto para lograrlo es inmediato o se supone que debe ser muy rápido.	Grandes expectativas poco realistas que se convierten en la base para futuras decepciones.
	Expectativa implícita: Las cosas deberían ser diferentes de inmediato.	Autoimagen positiva basada en la idea de que decirnos que debemos ser diferentes, será suficiente.
	Estas expectativas poco realistas llevan a menudo a intentos fallidos que son seguidos de autocrítica.	
Observador	Las cosas no han cambiado aún. (Nada ha pasado para extraer fe de cualquiera de las creencias existentes o cambiar las perspectivas.) Sin embargo, un montón de expectativas se construyeron y los supuestos del Juez y de la Víctima han sido reforzados.	Evaluación honesta.
Juez II (toma los hechos y los convierte en crítica)	Trabajé en esto ayer (o la semana pasada) y, por lo tanto, ya debería estar arreglado. "Intentaste cambiar las cosas, pero fallaste". Creencias implícitas: —Entendiste todas las capas	Justificado y confiadamente "sabiendo más". Expresión de rechazo, decepción, y disgusto hacia el Solucionador de Problemas y la Víctima.

de lo que eran las creencias.
—Tenías control total sobre
tu perspectiva.
—Tenías todas las
habilidades requeridas sobre
tu atención.
—Tenías control total sobre
tu fe.
—Tuviste el tiempo
necesario para completar el
cambio.

Víctima III	Acepta las críticas al Solucionador de Problemas por no tener resultados inmediatos. Las críticas parecen validas porque la fe se depositó en las expectativas de que el cambio debería ser rápido.	Fracasado, no merecedor, culpable, impotente.

El deseo del ser autentico de parar el sufrimiento emocional que sentimos es genuino y real, pero se corrompe cuando es expresado a través de las perspectivas de los personajes arquetípicos. Entonces nuestros esfuerzos son dirigidos a través de estos personajes, en lugar de a través de acciones efectivas como cambiar nuestra perspectiva y abstenernos de depositar fe en las historias reactivas del Juez y de la Víctima.

Al comienzo tal vez no percibamos las expectativas iniciales, críticas, y victimización en que se basan las intenciones del Solucionador de Problemas. Es común buscar más allá de estas interpretaciones automáticas conforme nuestra atención se fija en la generación de soluciones que asumimos nos harán sentir mejor—incluso si estas "soluciones" no logran mucho más de lo que obtenemos cuando regañamos a un neumático pinchado.

Un punto importante a notar en este inventario es que las expresiones de juicio crítico y victimización *preceden* la solución de "arreglarlo". La única razón para que el Solucionador de Problemas entre en acción es porque el Juez y la Víctima han proclamado, y están de acuerdo, en que el asunto original está "mal" o "es malo". Aceptar el enfoque del Solucionador de Problemas significa que indirectamente se deposita fe en los supuestos y rechazos del Juez y la Víctima. Estas creencias ocultas agotan nuestro poder personal de fe y refuerzan nuestra alineación con los paradigmas de las perspectivas de la

Víctima y el Juez. El tema original era acerca de la inseguridad y el miedo a lo que los demás piensen. Estas son esencialmente creencias del Juez y de la Víctima generando expresiones de auto-rechazo. Para lograr un cambio real, lo que se requiere es algo diferente a lo que el Juez y la Víctima sueñan como solución.

La aceptación: Resumen

El proceso de aceptación tiene varios beneficios:

1. Usted rompe con el patrón de juicio crítico y victimización.
2. Practica control sobre su atención y perspectiva. Si su atención huye hacia el Solucionador de Problemas, es probablemente porque usted perdió su perspectiva a manos de los personajes del Juez y la Víctima. La aceptación es por lo tanto una forma práctica para regresar a la perspectiva del observador neutral y retomar el control de su atención. Sin el control sobre su atención y perspectiva usted no podrá cambiar nada.
3. Usted se abstiene de depositar más fe en las creencias del Juez y de la Víctima, para poder tener más poder personal. Cuanto menos poder personal de fe deposite en las capas reactivas de creencias, más poder tendrá disponible para cosas como dirigir su propia atención y abstenerse de otras reacciones.
4. Practicar aceptación es un recordatorio de que *usted no es el problema*. Sus creencias pueden estar generando un número de pensamientos negativos que están causando reacciones emocionales, pero *usted* está bien. Usted, el observador, sentado inmóvil en medio de la tormenta de pensamientos y emociones, está bien. Estos pensamientos y creencias sólo se convierten en un problema real cuando usted adopta la perspectiva de su personaje, se identifica con ellos, y se sube al viaje emocional.
5. Usted evita añadir una capa más de drama. Tal vez usted no haya cambiado la primera creencia o emoción, pero al menos al practicar la aceptación no agregó más capas de creencias encima del problema original.
6. Desde la perspectiva neutral del observador usted puede entonces encarar el inventario de las otras creencias asociadas con el pensamiento original y aguzar su escepticismo hacia ellas.

Practicar aceptación es una de las formas para desarrollar su habilidad y obtener control sobre su atención, perspectiva, ideas conceptuales, y su fe. Una vez que desarrolle algo de este control, cambiar creencias como las que generaron inseguridad y miedo acerca de lo que los demás piensan de usted, se hace más sencillo.

Cambio sin rechazo crítico

Podemos desear cambiar algo, y lograrlo, sin juzgar el sistema existente como "equivocado", "malo", o "inaceptable". No necesitamos las expresiones del Juez y de la Víctima antes de generar la decisión y las acciones prácticas que nos lleven al cambio. Algunas personas sostienen que uno tiene que estar harto y enojado para poder crear cambios. Eso no es cierto. Cuando la gente realiza cambios después de enojarse, no es por el enojo, sino por la decisión y el compromiso que lo acompañan. A pesar de que el enojo es más notable, son la fuerza de la decisión y el compromiso los que realmente consiguen el cambio.

Imagínese que usted es un programador de software que escribió un programa de computadora hace veinte años, en sus primeros años de trabajo. Imagine que todavía se usa el día de hoy. En aquel entonces usted se sentía muy orgulloso de su trabajo; era un gran programa. Sin embargo, dado que las cosas cambian, ese programa ha sido modificado a través de los años para poder interconectarse con muchas otras piezas de hardware y hacer otras cosas que no se le requerían originariamente. A través de los años, usted le ha agregado todo tipo de rutinas y se ha convertido en un programa complicado, lleno de parches. También fue escrito con un código de programación obsoleto que ya nadie utiliza hoy en día.

Cuando usted era un joven programador nunca imaginó el ambiente tan complejo en el que su programa tendría que operar. En cierto modo le sorprende que haya durado y que funcione tan bien después de tanto tiempo. Al mismo tiempo, usted nunca escribiría un programa como ese en la actualidad. Ahora usted es un programador más experimentado y escribiría un código más elegante para acomodar todas las necesidades complejas. Utilizaría un lenguaje diferente, omitiría las rutinas arcaicas que lo hacen más lento, y le agregaría algunas características que lo harían más flexible para los usuarios actuales.

El programa original era una hermosa pieza de trabajo en su momento, pero ahora está obsoleto y necesita actualizarse. Usted puede ver todas sus limitaciones e ineficiencias, pero no las juzga como malas o se critica por escribirlo de la forma en la que lo hizo. En su momento era el mejor código que usted podía escribir, haciendo un gran trabajo. A pesar de que el programa no cumpliría con los estándares del programador experimentado que usted es hoy en día, usted tiene el suficiente sentido común para no aplicar los estándares actuales a algo que fue creado hace veinte años.

¿Qué pasaría si usted mirara de la misma forma el sistema de creencias que ha almacenado fielmente en su mente, completo, con sus perspectivas, patrones emocionales, opiniones, rutinas automáticas y juicios? Estas creencias que usted formó cuando tenía cinco, diez, y quince años eran el código operativo con el que usted, en aquel momento, hacía interpretaciones de eventos lo mejor que podía. Este programa de creencias guiaba sus valores, sus elecciones, sus relaciones, su comportamiento, y los juicios sobre usted mismo y otros. Funcionó muy bien por años y logró traerlo hasta este punto. También ha estado trabajado automáticamente por muchos años sin ser reescrito o revisado conscientemente. En lugar de eso, otras cosas se han ido agregando a través del tiempo, haciéndolo complicado y creando conflictos internos con creencias previamente aceptadas. No hay necesidad de criticar la situación. Ya que usted no tenía las habilidades necesarias para cambiar su sistema de creencias, y tampoco invirtió tiempo en actualizarlo, es comprensible que esto haya sucedido.

Mientras que su viejo sistema de reglas e interpretaciones quizá lo esté haciendo sentir desdichado el día de hoy, era una obra de arte en aquel entonces y le sirvió con eficacia por mucho tiempo. En aquel entonces usted concibió esas creencias con sus mejores intenciones. Hizo lo mejor que podía, incluso si no sabía lo que hacía, ya que en ese momento no tenía la conciencia de estar creando creencias.

Con esta perspectiva, podemos mirar a nuestro sistema de creencias existente y comportamientos con aceptación, e incluso con algo de gratitud. Eran el mejor conjunto de creencias y comportamientos automáticos que podríamos haber creado en ese momento. Si hubiéramos sabido más hace años, sin duda hubiéramos adoptado diferentes creencias. Pero no lo sabíamos. No sabíamos lo que hacíamos cuando depositábamos fe en todas esas ideas, opiniones, y auto-imágenes, y tampoco sabíamos de las consecuencias que una creencia en particular crearía años después. No podíamos saber que nuestra vida tomaría una dirección en particular y que esas burbujas de creencias tendrían consecuencias no deseadas. Simplemente, no teníamos el conocimiento a esa tierna edad para saber lo que estábamos haciendo.

El resultado de adoptar esta perspectiva y expresión de aceptación acerca de su actual sistema de creencias es un sentimiento de ecuanimidad. Hoy, usted escribiría el código de su sistema de creencias de forma diferente, y lo puede hacer. Pero no necesita juzgar las creencias que adquirió en el pasado, o criticarse por seguir teniendo esas creencias. Por lo tanto, sí, usted puede cambiar su sistema de creencias, o cualquier otra cosa, sin rechazar lo que existe actualmente.

El arte de la aceptación requiere de mucha práctica

A primera vista, pareciera que esta actitud y expresión de aceptación no cambia mucho las cosas. Para el ojo inexperto, pareciera que aceptar el hecho de que sus pensamientos, creencias, y emociones a veces se salen fuera de control, significa que usted no está tratando de cambiarlos. Cuando tiene conciencia, usted se da cuenta de que en verdad es exactamente lo contrario. Usted está cambiando su expresión en el momento y eso es mucho más importante. Cuando usted reprime el impulso de arreglar o cambiar una creencia con una historia del Juez o de la Víctima, cambia su perspectiva hacia fuera de la burbuja de creencias de la crítica y la victimización. Cuando se niega a jugar el papel del Solucionador de Problemas, se abstiene de dejar que los personajes del Juez y la Víctima controlen su atención, deja de actuar en su nombre, y se abstiene también de depositar fe en las creencias implícitas de estos personajes. De esta forma, expresar aceptación le permite conservar una mayor cantidad de su poder personal.

Mientras que esta práctica de aceptación es de algún modo parecida a "no-hacer", claramente requiere un esfuerzo. Esta práctica de aceptación va en contra de años del patrón repetitivo, donde expresábamos automáticamente las reacciones de los personajes tratando de arreglar lo que el Juez y la Víctima concluyesen que estaba mal. Requerirá mucha fuerza de voluntad el resistir la tentación de apresurarse a arreglar o criticar. Es probable que usted falle muchas veces. Pero cada vez que se pesque haciéndolo, recobrará más del poder de su fe y le resultará más fácil responder con más integridad y amabilidad la próxima vez.

Adoptar la práctica de aceptación es el primer paso para adoptar una nueva perspectiva y obtener control sobre su atención. Conforme usted practica esta nueva perspectiva desde la que se expresa, los paradigmas de creencias del Juez y de la Víctima tendrán menos y menos control sobre sus emociones. Al mismo tiempo, usted estará practicando una expresión mucho más placentera de emoción, algo mucho más agradable que aquello que los arquetipos nos ofrecen.

Poniendo las cosas en acción y comportamiento

¿Realmente llevará usted este acto de expresar aceptación a la práctica? Para aquellos a los que su sistema de creencias les dice que confíen en sus estrategias no probadas, o que no se toman su felicidad seriamente, sólo será una idea intelectual equivalente a un pensamiento pasajero. Las burbujas de creencias existentes y sus personajes descartarán este capítulo y el ejercicio como algo sin importancia o poco eficaz. Lo que hará que una persona emprenda una acción es que deposite algo de fe en la idea de que practicar aceptación tiene un valor. Si usted ve que tiene sentido porque le lleva un paso más allá hacia el dominio de todos los elementos que controlan sus creencias, entonces depositará algo de fe en que practicar aceptación tiene su mérito. Si usted ve que vale la pena romper los ciclos de expresión que generan el Juez y la Víctima, entonces usted dará el primer paso necesario.

Hasta que no lo intente, usted no sabrá con certeza si este enfoque lo ayudará. Sólo lo sabrá después de intentarlo por un tiempo y ver con sus propios ojos lo que sucede. Por lo tanto, otorgue un poco de fe a que practicar aceptación de sus creencias le ayudará a desarrollar las habilidades para cambiar lo que pasa en su mente. El poder de su fe le dejará iniciar una acción, y la acción le dará un resultado que podrá ver con sus propios ojos. Ver el resultado de sus acciones hará más fácil el depositar fe en este nuevo paradigma y así construirá un nuevo hábito.

Dos advertencias

Los personajes y expresiones del Juez y de la Víctima son la principal fuente de una mente emocionalmente infeliz. Ellos crean auto-rechazo, crítica, y abuso. Dado que ellos son los que generan el tipo de pensamiento que está causando nuestros problemas emocionales, es poco probable que esos personajes nos brinden soluciones para detener su propio comportamiento. No están programados para formar, o incluso reconocer, una estrategia efectiva para cambiar las creencias y crear felicidad. Así que, si su mente espontáneamente genera una reacción emocional acerca de otra reacción emocional que usted tuvo, junto con una intención para el cambio, considere que ésta última probablemente no es una estrategia efectiva para el cambio. Si usted no está seguro, haga un inventario acerca de la nueva reacción y la intención para el cambio, y examine las diferentes creencias.

Además, tenga cuidado cuando su mente decida adoptar la intención de la aceptación, pero con la motivación de que al hacerlo será capaz de cambiar creencias, reacciones emocionales, y pensamientos negativos. La motivación de "cambiar" puede a veces tener tonos subyacentes de crítica, rechazo, y victimización. Este es el Solucionador de Problemas metiéndose con las cosas y trayendo una historia ficticia de aceptación, mientras que por debajo alberga una expresión de rechazo por "estar mal" o "ser malo". No es probable que el Solucionador de Problemas logre ecuanimidad acerca de la situación del momento presente. Como una medida contra esta intención distorsionada, escriba los personajes y haga la lista de cada una de sus intenciones debajo de esta estrategia dañada. Esto le ayudará a ser el observador y enfocar su atención en la burbuja de creencias del Solucionador de Problemas.

Capítulo 14
El proceso para cambiar creencias

Cambiar una creencia requiere algo más que sólo desear que desaparezca. Para cambiar una creencia, usted necesita reconocer que no es cierta. Para las creencias más firmes, puede ser necesario saber *por qué* no es cierta. Esto implica descubrir los falsos supuestos que sostienen esa creencia.

Como hemos visto con anterioridad, una creencia forma una suerte de burbuja en la imaginación. Incluso un concepto simple puede llenar su imaginación y parecer enorme. Es entonces cuando parece real por el poder personal de fe que usted le infunde. Este depósito de fe tiene el efecto adicional de oscurecer su percepción, haciéndole difícil poder considerar otras posibilidades. El típico resultado al crear este tipo de burbuja conceptual y depositar poder personal en ella, es que usted produce su propia realidad imaginaria. Su mente proyecta sus creencias de varias formas: pensamientos, divagaciones, historias, o incluso películas en miniatura. Entonces usted experimenta una respuesta emocional a sus creencias proyectadas, lo que refuerza la ilusión de que son verdaderas.

También hemos notado que cuando se quiere cambiar este patrón, el primer y más crítico paso es cambiar su perspectiva y ver la creencia desde fuera de la burbuja. Si bien todos los elementos de la creencia tendrán que ser abordados, cambiar su punto de vista es a menudo el punto de partida más fácil. Los intentos para detener el pensamiento, la creencia, o emoción no serán muy efectivos a menos que usted cambie primero su punto de vista.

Desde esta perspectiva neutral de observador, la burbuja de creencias conceptual en su mente empezará a cambiar su apariencia. Dejará de parecer una representación verdadera de la realidad. Usted también podrá considerar otras interpretaciones, opiniones, y hechos. En la medida en que usted todavía tenga fe depositada en la creencia, seguirá produciendo emociones. Conforme remueva su fe de la burbuja de creencias, ésta se irá disolviendo. Por lo menos, podrá abstenerse de depositar más fe en la misma creencia.

¿Cómo se retira la fe de una falsa creencia? A menudo, usted deja instintivamente de depositar su fe en la historia e imágenes en su mente, cuando se da cuenta de que la historia es ficticia. Se requiere poco esfuerzo para dejar de creer en ella, una vez que usted la identifica como falsa. Cuando esto sucede, la gente a menudo lo vive como una epifanía. De pronto, simplemente, saben, y no se requiere ningún esfuerzo para que su apego a la idea cambie. Algunas personas suponen que hay que invertir mucho esfuerzo para cambiar una creencia, pero el hecho es que se requiere más energía, en la forma de poder de la fe, para mantener intacta una creencia. Cuando usted deja de depositar su fe en falsas creencias, tiene mucha más energía disponible. Lo que requiere esfuerzo durante este proceso, es el movimiento de su perspectiva a la del observador, o a un punto de vista escéptico.

A veces, el solo hecho de cambiar su perspectiva es suficiente para retirar su fe de una creencia y dejar que cambie. A veces usted ha depositado su fe en ciertas creencias durante tanto tiempo, que toda la estructura se mantiene intacta incluso cuando usted puede ver claramente, desde la perspectiva de observador, que no son ciertas. Cuando se trata de afrontar estas creencias más grandes, usted puede aplicar algunas de las otras herramientas que se describen en este capítulo. Algunas de ellas le serán familiares por los diferentes ejemplos que ya ha leído a lo largo de este libro.

El primer y más crítico paso es cambiar su perspectiva y ver la creencia desde fuera de la burbuja.

Las creencias que son difíciles de cambiar

Las creencias que habitualmente son más difíciles de cambiar contienen capas de creencias asociadas que las sostienen. También se nutren de recuerdos como evidencia para fortalecer el argumento de que las creencias son verdaderas. Como fue señalado en el capítulo 12, estas *creencias de fondo* son más complicadas de cambiar porque usted también tiene que disolver las creencias que las sostienen. Algunos ejemplos de creencias de fondo son "No soy lo suficientemente bueno" o "Hay algo malo en mí". Desde ese eje central, usted puede haber desarrollado creencias más específicas acerca de no merecer ser amado o no ser lo suficientemente inteligente, atractivo, alto, o exitoso.

Su proyección de que otros lo ven de la misma manera como "no suficientemente bueno" está originada y cubierta por esas creencias. Usted asume que la autoimagen negativa que tiene en su sistema de creencias es lo que otras personas tienen en su mente cuando lo miran. Ya que no sabe lo que otros piensan realmente, ésta es sólo una capa imaginaria, pero su fe en ella sostiene la creencia de fondo original. Cambiar las creencias de fondo es mucho más difícil ahora, porque usted depositó fe en la idea de que usted se vio desde el punto de vista de otros y éste coincidió con el cómo usted se ve a sí mismo.

Una creencia de fondo se eclipsa aún más si usted construye una imagen compensatoria como solución a la imagen negativa en su sistema de creencias. Quizás usted proyecta la imagen de la persona que cree que a otros les agradará e invierte energía en tratar de personificar ese ideal. Intenta decir las palabras correctas de la forma correcta, y se viste para provocar respuestas positivas de la gente. Deposita fe y energía en esta solución de imagen proyectada. Estos comportamientos pueden evidenciar a los personajes del Héroe o el Complaciente, cubriendo la identidad del personaje de la Víctima.

Irónicamente, si bien usted puede sentirse mejor al obtener estas respuestas positivas cuando las personas muestran evidencia de amarlo y respetarlo, lo más seguro es que las descarte porque cree que la gente no ve su yo "real". Usted todavía asume que su yo "real" es la falsa autoimagen que su sistema de creencias ha etiquetado como "no lo suficientemente bueno". Aun cuando tiene una evidencia externa de que usted le agrada a la gente y de que lo respetan, el personaje dentro de su burbuja de creencias encuentra razones para desecharla. Este personaje "no lo suficientemente bueno" y sus creencias, pasan a menudo inadvertidos mientras estamos ocupados tratando de impresionar favorablemente a la gente con nuestro personaje seguro de sí mismo. Estos son dos aspectos de la auto-importancia del ego, descritos en el capítulo 8, con uno intentando enmascarar al otro.

Una persona puede tener simultáneamente tanto una autoimagen negativa que trata de esconder como una autoimagen positiva que trata de proyectar al mundo que lo rodea. Ambas imágenes sólo existen dentro de la burbuja de creencias de la persona.

El tipo de creencia de fondo "no lo suficientemente bueno" es muy amplio. Cuenta a la vez con capas de sostén que tienden a mantenerla intacta y con estrategias compensatorias que lo ayudan todo el tiempo a evitar el sentimiento de "no ser suficientemente bueno". Cuando tratamos con creencias de fondo, es mejor que usted controle sus expectativas y avance paso a paso. Las creencias de fondo son como árboles muy grandes y es improbable que caigan con un sólo golpe de hacha, sin importar cuán afilada esté el hacha o cuán poderoso sea el golpe.

Encarando un sistema

Una creencia es un sistema. Está compuesto por la perspectiva del personaje, la fe, y las ideas conceptuales, la historia, u opinión. Juntas, todas estas partes producen emociones.

Cambiar una creencia de fondo requiere cambiar todos los elementos de ese sistema. Si usted disuelve un elemento, pero deja otros intactos, el sistema reconstruirá el elemento faltante. Es muy parecido a arrancar hierba mala: es necesario arrancar todas las raíces o la hierba volverá a crecer. Si usted desecha una historia de víctima en su mente, pero deja al personaje de la Víctima intacto, volverá a recrear otra historia de víctima. Si intenta eliminar al personaje del Juez, pero todavía tiene fe en sus historias, la estructura de esas historias influenciará nuevamente su perspectiva hacia el personaje del Juez. El sólo desear que las emociones desparezcan es el método menos efectivo porque deja la perspectiva del personaje y la fe en la creencia intactas. Para obtener resultados duraderos al cambiar su sistema de creencias, es necesario encarar todos los aspectos del sistema.

Ejercicio: Escriba las emociones que siente

Una de las mejores formas de identificar sus creencias basadas en el miedo o sus creencias limitantes es a través de registrar sus reacciones emocionales. Algunas emociones pueden ser muy sutiles así que requiere práctica hacernos conscientes de ellas. Las emociones como la ansiedad, la preocupación, o el estrés pueden ser tan comunes en nuestra experiencia que ya se han vuelto parte de nuestro estado normal de funcionamiento y son, por lo tanto, difíciles de discernir como cuestionables. También podemos tener creencias acerca de que algunas de nuestras emociones son "malas" y que no "deberíamos sentirnos así". Estas creencias acerca de las emociones a menudo nos hacen reprimirlas, o dirigen nuestra atención hacia otro lado, para evitar que identifiquemos lo que sentimos. De cualquier manera, las emociones son un indicador revelador de nuestras creencias o de otras cuestiones a las que vale la pena prestarles atención.

Se requiere práctica para observar sus emociones. Conforme desarrolle conciencia de cómo su mente reacciona a creencias inconscientes, usted podrá realmente mirar cómo su sistema de creencias utiliza otras historias para distraer su atención con el objeto de no sentir emociones desagradables. Estas distracciones pueden tomar la forma de justificaciones, opiniones, e historias acerca de eventos, o acerca de sus reacciones a eventos. Su perspectiva es retirada del modo de observador, y su atención es alejada de la identificación de lo que usted siente. El tiempo invertido en escribir en tercera persona puede ser útil para condicionarse a observar estas dinámicas.

Cuando trabajo con personas para ayudarlas a identificar estas creencias, a menudo les pido que me digan lo que estaban sintiendo en alguna situación. Ellas contestan describiendo cómo la circunstancia empezó y quién hizo algo mal, o justificando su comportamiento. Ninguna de estas respuestas explica ninguna de sus emociones. Cuando usted está tratando de identificar la emoción conectada a una creencia, la respuesta puede habitualmente ser dada con tan sólo una palabra: enojado, triste, culpable, avergonzado, frustrado, celoso, temeroso, etcétera. La única ocasión en la que se necesita más de una palabra es cuando usted experimenta múltiples emociones. Intente utilizar una sola palabra para describir lo que siente. Si usa más de una frase para describir sus emociones, esto una pista de que su mente está distrayendo su atención de lo que está sintiendo.

La identificación y la observación de las emociones juegan un rol importante para encontrar estas creencias ocultas—tanto que cada uno de los inventarios usados en este libro dedica una columna a identificar las emociones. Al principio puede ser algo difícil el encontrar las palabras para verbalizar las sensaciones de las emociones. Si ese es el caso, comience con descripciones simples como "desagradable" o "agradable".

Las emociones son un revelador indicador de nuestras creencias o de otras cuestiones a las que vale la pena prestar atención.

Cambiando creencias a través del escrutinio y el escepticismo

El escrutinio y el escepticismo son herramientas que nos pueden ayudar a escapar de una burbuja de falsas creencias. El escrutinio es una habilidad de investigación y examen que podemos aplicar a nuestros pensamientos, opiniones, y creencias. El escepticismo es el hábil uso de la duda. Hemos utilizado esta actitud y enfoque del escepticismo en ejemplos anteriores, así que tal vez ya le resulte familiar.

Empezamos asumiendo que el mundo dentro de nuestra mente no es correcto a veces. Dado que no podemos estar seguros de cuáles de nuestros pensamientos son verdaderos o precisos, nos hacemos conscientes y comenzamos a cuestionarlos. Somos más escépticos de nuestros pensamientos e imágenes asociados con emociones desagradables, ya que las falsas creencias y las creencias basadas en miedos comúnmente producen reacciones emocionales desagradables. Por lo tanto, asumimos que el dialogo interno y los pensamientos que rodean a una reacción emocional tienen en el fondo algunos supuestos y creencias defectuosas.

En este proceso de utilizar la duda, debemos ser conscientes de que estamos dudando de los *pensamientos y creencias* en nuestra mente, no de *nosotros mismos*. Tampoco estamos utilizando el escepticismo con las emociones en sí mismas que estamos sintiendo genuinamente, sino más bien con las creencias desde las que surgen las emociones. Por ejemplo, si pensamos "Nunca voy a poder entender esto", significa que un pensamiento de duda y el personaje de la Víctima están tratando de adherirse a nosotros. Al usar el escepticismo, invertimos los papeles y preguntamos: ¿Qué personaje está proponiendo este pensamiento? ¿Qué emociones vienen con esta creencia? ¿Cuál es la experiencia de este personaje en desarrollo personal, cambio emocional, y profecías acerca del futuro que indiquen que puede predecir resultados tan pronto? Al hacernos estas preguntas dudamos conscientemente de los pensamientos del personaje y de la certidumbre acerca del proceso. Si usted ha escrito los pensamientos que tiene acerca de una reacción emocional y los ha atribuido a sus diferentes personajes, este proceso de cuestionarlos es mucho más efectivo. Cuando desmantelamos un sistema de creencias puede ser útil investigar un supuesto o una creencia de sostén a la vez.

Ejercicio: Hacerse preguntas para desarrollar escepticismo

Para ayudar a avanzar el proceso de cambio, podemos hacer preguntas que no sólo desafíen los pensamientos o creencias existentes sino, mucho más importante, que nos ayuden a mantener nuestra perspectiva en la postura del observador, de manera que no reforcemos los patrones arquetípicos. Podemos comenzar haciendo preguntas que utilicen nuestra curiosidad natural y lleven a nuestra mente en la dirección de la conciencia, el escepticismo y la creatividad. Algunas preguntas podrían ser:

- ¿Qué emoción estoy sintiendo?
- ¿A qué perspectiva de personaje está apuntando esto?
- ¿Cuáles son los pensamientos y diálogo interno que corresponden a esta emoción?
- ¿Qué personaje está teniendo estos pensamientos?
- ¿Qué otros personajes están haciendo comentarios acerca de esta historia o emoción?
- ¿Qué emociones estoy generando cuando asumo la perspectiva de este personaje y creo en estos pensamientos?
- ¿En qué está enfocada mi atención?
- ¿En qué quieren que ponga mi atención estos personajes?
- ¿Cuáles son las evaluaciones de hechos en estos pensamientos?

- ¿Cómo estos personajes están exagerando o distorsionando estas evaluaciones?
- ¿Cuáles son los pensamientos emocionalmente cargados en un personaje que no provienen de hechos reales?
- ¿Qué supuestos están siendo inyectados en estos hechos y que distorsionan una clara comprensión?
- ¿Qué interpretaciones diferentes puedo hacer acerca de mi situación, que también puedan ser válidas?
- ¿Qué creencias implícitas y asociadas están mezcladas con estos pensamientos?
- ¿Cómo podría alguien más interpretar lo que sucedió?

Si usted no cree que estas preguntas le sean de utilidad, cree una lista con las preguntas que funcionen mejor para usted.

Uno de los paradigmas de la Víctima es el sentimiento de impotencia, que a menudo implica el no tener opciones. Con tan sólo hacer preguntas diferentes, usamos nuestra atención para buscar otras opciones; de esta forma, empezamos a ver que tenemos otras alternativas. Tan pronto como percibamos otras opciones, nuestro paradigma de impotencia disminuye, y cambiamos nuestra perspectiva alejándola de la perspectiva de la Víctima.

El uso de las preguntas para cambiar nuestra atención, nos ayuda a salir de la burbuja de creencias de cualquier personaje arquetípico. Preguntar "¿En qué personaje estoy inmerso en este momento que genera esta emoción?" dirige nuestra atención hacia observar nuestra perspectiva actual. Ni siquiera importa si su pregunta es contestada o si identifica el arquetipo específico del que surge el pensamiento. El sólo hecho de que usted haya entrado en esta vigilante e interrogativa perspectiva de observador, está haciendo que nuestra mente funcione de manera diferente.

Tener una actitud y perspectiva adecuadas

En el proceso de cambiar las creencias, es importante que usted adopte una nueva perspectiva. Si esta nueva perspectiva fuera un personaje, sería como Sherlock Holmes, hurgando dentro de un misterio, buscando pistas de forma de poder identificar lo que es verdad y lo que es ficción. También usted puede pensar que es como el abogado Perry Mason, entrevistando al sistema de creencias para poder encontrar las inconsistencias en la historia. O usted puede imaginarlo como un cazador que rastrea dinero o escondites de fe fuera de lugar.

Esta acción de cazar sus falsas creencias mueve su perspectiva lejos de los personajes arquetípicos. Adoptar la perspectiva y actitud del escéptico le permite hacer las preguntas correctas. Con la práctica, usted desarrolla y fortalece este personaje en su personalidad, de manera que instintivamente hará las preguntas necesarias para cualquier situación.

He conocido a mucha gente que se considera a sí misma escéptica. Ellos incluso tienen una experiencia avanzada en no creer en lo que otros piensan, ya sea por su entrenamiento científico o por haber sido ateos practicantes durante años. Lo que estos auto-proclamados escépticos llegan a descubrir es que nunca han cuestionado sus propios pensamientos, creencias y sistemas de pensamientos, de la misma forma en que cuestionan todo lo demás. Aprendieron a confiar implícitamente en sus propios procesos de pensamiento, interpretaciones, y conclusiones incluso cuando estos pensamientos vienen de personajes arquetípicos de su sistema de creencias. Girar su atención a sus propias creencias y examinarlas, requiere un nivel completamente diferente de escepticismo.

Ejercicio: Diseccionando creencias ocultas e incrustadas

Algunas creencias están ocultas y sostienen una creencia más grande de la misma forma en que los rayos sostienen la rueda de una bicicleta. La clave es encontrarlas y desafiarlas una por una, y eventualmente la creencia más grande se cae en pedazos. La forma de hacerlo es con un inventario gráfico de creencias. Los ejemplos de inventarios incluidos en este libro son esquemas resumidos de pensamientos y creencias. Una persona puede necesitar escribir muchas páginas con todos los pensamientos de sus personajes, hasta encontrar las creencias pertinentes de las cuales surgen.

Las mismas palabras pueden ser expresadas por diferentes personajes, usando diferentes tonos o actitudes, y tener significados completamente diferentes. Por ejemplo, si alguien dice "Hiciste un gran trabajo" de manera suave y tierna significa una cosa; si lo dicen con sarcasmo, desprecio y desdén, esas mismas palabras tienen el significado opuesto. Si usted quiere saber el significado real del mensaje, tiene que escuchar el tono y la actitud de lo que se dice o se piensa. Este tipo de significados ocultos o incrustados también se encuentra dentro de nuestros pensamientos.

Diseccionemos las creencias detrás del comentario "No puedo hacer esto", una frase simple que puede tener muchos significados diferentes y producir una variedad de emociones. Revelaremos algunas de las creencias posibles que la sostienen y veremos luego cómo el proceso de escrutinio y escepticismo puede ser utilizado para recuperar su fe desde varios de los "rayos".

Supongamos que usted ha intentado hacer cambios en su comportamiento, quizás eliminar un hábito o una reacción emocional. Ha estado trabajando en pos de esto durante varias semanas, pero a pesar de su dedicado esfuerzo, usted todavía exhibe el patrón del viejo comportamiento.

Después de un tiempo, usted empieza a pensar: "No puedo hacer esto". Muchas emociones diferentes pueden acompañar esta misma declaración. Usted puede sentirse como un fracasado, derrotado, frustrado, que no vale nada, o incluso enojado. Desde dentro de la burbuja de la creencia "No puedo hacer esto", pareciera que realmente usted no puede cambiar. También está depositando su fe, sin saberlo, en todas las creencias ocultas que soportan este pensamiento. Para deconstruir la creencia "No puedo hacer esto", nos ayudará el identificar y examinar cada una de las creencias que pueden estar incrustadas en esta idea.

A primera vista la declaración "No puedo hacer esto" puede ser sólo una observación o apreciación sin ninguna carga emocional. Es un simple reconocimiento del hecho, "Basado en mis habilidades actuales, comprensión del problema, e intentos hasta el momento, he sido incapaz de realizar los cambios que deseaba". La observación de los hechos en sí mismo no implica mucha reacción emocional o infelicidad, ya que simplemente refleja la realidad. Sin embargo, si la declaración conlleva una carga emocional, es una pista de que también contiene otros significados que son falsos y basados en el ego.

"No puedo hacer esto" → Frustración

Cuando nos sentimos frustrados, es porque creemos en la expectativa de que un cierto resultado debería haberse conseguido ya. Incluido en esa creencia están los supuestos de que tenemos todos los recursos necesarios, habilidades, y tiempo requerido. El hecho de que no hayamos logrado nuestra meta externa denota un fracaso de nuestra parte. En nuestro sistema de creencias, "sabemos" que somos capaces de lograrlo, y estamos reaccionando porque no lo hemos hecho. Pero si nos hacemos conscientes de que nos faltan los recursos apropiados, el entrenamiento, o el nivel de habilidad, no tendríamos las mismas expectativas de éxito y, por lo tanto, no nos sentiríamos frustrados.

Cuando está acompañada por la frustración, la declaración "No puedo hacer esto", deja de ser sólo una observación. Es una condena, basada en la expectativa de que usted debería haber logrado ya las metas específicas. Si el éxito está previsto y no llega, entonces el problema debe ser usted. Incluida en la declaración está la idea de que "He fracasado en cumplir con las metas esperadas." Esta creencia incrustada produce auto-rechazo y sentimientos de no ser valioso. Esta autoimagen negativa está en conflicto con la expectativa de una imagen positiva de usted siendo exitoso. El mismo pensamiento puede producir un sinnúmero de emociones diferentes a causa de las diferentes creencias y significados incrustados desde donde surge el pensamiento.

Personaje	Pensamiento/Creencia/ Comportamiento/ Acciones	Emociones
Héroe/ Solucionador de Problemas	"No puedo hacer esto" (por ejemplo, hacer cambios en mis pensamientos, comportamientos, emociones).	Frustración.
	Expectativa: Puedo lograrlo. Sólo me debería tomar un día o una semana.	
	Incrustada: Este tema de comportamiento es menor y fácil de cambiar.	Optimista, esperanzado, seguro de sí mismo
	Incrustada: Tengo todos los recursos, habilidades, y poder personal necesario para hacer este cambio.	
Héroe	Utiliza la técnica (como una afirmación).	
Evaluación del Observador	El comportamiento continúa. El intento de cambiar no fue efectivo.	Neutral.
Juez	No funcionó. Lo sigues haciendo. Fracasaste.	Condena autoritaria.
Víctima	Lo que intenté no funcionó. Fracasé.	Sin valor, un fracaso.
Víctima Impotente	No puedo hacer esto. Implicación: Identidad impotente.	Impotencia.
Víctima Sin Esperanza	Incrustado: Nunca seré capaz de hacer esto. (Escena y personaje proyectados al futuro)	Desesperanza.
Héroe	He fracasado donde debería haber tenido éxito.	Frustración

En lugar de tratar de cambiar directamente la creencia y su tono derrotista, debemos perseguir las creencias incrustadas que la sostienen. La primera es la expectativa del éxito inmediato. Las preguntas que Perry Mason o un detective podrían hacer incluyen: ¿Es razonable esperar que un comportamiento que usted ha pasado toda una vida en automatizar, se rompa en tan sólo unos días o semanas? ¿Cuántos días o semanas dice el Juez que debería tomar? ¿Cuánto tiempo asume el Solucionador de Problemas que tomará? ¿Esta expectativa está basada en alguna experiencia o este personaje sólo la inventó? ¿Cuántos hábitos como éste usted ha cambiado en el pasado? ¿Ha guiado a otras personas a través de cambios similares para saber lo que se requiere? ¿Si un buen amigo estuviera trabajando en el mismo cambio emocional, cuánto tiempo esperaría usted que le llevara? ¿Cuánto tiempo le permitiría trabajar en ello antes de empezar a juzgarlo, criticarlo, o sentirse tan frustrado como él?

La segunda creencia incrustada es el supuesto de que usted tiene todas las herramientas, habilidades, y recursos que necesita para haber logrado el cambio. Este supuesto sostiene la prevista expectativa de éxito. Detrás de ella, está una autoimagen positiva de éxito, en la que se siente bien con usted mismo y que lo provee de una expectativa optimista. Aunque estos son buenos sentimientos e imágenes, donde usted se imagina siendo exitoso, también lo preparan para expectativas poco realistas que lo llevan a la decepción.

El hecho de que haya sido exitoso en otras áreas no significa que usted automáticamente sea bueno para cambiar sus creencias. Eso sería como esperar que alguien que es bueno en ping-pong sea automáticamente bueno para tocar el piano.

Creencias de impotencia y desesperanza incrustadas

¿El fracaso pasado predice el fracaso en el futuro? Como una declaración de hechos, sin carga emocional, "Fracasé en el pasado" es verdadero. Sin embargo, "Nunca seré capaz de hacer esto" es una proyección de un futuro supuesto. Sugiere un tipo de impotencia sobre el comportamiento o creencia. Una vez que esta burbuja del personaje se asume, otra capa de significado debilitante se le agrega. La creencia incrustada de que no hay oportunidad de tener éxito en el futuro, genera un sentimiento de desesperanza.

Hay una enorme diferencia de proyección entre "No he tenido éxito todavía" y "Nunca podré tenerlo". Cuando usamos la declaración "No puedo hacer esto", tal vez estemos tratando de acortar la forma de expresar el primer significado de una simple historia; sin embargo, la segunda versión con la proyección del fracaso del futuro puede filtrarse en la identidad del personaje, en el significado y el sentimiento. Cuando lo hace, puede fomentar una creencia debilitante y auto-saboteadora.

¿Cuántas veces ha intentado y fracasado en algo, antes de ser bueno en ello? ¿Cuántas veces usted se cayó mientras aprendía a caminar? Usted no recuerda todos los errores simples de matemáticas u ortografía que hizo en la escuela cuando era niño, pero eso no impidió que usted desarrollara las habilidades que hoy en día tiene para calcular o leer. Un buen escéptico reconoce que no sabe lo que resultará de un enfoque diferente o del siguiente intento.

Una vez que usted se da cuenta de que estas pequeñas creencias incrustadas son inválidas, verá que la declaración "No puedo con esto" es falsa de muchas formas. Es falsa en su predicción del futuro, en su expectativa de que usted ya tiene todas las habilidades y entrenamiento que necesita, en su mandato de que ya debería haberlo logrado, y en su creación de las dos autoimágenes opuestas de éxito y fracaso. Si usted puede percibir que esas cuatro palabras pueden acarrear muchos significados falsos, y que todos estos significados pueden proyectarse al mismo tiempo, se aclara el por qué usted querría analizarlos e investigar los significados incrustados. Todos estos significados incrustados son falsos, a pesar de que a nivel superficial la declaración pareciera cierta por los intentos fallidos del pasado.

Las pequeñas creencias alimentan a las grandes, como las raíces de un árbol alimentan la estabilidad del tronco. Cuando usted se da cuenta de la falla en los supuestos de estas creencias incrustadas, las más grandes empiezan a ser cuestionadas. Con la actitud de un detective, instintivamente usted retira su fe de ellas. Corte el flujo desde las raíces más pequeñas, y el tronco empezará a secarse por la falta de sostén.

Diseccionar estos sistemas de creencias requiere esfuerzo. Sin embargo, toma mucho menos esfuerzo desmantelarlas que sostener estructuras mentales falsas por el resto de tu vida.

Usted puede elegir cómo definirse cuando dirige su propia atención y fe.

Creencias implícitas

Es útil hacer la distinción entre las creencias o significados que están *incrustados* en una declaración y significados que están *implícitos*. Las creencias o significados implícitos son los que nuestra mente proyecta encima de lo que se dice o se piensa.

Considere nuevamente el ejemplo anterior, "No puedo hacer esto". Estas cuatro palabras pueden ser una declaración de hecho acerca de sus acciones y resultados pasados. Pero supongamos que usted se siente desvalorizado y como un fracasado. Estas emociones se refieren más a una identidad de fracaso que a un intento fallido al hacer algo. Estos sentimientos nos dan la pista de un grupo separado de creencias acerca de la identidad y autoestima.

En la burbuja de creencias proyectada, la declaración es acerca de lo que usted "no puede" lograr, pero implica "Soy un fracaso". A pesar de que las palabras en la declaración fueron acerca de las acciones fallidas, su imaginación las lleva un paso más adelante e implica conclusiones acerca de su identidad.

Las capas de creencias crean espirales de emociones de impotencia y desesperanza. "No puedo hacer esto" se convierte en "No seré capaz de lograrlo", lo que se convierte en "Soy un fracaso". El sentimiento de impotencia genera desesperanza. Desde la perspectiva de la burbuja de la Víctima, el siguiente pensamiento lógico es que lo mejor es dejar de intentarlo ya que resultará en un fracaso de todos modos. Así, le está haciendo creer que esto será cierto para todos los intentos futuros del resto de su vida. Dentro de la burbuja de creencias del personaje, no hay oportunidad para cambiar. Usted siente desesperación y depresión acerca de la situación que viene de múltiples creencias. Desde la perspectiva de la Víctima, el futuro parece sombrío.

De hecho, esta identidad implícita de impotencia es inventada. Sin embargo, ya que una persona puede haberla adoptado durante muchos años, parece válida desde dentro de la burbuja de creencias, y posiblemente tan familiar que se siente como "yo". ¿El fallar en algo significa que *usted* es un fracaso? No. Lo único que lo define como un fracaso es su propio depósito de fe en ese concepto—su propio uso de su fe lo define a usted de esa forma. Usted puede elegir cómo definirse cuando dirige su propia atención y fe.

¿Dónde se encuentra nuestro poder? La ironía es que mientras creemos que no tenemos poder, realmente tenemos un poder extraordinario. Utilizamos una cantidad increíble de ese poder en la forma de fe, para mantener nuestras falsas creencias y la falsa identidad del personaje. Estas ideas conceptuales se hacen poderosas en nuestras mentes porque depositamos nuestro poder en ellas. Entonces estas creencias y falsas identidades que creamos nos impiden la acción.

Nadie más puede ahogar nuestros intentos tan efectivamente como lo hacemos con nuestras propias creencias. ¿Cómo saboteamos nuestra acción y poder de forma tan efectiva? Lo hacemos a través de un acto estupendo de poder: nos auto-hipnotizamos con nuestra propia creencia de que somos impotentes.

Nadie más puede ahogar nuestros intentos tan efectivamente como lo hacemos con nuestras propias creencias.

Creencias asociadas: Cómo nuestra mente se mueve en espiral

Una vez que usted pierde su atención entregándola a una creencia, ve las cosas desde la perspectiva del personaje dentro de esa burbuja de creencias. Desde la perspectiva de ese personaje muchas de sus creencias se activan y se combinan con la imagen. Por ejemplo, nuestros recuerdos del pasado no tienen nada que ver con nuestra situación actual. Pero cuando entramos en la burbuja de creencias del fracaso, se pueden desencadenar recuerdos de experiencias pasadas donde nos sentimos y creímos que éramos impotentes, y nuestra imaginación las aplica a la situación actual. Aun cuando los recuerdos sean de varias décadas atrás, son utilizados como evidencia de que somos impotentes en nuestra situación actual. Estos recuerdos asociados del pasado amplifican nuestro estado emocional en forma desproporcionada a las circunstancias o historia presentes. Estas creencias asociadas provienen del mismo personaje y generan las mismas emociones, o similares, aun cuando no tengan nada que ver con la situación actual.

Las creencias asociadas a menudo se comportan de manera diferente que las creencias incrustadas o implícitas. Distraen nuestra atención de seguir la estructura particular de las creencias, e intentan arrastrar nuestra perspectiva a la burbuja de creencias de otro personaje, o a creencias similares del mismo personaje. La historia presente de la Víctima que se siente impotente puede hacer que la mente piense acerca de alguna vez en nuestra vida donde nos sentimos impotentes, y que se pareció exactamente a esta nueva ocasión.

Lo que complica esto es el hecho de que cuando estamos en la perspectiva de la Víctima impotente, no podemos percibir nada que contradiga sus creencias. Es dentro de esta burbuja de creencias dónde es impotente, y nada fuera de esa burbuja que pudiera contradecirla tampoco puede ser percibido o descontado de alguna manera. Por esta razón, ninguna cantidad de evidencia para lo contrario cambiará la burbuja de creencias. Debemos primero cambiar nuestra perspectiva fuera de la de este personaje, hacia la de un observador más neutral.

Cuando las creencias asociadas se instalan, nuestras reacciones emocionales ya no son acerca de lo que realmente está pasando, sino que se vuelven exageradas y fuera de proporción. Un lugar en el que comúnmente vemos esto es cuando tenemos una discusión. Si estamos enojados con nuestra pareja, mencionamos todo tipo de cosas por las que nos enojamos meses o años atrás. El Villano Enojado mezcla todas las historias acerca de nuestra pareja, e incluso de parejas anteriores, y amplifica las emociones. Los pensamientos de los eventos tal vez brincan de un lado a otro, pero tienen la perspectiva y las emociones del mismo personaje. El resultado es que reaccionamos emocionalmente de forma exagerada. Después, si nos sentimos culpables por enojarnos, la Víctima asocia este sentimiento con otra ocasión en donde nos enojamos y le combina el sentimiento de culpa.

Una forma de ayudar a quitar carga emocional de estos recuerdos es revisitarlos desde la perspectiva de observador, desmantelar las falsas creencias detrás de estos eventos pasados y personajes de forma individual, y reclamar la fe depositada en sus historias. Quitar fe de estas interpretaciones de experiencias pasadas remueve la posibilidad de que los personajes hagan esta asociación pasado-presente.

Ejercicio: Hacer uso del inventario gráfico

El inventario anterior en este capítulo empezó con esta oración corta: "No puedo hacer esto". Detrás de estas cuatro palabras había numerosas creencias, desde diferentes personajes, generando muchas emociones diferentes. Probablemente usted no descubra estas capas de creencias dentro de un único pensamiento al hacer este proceso en su cabeza. El inventario de creencias es mucho más efectivo cuando usted las escribe. Cuando un sistema de burbuja de creencias está en una página enfrente de usted, es mucho más fácil salir de él que cuando sólo está en su cabeza. Enfatizamos el escribir el inventario porque incorpora muchas de las prácticas en un único proceso. Escribir también lo ayuda a dirigir su atención de una forma sistemática, analítica, cuando otros pensamientos intentan distraerle. Reiterando lo dicho: los ejemplos de inventarios presentados son resúmenes que esbozan las creencias pertinentes. Al principio tal vez le lleve escribir muchas páginas, y releer lo que escribió, para descubrir las falsas creencias críticas. Con la práctica, usted será capaz de identificarlas mucho más rápido.

Adelante, mucho más adelante, después que usted haya hecho muchos inventarios de diferentes pensamientos y reacciones emocionales, tal vez sea capaz de "ver" estas capas en su mente sin tener que escribirlas. En ese momento será como realizar un rápido cálculo matemático en su mente. Pero al principio, para poder entrenar a su mente a realizar estas observaciones y ser más efectivo, usted precisará escribir estos inventarios de los mapas de su mente.

Cambiando el diálogo

Conforme usted se va haciendo más consciente de lo poderosos que se hacen los conceptos cuando se deposita fe en ellos, usted se vuelve más preciso en su lenguaje. Habla e incluso piensa más claramente. Las declaraciones aproximativas y generales que usted usaba en el pasado, como "No puedo hacer esto", ya no son suficientes.

Considere la oración: "La persona que fui en el pasado, y la forma en que abordé el cambio en aquel entonces, no produjeron los resultados que esperaba". Esa declaración es mucho más precisa y deja fuera las palabras emocionalmente cargadas de *no puedo*, *éxito*, y *fracaso* que a menudo acarrean tantos significados personalizados. Se refiere a un intento específico, y no generaliza o se proyecta en el futuro. También deja fuera cualquier identidad fija negativa. Deja abierta la posibilidad de ser diferente, de intentar algo nuevo, y de un resultado diferente en el futuro.

Cambiar su lenguaje de esta forma lo ayudará a mantenerse al margen de muchas reacciones emocionales. Para lograrlo, usted tiene que estar consciente de su diálogo interno y de lo que saldrá de su boca antes de decirlo, para poder expresarlo de forma más precisa. En medio de una reacción emocional, habitualmente no nos damos cuenta de nuestro diálogo hasta después de haber hablado. Dado que mucho de nuestro pensamiento y habla están automatizados, esta parte del proceso de cambio requerirá de tiempo y esfuerzo.

Al utilizar su atención y el hábil control de su perspectiva, usted puede escudriñar y analizar su diálogo interno y encontrar las creencias implícitas, incrustadas, y asociadas que generan muchas de sus emociones. Hacer esto le permitirá invalidar las creencias existentes y recuperar su fe depositada en ellas. Entonces, toda la carga emocional conectada a estas creencias se disipará.

Resolviendo el problema del árbol

A menudo aprendemos mejor con una historia o una metáfora. Así que permítame usar una para ilustrar todo este enfoque de desglosar en sus partes más pequeñas las creencias incrustadas, implícitas y asociadas.

A veces, cuando decidimos cambiar nuestras creencias, la tarea puede parecer intimidante. Quizá hemos estado construyendo todas estas estructuras mentales durante décadas. Es probable que la Víctima interrumpa periódicamente con comentarios como "No puedo hacer esto". Le sugiero que piense que esta estructura de creencias falsas y basadas en el miedo, es como un árbol que ha crecido de más en su patio trasero.

¿Si usted tiene un gran árbol en su patio trasero y se quiere deshacer de él, puede hacerlo con tan sólo empujarlo? No. Usted puede empujar y empujar hasta que se canse, y después de un tiempo se sentirá derrotado. Concluirá que no es lo suficientemente fuerte, que es un fracaso, se sentirá abrumado, y esta es una situación sin esperanza. Ese árbol con todas sus ramas y sus tantas raíces, es demasiado grande. El comentario de la Víctima, "No puedo hacer esto", podría parecer verdad.

¿Pero qué pasa si usted consigue un hacha? Por empezar, quizá se trata de un hacha sin filo, porque usted no la ha afilado. Golpea el árbol con el hacha por varias horas, pero él sigue en pie. Con su hacha, tal vez corte hasta la mitad del tronco, pero no parece que usted haya progresado mucho porque el árbol sigue allí, erguido. Puede mirar el árbol y concluir que no ha logrado absolutamente nada. Cuando el Juez mide su progreso, pone su atención en todo el árbol que está en pie, y no en la parte del tronco que usted ya ha cortado. Es un método pobre de evaluación, pero es una muy común mala interpretación que hace el Juez cuando evalúa el progreso.

¿Qué pasaría si usted afilara su hacha con una lima? Su hacha sería más penetrante y usted podría progresar más rápido. No podría cortar el árbol con el primer golpe, pero podría lograrlo el primer día. Para un árbol muy grande, tal vez se requiera un par de días. Por supuesto, una motosierra sería mucho más rápida—quizás el árbol caería en tan sólo unos minutos. Pero para la motosierra usted necesita otros artículos: necesita una cadena afilada, lo que requiere un tipo diferente de lima; también necesita aceite para lubricar la cadena y gasolina para que funcione la sierra.

Cuando usted está afilando el hacha o preparando la sierra, puede parecer como si no estuviera trabajando en el problema del árbol directamente, pero lo está haciendo. Está trabajando en hacer sus acciones más eficaces, y eso le ayudará a largo plazo. Tal vez tome un poco más de trabajo el conseguir las herramientas y el equipo necesario, pero cuando los tenga, usted podrá hacer caer el árbol más rápido. Cuánto mejores sean sus herramientas y más habilidad tenga para usarlas, más eficiente será usted para talar el árbol. De forma similar, cuando se trata de disolver las creencias, conseguir las herramientas correctas y desarrollar sus habilidades no será reconocido por los personajes como un progreso, pero lo es.

Por supuesto, también hay algo de miedo y resistencia al hacer este cambio. ¿Qué pasaría si el árbol cae en la dirección incorrecta? Podría caer sobre su casa, o dañar la cerca del patio. ¿Cómo cuidará usted el espacio que quede cuando el árbol se haya ido? Hay miedo a resolver el problema porque habrá consecuencias en otras áreas de su vida.

Aun cuando consiga la motosierra y el gran árbol cayera en su patio, el trabajo no está terminado. Está tendido en el piso y es demasiado grande para poder moverlo. Usted tiene que cortar las ramas que están pegadas al tronco, y también desenterrar y cortar las raíces. Estas son como las creencias incrustadas, implícitas, y asociadas que están conectadas a cualquier creencia de fondo. Así que usted toma su hacha o sierra y comienza a cortar las ramas. Corta el tronco en pedazos más cortos. Luego toma su hacha y parte el tronco en pedazos aún más pequeños que se puedan mover. Continúa hasta que cada pieza sea lo suficientemente pequeña para levantarla y sacarla de su patio.

Así es como se resuelve el problema del árbol: utiliza las herramientas apropiadas para cortarlo en un montón de pedazos más pequeños, manejables, de manera que se puedan manipular de a uno por vez. Si usted tuviera que intentar mover todo el árbol de una vez concluiría, "No puedo hacer esto", y estaría en lo correcto. Sin embargo, puede lograrlo si rebana el árbol en piezas manejables que pueda cargar.

Desmantelar las creencias de fondo más grandes de su sistema de creencias se hace de la misma forma. A veces usted ni siquiera puede acercarse a ver el tronco principal de una creencia porque todas sus ramas están sobresaliendo. Así que comienza con la rama que está en frente y trabaja en ella hasta que una parte se cae, y luego usted sigue con otra creencia manejable. Es posible que no pueda mover las creencias más grandes cuando se las encuentre por primera vez, pero puede inventariar las creencias más pequeñas de las que están hechas y retomar su fe depositada en ellas. Esto le dará un acceso más fácil para atacar a las más grandes.

Y no se moleste en preguntar si una creencia de sostén más pequeña está implícita, incrustada o asociada. La categoría a la que pertenece no es tan importante como lo es el ser consciente de ella. Sólo trabaje en ser escéptico de modo que pueda ver cuando una idea no es verdad.

Ejemplo de investigación: La historia de Bill

En el capítulo 1 conocimos a Bill, un cardiólogo de alto rendimiento que, a pesar de su brillante trayectoria de éxito externo y los elogios obtenidos de la gente a su alrededor, había estado deprimido toda su vida. Bill intentó hacer todas las cosas correctas en su esfuerzo para conseguir la felicidad—trabajó arduamente en la escuela, completó una residencia agotadora, se casó, llegó a ser el director de una clínica próspera, empezó su propia práctica, se divorció, tomó clases de yoga, y así sucesivamente—pero la felicidad seguía eludiéndolo. Al final se dio cuenta de que el problema podría estar dentro de él y de sus propias creencias.

Cuando Bill vino a mí para ser orientado, lo ayudé a prestar atención a lo que las diferentes voces en su cabeza decían. Él se dio cuenta de que cuando recibía elogios o reconocimiento de alguien, una voz muy tenue dentro de él contradecía el elogio: "No soy tan bueno. Soy sólo promedio". Su Juez interno interrumpía para regañarlo por engañar a la gente con una falsa imagen de éxito. Esto permitía el surgimiento del miedo a ser descubierto, una certeza de que aquellos que pensaban tan bien de él eventualmente se darían cuenta de que era un fraude. A continuación, se producían sentimientos de culpa y vergüenza, una convicción de que era una persona terrible por engañar a otros y que merecía ser castigado. A esto le seguía la esperanza de que efectivamente sería expuesto y castigado y, por lo tanto, libre de las presiones de mantener la extenuante farsa de ser un éxito.

Estas eran las historias y emociones que Bill vivía cada día. Era un infierno emocional. Y todo esto surgió de un grupo de creencias retorcidas acerca de qué constituía el éxito y qué era sólo "promedio".

Desde una perspectiva externa es muy fácil ver que todo esto está sucediendo dentro del falso mundo del arraigado sistema de creencias de Bill. Pero el que alguien más reconozca ese hecho desde fuera de la burbuja de creencias de Bill no lo saca de ella. Lo que se requiere es que Bill vea a sus creencias como falsas. Y para lograrlo, él necesita identificar los supuestos detrás de esas creencias. No es suficiente el sólo saber que nuestras creencias son falsas—a veces también se requiere saber *por qué* son falsas.

Escrutinio e inventario

Comencemos con algunas preguntas que le hice a Bill y veamos lo que revelan sus respuestas.

¿Por qué, cuando alguien te hace un cumplido o te reconoce, lo desechas?
Bill: Porque no soy tan bueno.
¿Entonces qué eres?
Bill: Soy promedio. Tal vez incluso mediocre.
¿Por qué dices que eres promedio? ¿Qué te hace promedio?
Bill: No soy tan bueno. Por ejemplo, yo postergo las cosas. No manejo muy bien el tiempo. No hago ejercicio ni como lo que debería. Tengo unos quince kilos de sobrepeso. Eso no es sano, soy un médico y sé cómo deberían ser las cosas, y hacerlas mejor, pero no lo hago. Soy como cualquier otra persona.
Los elogios que recibes tienen que ver con tu trabajo como cardiólogo, lo que has venido haciendo por veinticinco años. Es un área muy especializada que requiere de habilidades y talentos especiales. Tuviste un caso recientemente donde hiciste un diagnóstico que otros no habían considerado, y ayudaste enormemente al paciente. La gente comentó lo astuto y perspicaz que habías sido. Y tú desechaste el elogio porque piensas que eres promedio.
Bill: Si. Otros hubieran hecho el mismo diagnóstico, cinco minutos después de hacerlo yo, o al día siguiente, o un poco después.
Si eres promedio, ¿eso significa que no hay nada especial en ti?
Bill: Si. No hay nada especial en mí.
¿Hay algo que te haga más hábil o más listo que el resto?
Bill: No.

Señalé la forma en la que Bill desecha las cosas. Cuando recibe algún elogio por ser bueno en una habilidad muy especializada a la que le dedicó décadas de entrenamiento y práctica, lo desecha basado en su convicción de que él es sólo "promedio", y promedio significa "como cualquier otra persona". El hecho de que tiene sobrepeso, no hace ejercicio, no come muy sano, y posterga las cosas son las razones por las que su sistema de creencias lo define como promedio. Si alguien señala qué inteligente y perspicaz observación hizo en un diagnóstico, Bill desvía el comentario cambiando a una definición no relacionada de promedio, que tiene que ver con sus hábitos alimenticios, de ejercicio, y de postergar las cosas. De acuerdo a los criterios de sus creencias, ya que es promedio no puede ser considerado como "especial" o "talentoso" o "inteligente" de una forma específica, ya que una persona "promedio" no puede ser especial. Su definición personal cerrada de "promedio" desecha la posibilidad de ser talentoso o hábil en cualquier otra cosa.

Bill trabajó diligentemente para desarrollar un conjunto de habilidades de conocimiento acerca de cardiología que lo pone por encima del promedio en esa área. Él ha trabajado muy duro en ese campo y ha desarrollado habilidades que otros no tienen, pero la burbuja de creencias de su personaje El Tipo Promedio rechaza los comentarios sobre esto, ¡basado en cosas como que sus *hábitos de ejercicio* son promedio!

Personaje	Historia/Creencia/Comportamiento	Emoción
"El Tipo Promedio"— versión del Yo Auténtico	Soy como todos los demás. Soy promedio. (Simple acuerdo conforme de la infancia)	Humilde. Humildad. No soy más importante que otros.
"El Tipo Promedio"— Con una definición distorsionada de lo que eso significa.	Acuerdo Asociado: Si soy promedio, entonces no soy especial de ninguna forma específica.	
	La gente me elogia por lo listo, capaz, o hábil que soy.	
Creencia preexistente	No debe ser verdad porque soy promedio y por lo tanto no puedo ser especial.	Desechando el elogio.
Personaje El Tipo Promedio	Otras personas son tan buenas como yo. Realmente no soy tan bueno como la gente dice.	

(No talentoso o hábil de ninguna forma especial)		
Juez I	No eres tan listo como la gente dice. Sólo eres un tipo promedio.	Condena autoritaria.
Víctima Como una reacción de respuesta a los elogios, Bill crea una identidad de ser "menos que".	No soy tan bueno como dice la gente. La gente tiene una imagen falsa de mí.	No lo suficientemente bueno. No merecedor del elogio.
Víctima (Víctima Futura)	Un día se darán cuenta de que no soy tan listo ni tan especial.	Miedo.
Juez II	Has engañado a la gente haciéndola pensar que eres algo que no eres. Has hecho algo malo. (Acuerdo implícito/incrustado)	Condena.
Víctima II	He engañado a la gente haciéndola creer que soy mejor de lo que soy.	Culpa.
Juez III	Eres una mala persona. Eres malo. Creencia asociada: Ya que has hecho algo malo entonces eres una mala persona.	Condena.
Víctima III (nueva identidad desde esta creencia asociada)	Lo que hice fue engañoso. Soy una mala persona. Soy malo.	Vergüenza. Culpa. Identidad de no tener ningún valor.

Sistema de Justicia Moral del Juez	Acuerdo asociado: Si soy una mala persona y he hecho cosas malas, entonces merezco ser castigado.	Condenación, sentido de justicia. Necesidad de compensar su supuesto mal comportamiento.
Víctima I, II, y III	No merezco este éxito. Seré descubierto y castigado.	Sintiéndose como un fraude o un impostor. Miedo a ser descubierto y expuesto. Sintiéndose indigno de su éxito.

La realidad en conflicto con las creencias

En realidad, Bill es bueno en sus cosas. Ya sea por trabajo duro, práctica, afinidad natural, o todo lo anterior, hay áreas donde él sobresale. Él no es mejor que otras personas por esto. Es, en realidad, como cualquier otra persona. Otra gente sobresale en algunas cosas, es promedio en otras, y pésima en las demás. Un carpintero puede ser brillante en hacer que las piezas de madera encajen, pero como cocinero es promedio y tocando el violín es pésimo. Así que, ¿es brillante, promedio, o pésimo? Nada de esto. Estas palabras no describen su identidad. Son tan sólo adjetivos que se refieren a algunas de sus destrezas y habilidades.

Las dolorosas autocríticas de Bill dependen de un par de creencias equivocadas que hacen que sus otras creencias parezcan verdad. Su primera creencia, que es como cualquier otra persona, ni mejor ni peor, fue inculcada en él por sus padres. En sí misma, esta creencia es humilde y admirable. Sin embargo, en alguna parte se simplificó también a una identidad fija: "Soy promedio". Es una pequeña e inocente creencia, no intrínsecamente nociva. Pero vista desde la perspectiva del Juez, de la Víctima, y de otros personajes, este concepto de promedio fue utilizado para significar diferentes cosas.

En la mente de Bill, *promedio* implica que toda la gente es igual, y no es así. Pueden tener el mismo valor inherente como seres humanos, pero eso no significa que sean iguales en todo. La definición de Bill de *promedio* significa que no tiene una habilidad, talento, o conocimiento en ningún área donde sea mejor que los demás. Cuando lo elogian por cosas que otros consideran excepcionales, el sistema de creencias de Bill responde con una cascada de pensamientos y emociones reactivas.

Cuando sus falsos supuestos fueron expuestos, las autocríticas de Bill y sus reacciones emocionales empezaron a disminuir. Se conmocionó un poco al principio cuando su mundo, tal como él creía que era, de repente pareció no ser verdadero. Esto incluyó todas las declaraciones y creencias acerca de si mismo de las que había estado tan convencido y emocionalmente atado por tantos años. Los patrones en su mente acerca de lo que opinaban otros de él y el miedo a que lo descubrieran como un fraude, no desaparecieron de la noche a la mañana. Sus pensamientos y emociones no desaparecieron en cuanto descubrió sus creencias distorsionadas acerca de lo que era "promedio". Pero ahora existe una parte de su conciencia que no se identifica con estos otros personajes y que no responde de la misma forma, ni con la misma intensidad.

Han pasado varios meses desde el descubrimiento de Bill, y él todavía está encontrando piezas de su vieja estructura para diseccionar y retirarlas. Sin embargo, se puede decir que ya es una persona diferente.

Mitos de la autoayuda

A menudo la gente promueve mecanismos de distracción para sentirse mejor: "Si te sientes deprimido, entonces has algo que disfrutes, como ir de compras, caminar en la naturaleza, o llamar a un amigo". Aunque el entregarse a estas actividades puede distraerlo de sus emociones y ayudarlo a enfocarse en otras cosas, usted no se ha hecho cargo de la creencia que causó la reacción emocional. Esta creencia permanece en su sistema de creencias y le hace reaccionar de la misma forma la vez siguiente.

Las estrategias de distracción pueden hacerlo sentir mejor pero no le permiten encontrar la causa raíz. Para la gente que no tiene las habilidades de cambiar su perspectiva, ser un observador, y aplicar las técnicas de escepticismo, distraerse es lo mejor que pueden hacer para sentirse mejor.

Otro enfoque popular para cambiar una creencia "negativa" es el desarrollar una creencia "positiva" para reemplazarla. Aunque esta técnica puede ayudar a veces, puede no ser efectiva para todos y puede inclusive empeorar las cosas. Supóngase que usted utiliza una afirmación positiva para crear una imagen en su mente de que es lo suficientemente bueno y que merece ser amado. Usted crea esta imagen para disipar su vieja creencia de no ser lo suficientemente bueno. Utiliza varias de las maravillosas experiencias de su vida, crea una imagen positiva de usted mismo, y deposita mucha fe en la creencia de que éste es su yo real. Al hacer esto, usted crea muchísimos sentimientos maravillosos de confianza en usted mismo. Esta emoción lo ayuda a sentirse mejor en ese momento.

Aunque esta imagen positiva e historia están mucho más cerca de la verdad, tienen algunos riesgos. El primero es que la autoimagen positiva se utilice para esconder y reprimir la autoimagen negativa y los sentimientos que no le gustan. Las creencias de la autoimagen negativa permanecen en su subconsciente, oscurecidas por las positivas que usted puso sobre ellas. Usted no ha reclamado su fe de la autoimagen negativa. En cambio, usted ahora está alimentando dos autoimágenes opuestas. Es muy posible tener fe al mismo tiempo en una autoimagen positiva y en una autoimagen negativa. El resultado es que usted rebota de una burbuja de creencias a la otra. En un momento, usted puede sentirse no merecedor. Al siguiente, su perspectiva y pensamientos cambian para defenderlo de esta creencia manteniendo la imagen positiva. Las creencias opuestas pueden ir y venir como un debate en su mente. Dado que usted tiene fe en ambas creencias, ambas parecen verdaderas. Si usted no es consciente de que esto está ocurriendo, las creencias conflictivas pueden ser confusas e inquietantes.

En el ejemplo de "No puedo hacer esto" también había una autoimagen positiva del Héroe. El Héroe/Solucionador de Problemas podía hacer los cambios en el corto plazo. Era capaz, inteligente, y seguro de sí mismo. Esta imagen positiva estableció una expectativa de éxito infundada. Cuando el cambio de comportamiento no sucedió, la imagen del Héroe se utilizó para que el Juez comparara y concluyera que éramos un fracaso. Así que, mientras que la imagen positiva es más agradable y está más cercana a la verdad de lo que usted realmente es, puede ser usada emocionalmente en su contra por el Juez y la Víctima, como un estándar poco realista.

Para muchas personas, utilizar las afirmaciones para construir creencias positivas es una forma efectiva para empezar a abordar y cambiar sus pensamientos. Para otros, o incluso para la misma persona en otro punto de su recorrido, se siente como algo vacío, sólo otra autoimagen que distrae su atención de su más profundo, más auténtico ser. No hay una respuesta simple. Usted se da cuenta de lo que funciona mejor para usted al usar las herramientas y dándoles tiempo para que funcionen. Observe los resultados y haga ajustes. Y no espere que la misma herramienta que le funciona a usted, le funcione a su mejor amigo.

Cambiar sus creencias acerca de cambiar las creencias

La habilidad para cambiar nuestras creencias es una destreza compleja. Requiere manipular nuestra perspectiva, dirigir nuestra atención, maniobrar con imágenes en nuestra mente, suspender el depósito de nuestra fe, abstenernos de juzgar lo que descubrimos, y muchas veces haciendo todo esto mientras nos sentimos emocionalmente incómodos. Este acto mental de equilibrio puede ser difícil al principio, hasta que nos acostumbramos a él, pero, repitámoslo una vez más, también lo fue aprender a caminar y andar en bicicleta.

Al principio no estamos familiarizados con cómo algunas creencias están superpuestas a creencias de fondo y cómo nuestro sistema de creencias distraerá nuestra atención con pensamientos reactivos. En el comienzo, no hemos desarrollado control sobre nuestra atención; somos más propensos a seguir un pensamiento que nos distrae que a ir al fondo de las cosas con escepticismo. Si asumimos que será fácil o que deberíamos poder hacerlo inmediatamente, nos estamos preparando para el fracaso.

Una de las grandes trampas con las que nos encontramos ocurre cuando no tenemos éxito al principio. La voz del Juez nos culpa por fracasar en cambiar la creencia en el período de tiempo esperado. La configuración de esta creencia comenzó con las expectativas acerca de cuánto tiempo debe tomar, aun cuando nunca lo habíamos hecho antes. No tomamos en cuenta la necesidad de desarrollar control sobre la atención, o el cambio de perspectiva y fe requerido. Tampoco sabíamos que las creencias de sostén estaban manteniendo la creencia de fondo o patrón de comportamiento en su lugar.

Es importante manejar las expectativas. A menudo el Juez esperará que cada creencia se cambie exitosamente en el primer intento. Ser conscientes de que esta expectativa es poco razonable, nos hará más fácil el no creer en este juicio. Usted puede adoptar interpretaciones alternas de que hizo lo mejor que pudo, que no ha desarrollado las habilidades necesarias todavía, o que la creencia tiene demasiados acuerdos que la sostienen, cada uno impregnado de fe, como para lograr eliminarla rápidamente. Cuando se trabaja en cambiar las creencias, considere que algunas de ellas tomarán más de un mes de conciencia consistente. A pesar de que esto puede parecer demasiado lento, puede ayudar el recordar que hemos invertido fe en y reforzado algunas de estas creencias de fondo por décadas. También hay que recordar que no es que usted no está "haciendo nada" durante ese mes. Está invirtiendo el tiempo en identificar y desmantelar los supuestos y las creencias implícitas y asociadas que sostienen la creencia de fondo. El tiempo invertido en "afilar su hacha" al desarrollar las habilidades de observación, escepticismo, y aceptación es tiempo bien invertido.

Hay que entender que cambiar las creencias no es siempre sencillo o simple. Su propia eficacia para cambiar la creencia depende parcialmente de qué tan firmemente está sostenida esa creencia y de cuántas otras creencias la sostienen. Su habilidad para sentirse cómodo con las emociones que surjan, para cambiar su perspectiva y mantener el control sobre su atención son también factores críticos. Estas habilidades son tan importantes que tiene sentido desarrollarlas antes de esperar que las creencias mayores cambien. Está bien usar el método de la prueba y el error conforme usted desarrolla sus habilidades para descubrir qué creencias de fondo le tomará más tiempo cambiar.

Bailar, volar un avión, pintar, y tocar un instrumento son habilidades en las que estamos dispuestos a invertir tiempo para aprender. Recrear su sistema de creencias y construir un nuevo sentido de identidad también requiere de tiempo. Si asumimos que cambiar las creencias es semejante a saber una respuesta, estamos fallando en entender esto como una habilidad de la plena atención.

Una forma de evitar el fracaso desde un principio, es empezar con creencias más pequeñas. Las expectativas acerca de cuánto tiempo debe tomar el proceso son un ejemplo de creencias más pequeñas. Practicar con las más pequeñas al principio le ayudará a desarrollar las habilidades y ganar confianza en el proceso. Sólo por el hecho que le llevó apenas cinco minutos leer el ejemplo de alguien desmantelando una creencia, no significa que le tomó cinco minutos hacerlo, o que usted logrará completar la tarea en el mismo tiempo.

Capítulo 15
El Perdón

Hace algunos años di una conferencia que tocaba algunos puntos relacionados con el perdón. Al terminar, algunas personas se acercaron a hacerme algunas preguntas. Una mujer y su novio permanecieron en la parte posterior hasta que todos se fueron. El nombre de ella era Theresa. A ella le gustó lo que había escuchado en la plática y prácticamente estaba de acuerdo con lo expuesto, pero había una persona a la que sentía que no podía perdonar.

Cuándo le pregunté quién era, ella me confesó que no podía perdonar al hombre que la había violado hacía cinco años. Perdonar a este hombre significaría que olvidaba su acción y trivializaría el gran efecto que este hecho había tenido en su vida. Para ella, perdonarlo implicaba algún tipo de aceptación y, desde su punto de vista, también implicaba que la acción cometida estaba bien.

Le pregunté cómo se sentía cuando pensaba en él. Cinco años después del ataque, ella todavía sentía ira y odio, además de una tristeza profunda por ella misma. Ella no quería perdonarlo porque sentía que él no lo merecía o que no había sufrido lo suficiente. Estas falsas creencias acerca del perdón mantenían a Theresa en un estado de sufrimiento.

Perdonar a alguien no es una declaración acerca de que lo que hicieron está bien o que puede ser excusado de algún modo. Podemos ser conscientes de que la acción estuvo mal, que fue una falta de respeto, violenta, y que nos lastimó, ya sea que perdonemos a la persona o no. El perdón tampoco es algo que usted hace para beneficiar a la persona que le hizo daño, dejando de culparla. No significa que no habrá consecuencias por su acción, o que serán amigos o que usted hablará con esa persona después de perdonarla. Este no es el tipo de perdón que aprendimos en el patio de la escuela cuando teníamos seis años, donde olvidábamos de inmediato la ofensa y seguíamos jugando juntos. El agresor tal vez nunca sepa que usted lo ha perdonado. Los beneficios del perdón son principalmente para la persona que perdona, no para la que está siendo perdonada.

Incapaz de perdonar a su agresor, Theresa ha estado pensando acerca del evento y el hombre por cinco años. Mucho de su pensar ha sido hecho por sus arquetipos. Ella repite el recuerdo como una pesadilla, sintiéndose nuevamente víctima del abuso. A pesar de que esto sólo está sucediendo en su mente y no en el mundo físico, la reacción es similar a lo que vivió hace cinco años. Al asumir la perspectiva del Juez, su ira y odio parecen legítimos.

Theresa continúa reviviendo el evento desde la misma perspectiva de la Víctima, recreando la misma experiencia emocional cada vez. En efecto, durante los últimos cinco años, ella ha estado cometiendo un abuso contra sí misma desde dentro de su imaginación. Ella sostiene que no quiere dejar de culpar a su agresor, pero es Theresa quién necesita dejar de culparse.

Los juicios críticos de Theresa y su ira no castigan al violador; su ira y odio jamás tocan al perpetrador original. El perpetrador con el que ella está tratando ahora sólo existe en las imágenes dentro de su mente. La ira es una emoción venenosa, pero sólo llega al personaje imaginario que Theresa ha creado en su mente. Todos los juicios, la ira, y el odio que ella siente son recibidos *por ella*. Una parte de su mente, en la forma del Juez y el Villano, expresa el veneno emocional y otra parte, la imagen de su perpetrador, recibe ese veneno. *¿Quién está recibiendo el castigo realmente?* Es su imagen mental, algo muy separado de la persona real. Un personaje en su mente genera una expresión emocionalmente tóxica, y otro personaje en su mente lo recibe.

Esto es esencialmente auto-abuso, y ha estado sucediendo por años. Ese hombre es cosa del pasado, y el dolor y la ira que ella siente hoy en día ya no están siendo causados por él. Lo que ella necesita hacer ahora, es salir de este doloroso ciclo de ensueño. El perpetrador que ella debe perdonar no es el que la atacó. La persona a la que hay que perdonar es el personaje que ella ha estado acarreando dentro de su propia mente. Al perdonarse y al perdonar su imagen del perpetrador, Theresa puede liberarse del ciclo narrativo del Juez y la Víctima. Perdonar es dejar ir estas historias y creencias emocionalmente abusivas.

En un acto violento como un asalto o violación, hay respuestas emocionales y físicas reales. Puede haber miedo, dolor, ira, e incluso furia. Estas son respuestas emocionales naturales de integridad auténtica. La verdad es que hubo un acto violento y una injusticia. Estas respuestas y sentimientos necesitan ser honrados y respetados. También hay una tendencia natural a protegerse en el futuro, así que probablemente se estará más alerta e incluso con temor. Este estado de miedo puede mover la perspectiva hacia la perspectiva de la Víctima, donde los recuerdos del evento generan más sentimientos de impotencia, injusticia, e ira.

En algún momento uno se puede deslizar fuera de las emociones naturales y caer en las emociones generadas por la repetición del personaje proyectado por las burbujas de creencias. Uno de los retos en este proceso es desarrollar la claridad para discernir y reconocer la interpretación verdadera del evento, y separarla de la interpretación de los personajes, aun cuando usen las mismas palabras. Esto es más difícil por el hecho de que las emociones fuertes tienen un efecto distorsionante en nuestra claridad. A causa de estas capas de reacciones de personajes, tal vez un evento de este tipo en nuestro pasado requiera ser visitado más de una vez para limpiar las falsas interpretaciones que hayamos creado.

Nota: Puede haber otra causa para las emociones que cargamos muchos años después de un evento doloroso. Pueden ser emociones reprimidas de ese evento que nunca nos permitimos sentir y soltar. Cuando se reprimen las emociones, éstas continúan acumulándose y estallan en momentos inesperados. Reprimimos las emociones con pensamientos y creencias como "No debería sentirme así", "Debería superar esto", o "Estoy bien, dejaré esto en el pasado y me concentraré en otra cosa". Estos pensamientos críticos, desdeñosos y que distraen, no honran el cómo nos sentimos realmente, y mantienen estas emociones bajo presión dentro de nosotros. Para sanar, tenemos que reconocer y honrar las emociones de modo de poder soltarlas, sin creer en los pensamientos que nos permitirían perpetuarlas.

Los beneficios del perdón son principalmente para la persona que perdona, no para la que está siendo perdonada.

El perdón: el camino a seguir

El perdón es una forma de cambiar un ensueño diurno con ribetes de pesadilla como el que Theresa mantiene vivo en su mente. Es una forma de tomar el control sobre las historias que repiten el Juez y la Víctima y comenzar a expresar una versión diferente, con emociones más pacíficas.

El perdón no cambiará lo que pasó — los hechos de la historia son los hechos. Pero nuestro punto de vista actual, la interpretación, significado, y, por lo tanto, las reacciones emocionales pueden cambiar. El expresar perdón cambiará la *experiencia emocional del día de hoy* acerca de los eventos del pasado.

Theresa asume que el sufrimiento que ella experimenta, se debe a lo que le sucedió hace cinco años. No es así. Si usted está aún sufriendo emocionalmente por algo que sucedió en el pasado, no es por el evento en sí. En algún punto, las emociones surgen de las creencias incrustadas en la historia que usted se cuenta hoy en día. El perdón es una forma de cambiar sus creencias actuales, para dejar de sufrir emocionalmente. Lo hace por usted mismo, porque tiene el derecho a ser feliz y porque desea ser feliz. El Juez querrá continuar teniendo la "razón" y la Víctima querrá continuar culpando. Para superar esto usted necesita reconocer que se trata de ciclos infinitos de desdicha y que es mejor abrazar su deseo de ser feliz.

El perdón nos permite salir de las falsas máscaras y creencias del personaje. Rompe el dialogo doloroso entre el Juez y la Víctima con una expresión sanadora. Al expresar perdón, cambiamos nuestra perspectiva fuera de estos roles y nos abstenemos de expresar la ira, frustración, decepción, culpa y vergüenza que ellos generan. Los personajes del Juez y la Víctima no son capaces de expresar perdón, pero nosotros sí. Cuando expresamos el perdón, empujamos a la mente a hacer una separación entre nosotros y las burbujas de creencias del Juez y la Víctima. A nivel físico, esto crea nuevas conexiones neuronales desde dónde nuestro cerebro puede operar.

Lo que invité a hacer ese día a Theresa, es enorme. Es algo simple que parece muy insignificante ya que sucede en la mente en lugar de externamente, pero no es algo fácil. Para lograr ese cambio ella tiene que dejar, aunque sea de forma temporal, las perspectivas del Juez y la Víctima con las que ella se ha identificado por años. Puede parecerle como que está abandonando una parte de ella misma, y así es. Ella está abandonando las máscaras de identidad que sus personajes del Juez y de la Víctima crearon en su imaginación. Está abandonando también la versión de estos personajes acerca de lo que es "correcto" y "justo", a la que insisten en aferrarse, aunque esto la haga sentir muy desdichada. Este cambio es aún más difícil porque Theresa ha depositado fe en sus historias y creencias, y esa fe actúa como un ancla, fijando su perspectiva en las identidades de esos personajes.

En cualquier situación que requiere perdón, la persona que necesitamos "dejar de culpar" es a nosotros mismos. Si nos resistimos a perdonar, es porque nuestra atención está en la persona que nos hizo daño, o se encuentra recubierta por un concepto como la justicia. Para superar la resistencia debemos poner nuestra atención en nuestro estado emocional y preguntar: ¿No he sufrido ya lo suficiente con este resentimiento, rencor, ira, o victimización? ¿Seré más feliz si dejo ir esta historia y a los personajes que están detrás de ella? Cualquier otra respuesta diferente a sí, debe ser analizada, ya que muy probablemente viene de uno o más personajes que se están resistiendo.

Alrededor de todas las expresiones de ira, odio, resentimiento y juicios críticos hay justificaciones. Las justificaciones están implícitas y contienen acuerdos incrustados que sostienen y mantienen firmes nuestras expresiones de desdicha. Pueden estar gritando en nuestra mente, diciendo por qué tenemos todo el derecho a estar enojados, cómo fuimos tratados injustamente, y por qué es culpa de otra persona el que nos sintamos así. Estas justificaciones son a menudo tan inteligentes y se asientan en una base tan moral que ningún argumento razonable puede contra ellas. Necesitamos ser conscientes de que estas justificaciones no incluyen una solución para poner fin al dolor emocional. Debemos suspender nuestra creencia en ellas si queremos ser felices.

Cómo creamos el sentimiento de haber sido agraviados

Otra vía para lograr perdonar es identificar las pequeñas creencias incrustadas que limitan nuestra perspectiva. Separarnos de estas pequeñas creencias nos hace más fácil el dar un paso atrás y adoptar la perspectiva del observador para mirar las creencias mayores.

Supongamos que alguien hace algo que a usted le disgusta, y cuando piensa en ello más tarde, se siente maltratado y abusado de nuevo, con tan sólo imaginarlo. Usted está soñando ese recuerdo desde la perspectiva de una Víctima. Su fe está depositada en la historia de que la Persona A lo agravió. Otro elemento común es la expectativa, consciente o inconsciente, de que la Persona A "debería" haber hecho algo diferente. Esta versión alterna tendrá una historia de lo que es "justo", "correcto", "supuesto", etcétera. El Juez compara este guión de "debería" con lo que realmente sucedió. La gente real o los eventos de la vida real a menudo parecen estar "mal" cuando se los compara con una expectativa idealizada.

En el caso de Theresa, hay un uso común de la palabra *malo* que se aplica a la violación. Sin embargo, la palabra es usada de forma diferente, con diferentes significados, y crea emociones diferentes cuando se usa desde una perspectiva de Juez y Víctima. Son las creencias incrustadas de estos personajes y sus expectativas idealizadas las que generan mucho de la desdicha años después. Tendemos a aceptar automáticamente sus criterios imaginarios y sus juicios de comparación como verdaderos, a pesar de no haber pensado conscientemente en ello. A menudo, su versión imaginaria no podría soportar el escrutinio. Una vez que elevamos esta versión a nuestra conciencia y la diseccionamos, la creencia y la reacción emocional subsecuente se disuelven.

En el caso de Theresa, es fácil argumentar que lo que hizo el violador estuvo mal, y así fue. Pero la idea de que él podría haberse comportado diferente, que él podría haber sido una persona diferente en el pasado, o que podría haber sido respetuoso y educado, es una imagen ficticia. Esa escena del "podría haber sido" no existe excepto en el mundo de la imaginación. Ese hombre ese día hizo lo que hizo, actuando desde el sistema de creencias distorsionado que él tenía en ese momento.

Como hemos descubierto, nuestro sistema de creencias que todo lo sabe, asume que todos los demás deberían comportarse de acuerdo a nuestra noción de lo que está bien, es justo, bueno, y educado. Asumimos todo esto sin saber lo que realmente causó el comportamiento de la otra persona o sin tomar en consideración las experiencias de su vida, circunstancias, y situación. Nuestro ego asume que el sistema de creencias que está operando en la mente de otras personas es o debería ser similar al nuestro. Pero si alguien fue despedido de su trabajo o abandonado por su novio/novia ese día, ¿todavía esperaríamos que fueran infaliblemente amables, pacientes y educados? En ese caso, si alguien es grosero o agresivo con nosotros, ¿todavía *responderíamos* amablemente? A menudo nosotros mismos no estamos a la altura de nuestras propias expectativas, y a veces, tampoco los demás. Cuando empezamos a considerar algunos de los factores humanos reales que actúan en nosotros mismos y en los demás, disolvemos las expectativas ocultas que tienen nuestros personajes de Juez, Víctima y Princesa.

A menudo, las personas pasan unas a otras el equivalente de veneno emocional cuando reaccionan a expectativas no cumplidas o ideales. Tal vez nuestra pareja tuvo un día difícil y nos expresa airadamente sus críticas y quejas cuando llega a casa. Nosotros nos frustramos o incluso nos enojamos por su situación; puede que incluso nos enojemos con ella por traer esto a casa. Al día siguiente, vamos a trabajar y compartimos nuestros sentimientos de enojo al gritarle a los conductores en el camino o teniendo mal genio con nuestros colegas. Si prestamos atención y somos más conscientes de cómo esparcimos el veneno emocional a través de quejas y críticas que surgen de falsas expectativas, nuestra compasión aumenta.

Conforme se incrementa nuestra conciencia acerca de las realidades de la vida y de cómo reacciona la gente, nuestras expectativas cambian y llegamos a ser más compasivos. Mientras que nuestra versión imaginaria del comportamiento humano puede incluir altos ideales y esperanza, estas falsas expectativas nos llenan de decepciones y juicios críticos, lo que perpetúa nuestros sentimientos de haber sido ofendidos.

Honrar nuestra esperanza y nuestros ideales es importante. A través de nuestra fe en ellos, podemos facilitar el cambio. Sin embargo, cuando el Juez y la Víctima los esgrimen, el resultado es la crítica y el sentimiento de ofensa. Éste es un mal uso de la esperanza y los ideales contra nuestro propio bienestar emocional. El ejercicio de aceptación mencionado en el Capítulo 13 es un medio para manejar las expectativas. La aceptación implica abrazar honestamente las cosas como son, y esto a menudo significa desprendernos de nuestras expectativas idealizadas.

¿Por qué fue capaz Nelson Mandela de perdonar a los que lo encarcelaron por veintisiete años? Tal vez porque entendía que sus opresores estaban atrapados dentro de sus creencias basadas en miedos, con el resultado de un comportamiento opresivo del que no pudieron escapar. Él no esperaba que ellos se comportaran de otra manera. Sin embargo, no permitió que su comportamiento interfiriera con sus ideales de cómo deberían comportarse. Al ser realista, él se liberó de la amargura generada internamente, la ira, y las victimizaciones que a menudo acompañan a los ideales de justicia de una persona. En este caso es obvio que él, y la mayoría de la población del país, era maltratada y que esto era una injusticia. En esto no había cambio. Sin embargo, sentirse tratado injustamente es una respuesta de la perspectiva de la Víctima, y esto sí se puede cambiar. Es posible usar palabras como *correcto, incorrecto,* e *injusticia* de forma que tengan integridad emocional, sin quedar atrapado en la identidad de perpetuo sufrimiento de la Víctima.

¿Qué es el perdón?

El perdón comienza con el deseo de ser emocionalmente más feliz. Este deseo nos permite adoptar una perspectiva de observador y ver nuestras expectativas idealizadas con escepticismo. Empezamos a practicar aceptación de la realidad. La nueva historia es a menudo parecida a "Sólo fue lo que fue". Esto es un reconocimiento de la realidad del pasado, sin el agregado de versiones alternas para comparar. Puede aún haber tristeza o remordimiento, pero esta es una respuesta genuina, y temporal. Sólo persiste si hay una creencia ligada o emociones reprimidas. Usted tal vez tenga pensamientos acerca de otros resultados posibles, pero los pensamientos por sí mismos no son creencias—no tienen el poder para crear emociones porque usted no ha depositado fe en ellos. Sin depositar fe en ellos, con el tiempo hasta los pensamientos de una versión alterna se desvanecen y la mente se aquieta y calla acerca de este evento.

La esencia del perdón es disolver su creencia de que alguien "debería" haber actuado de forma diferente a la que lo hizo. Usted renuncia a la expectativa idealizada de que ellos "debieron" ser diferentes de lo que son. Usted recupera su fe de la versión imaginaria que el Juez y la Víctima usan para comparar. Sin esa comparación, usted acepta los hechos tal como son. Eventualmente deja de ser una historia en la cual quedar fijado o con la cual validar la perspectiva de la Víctima. Sin la perspectiva de la Víctima, ya no hay más repetición del dolor emocional o reacción después de la experiencia. Tampoco hay recuerdos vistos desde una perspectiva de primera persona o comparados a una alternativa imaginaria.

La historia de los eventos no cambió—los hechos permanecen iguales. Sin embargo, usted cuenta la historia desde un punto de vista diferente, y eso hace que el componente emocional de la historia sea diferente. Lo que ha cambiado realmente es que ya no hay fe en la versión idealizada de un pasado diferente, así que la burbuja de creencias deja de existir. Esto es fundamental para el perdón.

Cuando usted accede al estado de perdonar, la diferencia más notable reside en cómo usted se siente. Puede pensar acerca de la experiencia o de la persona sin ninguna reacción emocional. Hay una calma tranquila en la aceptación de la vida tal como fue. La mente no se lanza a la historia de lo que podía haber sido, ni tampoco imagina un castigo, pago, o venganza para el pasado. Aunque podemos no estar felices por los eventos que vivimos, ya no invertimos nuestra energía en estar molestos, tristes, o enojados y el dialogo interno se tranquiliza.

Para crear paz dentro de ella misma después de la violación, Theresa tendrá que comprometerse con este proceso de recuperar su fe. Ella tendrá que desprenderse de sus versiones imaginarias que dictan cómo el suceso debería haber sido diferente. Cuando haya recuperado su fe, las falsas imágenes no parecerán tan reales. Serán reconocidas como imaginerías de lo que podría haber sido en lugar de creencias emocionalmente cargadas acerca de lo que *debería* haber sido. Este proceso comienza cuando Theresa desplaza su perspectiva, alejándola de los puntos de vista del Juez y la Víctima en su historia interna.

Ella también tendrá que desprenderse de cualquier creencia acerca de que el hombre podría o debería haber sido diferente de lo que fue. Para algunas personas, esto se vuelve más fácil cuando entienden la historia de la otra persona, cómo fue criada o descuidada, y/o sus experiencias emocionales en la vida. Cuando conocemos la historia de alguien, nos es más fácil entender por qué son como son, y más fácil no creer en la imagen que nuestra historia de "debería" desearía que fueran. No tenemos que conocer los detalles personales de experiencias de vida del agresor que lo llevaron a ese comportamiento. Lo importante es que seamos conscientes de que nuestra idealizada versión imaginaria de él, en realidad no es él.

Herramientas para el perdón

En capítulos anteriores, examinamos herramientas para cambiar nuestra perspectiva, aumentar nuestra conciencia, cambiar creencias, y controlar nuestra atención. Muchas de estas herramientas pueden ser utilizadas para perdonar.

Hay herramientas adicionales que son especialmente útiles durante el proceso de perdonar a otra persona. Una herramienta es el adoptar una postura de *aceptación*. Expresar aceptación de los hechos ayuda a desplazar su perspectiva lejos de las expresiones de rechazo de la Víctima y el Juez. Si usted puede ver de algún modo que ha crecido, se ha hecho más fuerte y más consciente gracias a la experiencia, entonces quizá pueda crear una perspectiva más amplia de la experiencia. La experiencia más amplia de crecimiento y entendimiento ayuda a cambiar el enfoque acerca de un evento en particular y cambiará también la expresión emocional.

Expresar aceptación de los hechos no cambia la historia o los hechos, sólo el punto de vista, las emociones, y el tipo de historia que usted cuenta acerca de una experiencia. Las expresiones de aceptación le permiten transformar su experiencia en el día de hoy de los eventos del pasado, en algo más placentero. Es la evolución de su conciencia hacia afuera de la narrativa del Juez y de la Víctima. Esto sólo sucede con esfuerzo consciente, ya que nuestras historias y creencias no cambian por sí mismas.

En el caso de un abuso físico directo como una violación, este tipo de aceptación y apreciación más amplia puede ser demasiado difícil, si el incidente es muy reciente. Es mucho más fácil empezar con asuntos más pequeños. También es importante poner nuestra atención en cómo hemos crecido a raíz del sufrimiento o desafío, y no en el sufrimiento en sí. La superación de sufrimientos y desafíos desarrolla el carácter, la sabiduría, la humildad y la compasión, y fortalece nuestra voluntad. Pero no es necesariamente un proceso rápido—para Nelson Mandela, el crecimiento y los beneficios que consiguió después del trato injusto que recibió, tardaron décadas en ser una realidad.

Para desarrollar su práctica de aceptación y apreciación por el crecimiento, comience con pequeños incidentes de su pasado lejano. No intente ver los beneficios de crecimiento en una relación o trate de apreciar a un ex-cónyuge, cuando el divorcio sólo tiene unas semanas. Cuando llegue a ser hábil para cambiar su perspectiva y emoción en cosas más pequeñas, entonces podrá avanzar a los asuntos más grandes y más recientes de su pasado.

Un segundo elemento útil para llegar a expresar perdón es entender por qué la persona actuó de la forma en que lo hizo. El reto aquí es cambiar su perspectiva al punto de vista de la otra persona. Esto es ir un paso más adelante de la perspectiva del observador neutral. Usted podría descubrir que dentro de la perspectiva de la Persona A había un sistema de creencias, estado emocional, o motivación diferente a todo lo que usted conoce. Verlo desde esta perspectiva puede disolver su fe en las expectativas de cómo debería haber actuado. También puede sorprenderle lo mucho que usted imaginó incorrectamente acerca del punto de vista de esa persona.

Si usted tiene dificultad para pensar cómo sería estar en el lugar de otra persona, entonces coloque a su mente en esa perspectiva con la herramienta de la escritura. Escribiendo y leyendo se emplea la imaginación de una forma más rigurosa. Si la otra persona es alguien a quien usted ya conoce desde hace tiempo, podría ser útil tener una conversación y hacerle preguntas sobre su estado mental.

Usted no necesita conocer a la otra persona para poder usar esta herramienta, y puede no querer conocerla. Puede inventar una versión totalmente ficticia de su perspectiva que sea congruente con sus acciones. Las versiones de su Víctima y su Juez son ficticias también, entonces ¿por qué no crear una versión ficticia que combine mucho mejor con los hechos y no le cause dolor emocional? La visión verdadera o precisa de las emociones de otra persona, de sus desafíos, y creencias, no es necesaria para poder perdonar. Lo que se precisa a veces es sólo tener una versión alternativa que arroje dudas sobre las expectativas idealizadas y las creencias que su Juez y su Víctima están utilizando.

Un hombre se sentía regularmente enojado y frustrado con los conductores lentos delante de él. Su mente generaba todo el día juicios y opiniones acerca de estos conductores, desde su perspectiva de *Yo* y *a mí*. Pero cuando empezó a escribir historias ficticias acerca de lo que otros conductores hacían en sus autos, y el por qué lo hacían, su actitud y emociones cambiaron.

Una tercera herramienta es la conciencia de su propia responsabilidad acerca de cómo se siente. Cuando usted se vuelva consciente de que usted mismo crea emociones de sufrimiento con sus creencias y las narrativas de sus personajes, entonces se sentirá motivado para disolver esas creencias. Ser responsable de sus emociones significa que usted tiene poder sobre cómo se siente—lo que significa que tiene también el poder de cambiarlo. Darse cuenta de que sus creencias en el presente acerca del pasado crean emociones infelices, lo motivará a cambiar aquello en lo que cree.

Cuando su atención está en alguna historia de culpa y crítica, sus personajes lo están distrayendo de notar las emociones que usted está creando con su poder personal. Culpar a otros por cómo uno se siente es una narrativa común en nuestra mente, reforzada por la sociedad, así que se hace hábito. Sus creencias no cambian cuando su atención está en alguien más o en el pasado, culpando y responsabilizando por sus emociones a algo fuera de usted. Sus creencias cambian sólo cuando observa internamente y pone su atención en ellas.

Ser responsable de sus emociones significa que usted tiene poder sobre cómo se siente—lo que significa que tiene también el poder de cambiarlo.

Superar la resistencia a perdonar

Perdonar suena como una solución simple y elegante para liberarse de pensamientos infelices y creencias. Y así era cuando teníamos cinco o seis años. Pero, al crecer y ser mayores, nuestras mentes desarrollaron estructuras más complejas con personajes e ideales que se resisten al proceso de perdonar. Para realmente lograr perdonar de adulto se requiere que atravesemos estas capas resistentes. Fragmentar estas capas en pequeñas piezas y trabajarlas paso a paso, facilita y hace más manejable el proceso.

Resistencia número uno: Apego a los ideales

Para poder realmente perdonar a alguien por no cumplir con nuestras expectativas, debemos reconocer y renunciar a esas expectativas. En el proceso de perdonar, algunas personas se resisten a dejar ir sus versiones idealizadas de ellos mismos y de otros. Argumentan que estas versiones idealizadas son metas que les dan algo por lo qué esforzarse o esperar.

Cuando los ideales se usan en forma genuina nos inspiran actos de amabilidad, compasión, y realización. Cuando estos mismos ideales son usados por los personajes arquetípicos, producen desdicha. El Juez usa ideales para comparar y genera crítica, decepción, enojo, y disgusto, sintiéndose al mismo tiempo moralmente correcto. La Víctima crea una historia usando los mismos ideales conceptuales y produce sentimientos de traición, culpa, vergüenza, entre otros tan dolorosos como éstos. Tener ideales no es problema. Sin embargo, se crean problemas cuando esos ideales son usados emocionalmente en contra de nosotros por nuestros personajes arquetípicos.

A menudo nuestras creencias asocian ciertos ideales con ser felices. Creemos que vivir en ese mundo perfecto, con esas personas perfectas que están todas operando de acuerdo a nuestras expectativas idealizadas, nos mantendrá lejos de ser lastimados emocionalmente. En ese guión ideal, ninguna de las burbujas de creencias de la Víctima es activada, así que no nos sentimos ofendidos. En ese mundo perfecto, somos la persona idealizada que nuestro Juez dice que deberíamos ser, así que el Juez no nos critica y ya no somos victimizados. Este sentimiento de estar seguros y ser felices requiere como condición vivir dentro de un rincón estrecho del sistema de creencias donde ningún otro sentimiento se dispara. Este mundo resulta muy atractivo, aunque sólo esté creado por una imagen en nuestra mente.

Separarnos de los conceptos que crean nuestras expectativas idealizadas, también significa que debemos separarnos de las emociones asociadas a estos ideales. Sentimos como que estamos dejando ir la posibilidad de una seguridad emocional, de aquello que nos hará felices, y que nos arriesgaremos a algo temible si nos separamos de esos ideales. Si estamos convencidos de que tener la vida "perfecta" nos hará felices, entonces también nos asustará cualquier otra opción que no sea esa vida.

Sin embargo, esos estados emocionales dichosos pueden conseguirse sólo si el mundo real y la gente real se adaptan a nuestra versión imaginaria de ellos. Todos y todo deberían actuar de acuerdo a nuestras expectativas para que nosotros podamos amar, ser felices, o sentirnos seguros. El problema con nuestro mundo imaginario e idealista de seguridad emocional, es que es sólo imaginario, y aferrarse a él sólo conducirá a la decepción y a otras reacciones emocionales, a medida que la realidad va haciendo estallar nuestras burbujas. Para salir de este ciclo de esperanza y decepción, tenemos que disolver nuestros apegos a esas falsas creencias.

¿Cómo funciona esto? Roger está enojado y lleno de odio hacia su ex-esposa Diane, que ahora está haciendo una nueva vida con otro hombre. Roger tiene una versión idealizada de su ex-esposa que su Juez y su Víctima usan en sus historias en su mente. La Víctima se siente traicionada porque la Diane de la vida real lo dejó. La Diane Idealizada nunca dejaría a Roger—ella lo adora y sólo quiere estar con él. La Víctima de Roger se siente traicionada y rechazada por la Diane real. El Juez de Roger condena y está enojado con la Diane real, por no estar a la altura del comportamiento ficticio de la Diane Idealizada.

Roger también tiene una versión idealizada de él mismo. El Roger Idealizado nunca debió haber tratado a Diane de la forma en la que Roger real lo hizo. Cuando el Juez de Roger compara el comportamiento real de Roger con el del Roger Idealizado, Roger es condenado y odiado. La Víctima recibe estas críticas del Juez y Roger se siente no merecedor, avergonzado, y enojado consigo mismo. El Roger Idealizado es obviamente mucho mejor que la Víctima y, por lo tanto, en la identidad de la Víctima, Roger se siente no merecedor y avergonzado.

En este sistema de creencias, la felicidad depende de que el Roger Idealizado esté con la Diane Idealizada. Esto mantiene al Solucionador de Problemas de Roger ocupado, tratando de recuperar a Diane, o en hacerla comportar como la Diane Idealizada, castigándola con su enojo cuando ella no cumple con la imagen. Desde esta burbuja, pedirle a Roger que abandone estos ideales significa pedirle que renuncie a su guión de felicidad. Por esta falsa asociación con la felicidad, Roger se resiste a abandonar los ideales que el Juez y la Víctima están usando en su contra emocionalmente.

Es posible mantener nuestras altas expectativas y metas y usarlas como auto-motivación mientras desmantelamos los aspectos del Juez y la Víctima que causan infelicidad, pero éste es un camino muy difícil de seguir. Disolver las creencias en la mente es ya lo suficientemente complicado en sus comienzos. Dejar algunas de las estructuras idealizadas intactas y tener que trabajar alrededor de ellas, representa un desafío aún mayor. Podría ser útil para Roger el mantener en su mente la posibilidad de que Diane lo perdonará en un futuro, pero tener la expectativa de que ya debería haberlo hecho, es perjudicial. Aferrarse a los ideales en esta forma incrementa el riesgo de confundir la esperanza de una posibilidad futura con la expectativa de que esto debería pasar hoy, lo que hace más difícil liberarse de las narrativas del Juez y de la Víctima. A veces el enfoque más fácil y rápido es disolver las metas y las expectativas juntas. Más adelante, si usted así lo desea, cuando el Juez y la Víctima ya no dominen la narrativa en su mente, usted puede reconstruir conscientemente sus metas con un plan práctico para lograrlas en el futuro.

Al despegar nuestra fe de falsas creencias como estos ideales conceptuales, eliminamos las ilusiones, dándonos más claridad para percibir y aceptar la vida y a las personas tal y cómo son. El resultado puede no ser una historia de esperanza idealizada, pero es una historia *real*, y una que tiene una real oportunidad de paz y felicidad. La historia ficticia llena de falsas creencias e ilusiones, no tiene oportunidad. Una vida basada en la verdad puede llevarnos a la felicidad, humildad, aceptación, entendimiento, respeto, y compasión. A alguien impregnado de autocrítica, esto le puede sonar como un conjunto de conceptos vacíos, pero con práctica y trabajo, esto se convierte en una forma tangible de vivir nuestra vida.

Resistencia número dos: La identidad de la víctima

Curiosamente, por más que el personaje de la Víctima pida un cambio y parezca que huye de cualquier posible infelicidad, parece resistirse aún más a sanar. La parte de la Víctima en nuestra mente se resiste a perdonar y se aferra a sus expresiones de desdicha. No es sorprendente que casi todas las expresiones de la Víctima estén acompañadas por emociones desagradables. Evitar perdonar es una cuestión de supervivencia para esta parte de la mente del ego. Si la Víctima permitiera el perdón, entonces no tendría ninguna historia que contar, ninguna reacción emocional que crear, nada que hacer. Sus historias de drama cesarían, y el personaje de la Víctima moriría—y es la naturaleza de todos los seres vivos, el ego incluido, resistirse de cualquier manera posible a morir.

El paso crítico para superar esta capa de resistencia, es que usted se separe de la identidad del personaje de la Víctima. Use la conciencia y la atención para notar las diferentes partes de su mente y reconozca los personajes arquetípicos; de esta forma, usted podrá diferenciar su perspectiva de la perspectiva de la Víctima. Esta distancia entre una y otra perspectiva le permite percibir que la resistencia y el miedo a morir son de la Víctima, y no suyos. Esta historia de resistencia se vuelve entonces menos creíble, y su miedo a cambiar tendrá menos poder sobre sus decisiones. Con conciencia, usted observará que lo que parecía ser "su" resistencia, es en realidad la resistencia de la Víctima. Usted se dará cuenta de que la Víctima está sufriendo no sólo porque no cree en el perdón, sino porque también teme perder su vida si esa creencia se disuelve. Ser consciente de la naturaleza irracional de esta parte de la mente, lo ayudará a motivarse para dejarla morir sin miedo.

Resistencia número tres: Renuencia a ver desde la perspectiva de otra persona

Nuestro sistema de creencias puede resistirse a ver la situación desde la perspectiva de otra persona. El sistema del ego de los personajes quiere que la otra persona entienda *nuestra* perspectiva y adopte nuestra historia y nuestras creencias. La mente del ego está empeñada en tener la razón y ver a los demás como equivocados. Esquiva las creencias y puntos de vista diferentes y, por lo tanto, impide nuestro crecimiento. Cuando consideramos expandir nuestra percepción a otros puntos de vista, el ego se resiste a moverse. Si usted se encuentra tratando de convencer a otra persona de que debe cambiar o que está en un error, es muy probable que usted esté tratando de que adopte su propia burbuja de creencias.

Ver desde la perspectiva de otra persona hace que nuestra imaginación se extienda y se haga más flexible. Podríamos tener que esforzarnos para lograr esta extensión mental y emocional. Una forma práctica de ayudar es escribir lo que podría estar pasando en la mente de la otra persona. Escribir nos anima a mantener el cambio por un periodo de tiempo más largo. Escribir también hace que nuestra mente use un lenguaje más preciso. Esto hace que, al escribir, usemos de una forma mucho más rigurosa y efectiva nuestra atención y perspectiva, que cuando sólo pensamos.

Nadie es tan exigente con nosotros como lo es el crítico interno de nuestro propio Juez, porque él espera más de nosotros que de cualquier otra persona.

Auto-Perdón: Liberándose a usted mismo del sistema de injusticia

A menudo, perdonarnos a nosotros mismos representa un desafío mayor a perdonar a alguien más. Nadie es tan exigente con nosotros como lo es el crítico interno de nuestro propio Juez, porque él espera más de nosotros que de cualquier otra persona.

En el pasado, buscábamos fuera de nosotros el perdón: un padre, un maestro, o un sacerdote repartían el castigo y la absolución. Mientras íbamos creciendo, sólo otras personas tenían este poder, así que no desarrollamos el hábito de perdonarnos a nosotros mismos. De adultos, no tenemos ninguna voz interna de personaje que diga "¡Ya he sufrido bastante con esta historia! Es hora de perdonarme". No es que nos falte la habilidad—es más bien que nunca adquirimos el hábito, y tampoco está en la naturaleza del Juez o de la Víctima ofrecer perdón. Por lo tanto, no debemos dejar esto librado a nuestro sistema de creencias existente. Una nueva parte de nosotros mismos debe alzarse con fuerza y entregarse a esta nueva expresión auténtica de auto-aceptación.

Las falsas creencias y nuestra naturaleza auténtica compiten en la búsqueda del perdonarnos a nosotros mismos. Desde la infancia, nos enseñaron que el perdonar a otros es virtuoso. Nuestro sistema de creencias lo etiqueta como altruista y noble, reforzando nuestra motivación emocional para perdonar a otras personas. También es sanador porque dejamos ir el rencor o resentimiento que sentimos hacia ellas.

Perdonarnos a nosotros mismos presenta una situación diferente. Desde la perspectiva de nuestro sistema de creencias, perdonarnos no nos hace nobles, compasivos, altruistas, o una buena persona. Más bien, somos vistos como que queremos "zafar de nuestra responsabilidad". Nuestros personajes usan los conceptos del idealismo, responsabilidad, y justicia para mantenernos enganchados en nuestra culpa. Ellos no nos defienden y dicen, "Hemos sido lo suficientemente regañados y castigados emocionalmente. Ahora es tiempo de compasión y de sanar". Aunque podamos reconocer que algún otro ha sido ya castigado varias veces y negarnos nosotros a castigarlo más, a nuestro sistema de creencias no le importa cuántas veces nos hayamos criticado a nosotros mismos por el mismo error. El Juez y la Víctima tienen una pésima memoria. No llevan un registro—ellos sólo siguen adelante, sintiéndose obligados a señalar y castigar repetidamente nuestras fallas, posiblemente por años. Para terminar con los juicios, regaños, y autocríticas dentro de su diálogo interno, depende de usted decir, "¡Basta!" Si usted nunca escuchó esa voz dentro de usted, tiene que crearla.

En el auto-perdón, quitamos nuestra fe de las expectativas de lo que "deberíamos" o "no deberíamos" hacer y cómo "deberíamos" ser, de la misma forma en que lo hacemos cuando perdonamos a otro. Toda vez que mantengamos esas expectativas, el Juez creerá que hemos hecho algo mal, autorizando así las críticas. La Víctima recibirá este juicio y creerá que merecemos castigo emocional por fracasar. Esto parece como una conclusión razonable si las expectativas originales son aceptadas como válidas. Estar de acuerdo con la conclusión de que merecemos ser castigados, fija nuestra percepción en el personaje de la Víctima, lo que también mantiene la creencia implícita "No merezco ser perdonado", o "No merezco ser feliz". Esto hace muy difícil el siquiera considerar perdonarnos a nosotros mismos.

Nuestra fe en esta creencia de la Víctima, y en cualquier creencia incrustada, oculta detrás de estas declaraciones, es una barrera para practicar el estar presentes y aceptarnos a nosotros mismos tal y como somos. Es imposible resolver el problema desde la burbuja de creencias de la Víctima. La Víctima siempre cree cosas negativas acerca de sí misma y no tendrá ninguna expresión de aceptación o perdón. Salirnos de la burbuja de creencias de la perspectiva de este personaje es el primer paso. Para empezar a desmantelar esta estructura de falsas creencias, podemos adoptar la postura del observador y hacer un inventario de los acuerdos incrustados e implícitos.

Otra forma de desafiar esta creencia es imaginar que castigamos a alguien más con la misma intensidad con la que nos castigamos y regañamos a nosotros mismos. ¿Podría usted decir en voz alta, como si le estuviera hablando a alguien más, todas las cosas crueles que el Juez y la Víctima dicen de usted? ¿Trataría a alguien de la misma forma en la que estos personajes lo tratan a usted? Esta es una prueba de sentido común para los pensamientos de auto-castigo. Si usted no le dedicaría repetidamente esos pensamientos a alguien más, entonces tal vez usted tampoco merezca ser tratado de esa forma. Cuando usted realmente desafía estas autocríticas y victimizaciones, se hace consciente de que esta parte del sistema de creencias se comporta en la realidad como un *sistema de injusticia*.

Gary van Warmerdam

Theresa, la mujer que mencioné antes, puede perdonarse también. Muchas historias de violación contienen un elemento de autocrítica que se encuentra debajo de la superficie del enojo dirigido hacia el violador. Dentro de las historias de la Víctima existe usualmente ira dirigida hacia sí misma. El Juez interno de Theresa inventa historias de cómo la violación no habría sucedido si ella hubiera hecho X, Y, y Z de forma diferente. El Juez puede afirmar que ella no debería haber abierto la puerta, ido a la fiesta, confiado en ese hombre, tomado esa bebida, o ignorado sus instintos. Puede inventar numerosas versiones ficticias y resultados basados en algo que ella hizo o dejó de hacer. Con la fe depositada en estas versiones alternas, el Juez y el sistema de creencias concluyen que en parte fue su culpa.

Existen dos falsos supuestos aquí. El primero es que ella debería saber todo esto, antes de que sucediera. Ya hemos reconocido que los guiones del "podría" y el "debería" son puramente ficticios. Sin embargo, Theresa puede no darse cuenta de este falso supuesto, porque la voz del Juez es tratada como una autoridad que todo lo sabe, así que ella no examina las creencias incrustadas e implícitas detrás de estas declaraciones. En lugar de esto, ella adopta la perspectiva de la Víctima y acepta las condenas del Juez como correctas.

El segundo falso supuesto es que alguno de esos caminos alternos, podrían haber resultado en algo diferente; no existe prueba de que hubiera sido así, sólo especulación. Depende de nosotros ser escépticos en nuestro nombre y cuestionar las falsas suposiciones hechas por nuestros personajes del Juez y de la Víctima, eliminando los obstáculos para el auto-perdón.

Perdonando al Juez y a la Víctima

Usted es su crítico más severo. No hay un Juez más duro que el que tenemos en nuestra propia mente. Es por esto que el auto-perdón es necesario, si usted desea crear paz y felicidad para usted mismo.

El aspecto más desafiante al perdonarse a usted mismo, es perdonar a sus personajes internos del Juez y la Víctima. Conforme usted se vaya haciendo más consciente de ellos y del estrago emocional que le causan, es probable que desee que desaparezcan. Puede ser que a veces incluso reaccione con odio. La mente empieza a imaginar una realidad alterna donde no existen el Juez o la Víctima. Desear que desaparezcan el Juez y la Víctima puede parecer algo que vale la pena. Esto está muy bien, hasta que la versión imaginaria libre del Juez y Víctima se convierte en el estándar para que el Juez la use en sus comparaciones y críticas. Esta versión considera su actual estado mental como insatisfactorio. Como resultado, surgen más juicios, victimizaciones, y las emociones correspondientes basadas en el nuevo ideal ficticio recién creado. ¡Los personajes del Juez y la Víctima usan su nuevo ideal para crear más pensamientos acerca de lo que está mal en usted! Algunos ejemplos de pensamientos que señalan esta trampa son: "Sé que debería perdonarlo por esto, pero no puedo"; "¿Qué está mal en mí, que no puedo superar esto?"; "Debería perdonarme a mí misma y haber ya superado esto".

Este patrón de juicios críticos continúa, hasta que usted adopta una perspectiva y expresiones diferentes. El cambio comienza con usted siendo un observador y luego se extiende a la aceptación, que es lo contrario del rechazo o la crítica. Ni el Juez ni la Víctima pueden suscribir o siquiera sobrevivir a esta perspectiva. El hábito del Juez es expresar rechazo y el hábito de la Víctima es recibirlo. Salirse de la perspectiva del Juez y de la Víctima y expresar aceptación por la forma en la que son las cosas, rompe los viejos hábitos de expresión y crea otros nuevos.

Una vez que usted ha desarrollado una cierta habilidad para ser el observador y controlar su atención, puede acelerar el proceso de transformación. Para moverse más rápido hacia el auto-perdón, exprese perdón al Juez, a la Víctima, y a sus otros personajes. Perdone al Juez por sus acciones, expresiones, expectativas, condenas, críticas, y rechazo. Perdone a la Víctima por su rol en creer las historias y aceptar el abuso del Juez y de otros personajes. Ambos personajes están haciendo lo mejor que pueden. No conociendo nada mejor, y estando atrapados en un programa muy viejo y anticuado de creencias, han entendido e interpretado lo mejor que pudieron las experiencias de su vida. Como dijo un gran maestro, "Perdónalos, porque no saben lo que hacen". Por la misma razón, perdónese a usted mismo por no saber actuar de forma diferente de aquella en que lo hizo en su momento.

Libere al Juez y a la Víctima en su mente, de cualquier expectativa de que ellos deberían ser diferentes de lo que son hoy en día. Esto significa desprenderse de esa versión idealizada. Con el tiempo y la práctica las expresiones automatizadas en su mente cambiarán, pero hoy están dónde están. Perdónese a usted mismo por cualquier creencia de que usted debería ser diferente de cómo es hoy en día. Por más que a usted le gustaría que el Juez y la Víctima desapareciesen para siempre, esa expectativa sólo crea una base para más comparación y juicios. Al igual que gritarle a un neumático desinflado, su rechazo de estos personajes es sólo otra burbuja del Juez y de la Víctima. Si realmente desea que el Juez y la Víctima, así como sus historias, desaparezcan, entonces perdónelos. La expresión de perdón es lo que hará la diferencia, no desearlo. El verdadero cambio notable sucede en nuestro estado emocional, en la medida en que nos expresamos de forma diferente. Al practicar una expresión diferente, eventualmente usted llegará a ser diferente— y no al revés.

Esta acción de perdonar a su Juez y su Víctima no es un punto de partida. Anticipar que usted será eficaz aplicando esta técnica con sólo leer este libro, es una expectativa peligrosa. El hecho de que algo tenga sentido lógico no significa que usted tenga todavía el poder de voluntad personal sobre su atención y su perspectiva, para hacer que suceda. Intentar hacer este nivel avanzado de perdón sin desarrollar primero la habilidad de controlar su atención y su perspectiva, puede conducir a más autocrítica por las expectativas poco realistas. Quizá usted ha obtenido algunas buenas ideas de esta discusión acerca del perdón, pero eso no significa que usted tenga la habilidad para aplicarlas, o para prevenir que el Juez y la Víctima usen estos conceptos emocionalmente en contra de usted. Sólo la conciencia y la práctica pueden prevenir eso.

A pesar de su falta de habilidades, usted tiene que empezar en algún punto. Al practicar y ocuparse de las expresiones de perdón va adquiriendo la habilidad. La práctica es la parte importante. Usted tendrá que suspender la creencia en esos pensamientos críticos, hasta que esto se convierta en un hábito dominante. Tendrá que practicar expresiones de aceptación y perdón, hasta que se conviertan en un hábito más grande que las expresiones que usted está reemplazando.

Ejercicio: El perdón en acción

La práctica del perdón es lo mismo que cambiar otras creencias. En el caso del perdón, enfocamos la atención en las creencias específicas del Juez y de la Víctima. El primer paso en este proceso es separar su perspectiva de las del Juez, Víctima, y los otros personajes, utilizando los ejercicios mencionados antes.

Ponga su atención en sus expectativas, sus imágenes de perfección, y los supuestos acerca de cómo usted "debería ser". Después descompóngalos en detalles, buscando las creencias subyacentes, incrustadas e implícitas. Cuánto más consciente esté usted de estas expectativas, más las percibirá como ilusiones, sueños, burbujas de creencias, y construcciones abstractas en su mente. Son tan sólo ideas conceptuales, muy diferentes de la realidad de quién y qué es usted. Cuánto más claro vea cómo estas creencias implícitas e incrustadas están desconectadas de la realidad, más empezarán sus expectativas a parecer como poco razonables y, hasta cierto punto, ridículas.

El reconocer que sus expectativas son ridículas se hace posible a medida que usted utiliza la perspectiva del observador y es escéptico con sus creencias. El pegamento que mantiene cohesionadas a estas historias construidas artificialmente, es su fe. Cuando sus creencias ya no pasan la prueba del sentido común, usted naturalmente reclama su fe puesta en ellas y su poder personal crece.

Capítulo 16
Emociones: ¿Por qué me siento así?

Hasta este punto, hemos desarrollado la comprensión de que las emociones surgen de las creencias. A pesar de que éstas son la fuente más común de las reacciones emocionales desagradables, y la primera causa que deberíamos considerar, no son la única fuente de las emociones. La gente que cambia sus creencias y aquieta su mente puede sentirse confundida cuando sigue experimentando ciertas emociones. Se encuentra sintiendo tristeza, ira, gratitud, alegría, y amor, sin tener pensamientos o creencias que las acompañen. Esto es porque hay otras fuentes de emociones que no están relacionadas con nuestros pensamientos y creencias.

Cuando notamos una emoción en particular nos preguntamos, "¿Por qué me siento así?" A veces nos quedamos en blanco, porque simplemente no sabemos. Si del no saber se desprende un sentido de confusión, nuestra Víctima interna puede extrapolar esto a sentirnos como un fracaso. Suponemos que deberíamos saber por qué, pero no conocemos la respuesta.

Para evitar estos sentimientos de confusión y fracaso, la mente rápidamente propone y acepta una justificación para nuestras emociones. Cualquier respuesta que creamos correcta, nos hará sentir mejor que el no saber. Habitualmente se trata de una respuesta simplista, una sola frase que responde a la pregunta. Somos rápidos para culpar al tráfico, a alguien en el trabajo, o señalar a alguien cercano. La justificación ignora el impacto de nuestro sistema de creencias y el de otras fuentes, como las que describiremos más adelante en este capítulo.

Las emociones surgen de varias fuentes. El impacto de cada fuente varía de persona a persona, dependiendo de nuestras experiencias pasadas, así como del control que tengamos sobre nuestra atención y sobre lo que creemos.

Pero antes de explorar estas fuentes, hablemos de nuestro sistema emocional.

Su cuerpo emocional y sus funciones

Imagine que, así como usted tiene un cuerpo físico, también tiene un cuerpo emocional que puede percibir el espectro completo de emociones. Usted no puede verlo, pero imagine que su cuerpo emocional envuelve su cuerpo físico como la piel y que además tiene profundidad, impregnando y conectando todas sus células. Esto explica cómo podemos percibir emociones en diferentes lugares dentro de nuestro cuerpo físico. Nuestro sistema nervioso es capaz de sentir estas emociones en áreas de nuestro cuerpo, de la misma forma en que puede sentir las sensaciones físicas.

Del mismo modo en que la comprensión de las funciones de nuestro cuerpo físico nos ayuda a cuidarlo inteligentemente y a usarlo con destreza para expresarnos, entender cómo funciona nuestro cuerpo emocional nos ayudará a conseguir el dominio sobre nuestras emociones.

El cuerpo emocional como mecanismo de retroalimentación

Una de las funciones del cuerpo físico es que nos proporciona una importante retroalimentación bajo la forma de señales de placer y dolor. Si usted toca una estufa caliente, siente dolor, lo que es una respuesta precisa y que causa que usted retire su mano y prevenga mayores daños. El estiramiento, el afecto, y el movimiento, pueden sentirse como agradables y crear una experiencia placentera que aliente actividades saludables. Estas sensaciones son sentimientos apropiados que resultan de lo que estamos haciendo.

Una sensación dolorosa es una señal útil porque nos está indicando que hay que cambiar algo. El dolor en nuestra mano, cuando tocamos una estufa caliente, nos alerta sobre una situación peligrosa. El problema no es el sentimiento de dolor. Esta es la retroalimentación sensorial que se supone usted debe recibir de una estufa caliente. El problema es que tenemos nuestra mano sobre una estufa caliente.

Nuestras emociones funcionan de manera similar. Las emociones no son el problema, aun cuando sean desagradables o dolorosas. Son tan sólo la retroalimentación que nos informa que se necesita cambiar algo. Cambie la causa de las emociones y la emoción cambiará. Una persona con muchos arranques de ira puede querer deshacerse de la ira, pero eso no sería efectivo. La emoción de ira está siendo creada como resultado de algo más. Sería mejor que pusiera su atención en las causas de su ira — y eso no significa los detonadores inmediatos, como el tráfico, el otro conductor, o la gente que le rodea, aquello que su personaje de la Víctima o su sistema de negación señala como justificación.

Las emociones nos dan una retroalimentación apropiada de placer o desagrado por lo que hacemos, y nos ayudan a tomar decisiones. Si vemos una película de horror y nos parece una experiencia infortunada, hemos recibido una retroalimentación útil acerca del tipo de película que ya no queremos ver. O quizás vamos a un concierto de música clásica y tenemos una hermosa experiencia emocional. Esto nos da una gran retroalimentación que nos dice qué trae más felicidad y disfrute a nuestra vida. Cuando un amigo lo invita a cenar o a tomar algo, usted se imagina una escena, obtiene una sensación como resultado de pensar acerca de la velada imaginada, y entonces decide si ir o no, dependiendo de cómo se sintió.

Esto es así cuando el cuerpo emocional funciona bien: generando las emociones correctas para la situación de la escena imaginaria, en una correcta proporción. Las emociones son un componente importante que nos guía en la toma de decisiones. Pero el cuerpo emocional no siempre funciona de una manera tan directa. Cuando tenemos múltiples creencias conflictivas es mucho más difícil obtener una respuesta acerca de lo que deberíamos o queremos hacer.

El cuerpo emocional responde a las cosas reales y a las imaginarias

El sistema emocional responde a casi todo lo que percibimos, ya sea real o imaginario. Nuestro cuerpo emocional no puede ver la diferencia. Incluso responde a un sueño mientras dormimos como si fuera real, porque parece real mientras estamos dentro de él. Cuando estamos despiertos y operando dentro de una burbuja de creencias (esencialmente un sueño diurno), dentro de la perspectiva de un personaje arquetípico, esa burbuja de creencias aparece como realidad y el cuerpo emocional responde en consecuencia. Cuanta más fe usted haya depositado en estos sueños basados en creencias, mayor será la intensidad de las emociones que sentirá, tan sólo porque hay un mayor poder personal detrás de ellas.

Nuestras emociones son generadas como respuesta a nuestro mundo interno de creencias, del mismo modo en que son generadas como respuesta a la realidad. Esta es la forma en que las emociones deben funcionar. A pesar de que algunas emociones puedan sentirse como desagradables o dolorosas, las emociones no son el problema. Las emociones son sólo sensaciones que usted obtiene como una respuesta a creencias dolorosas, rechazos críticos, y falsas burbujas de creencias.

Conflicto de emociones

Nuestra imaginación es muy hábil para generar múltiples escenas y guiones simultáneos, y nuestro cuerpo emocional responde a todos ellos al mismo tiempo. Esto puede ser confuso; si no podemos discriminar las señales conflictivas, quizá no tengamos claro qué hacer. Nuestro cuerpo emocional está haciendo su trabajo, tratando de ayudarnos a tomar una decisión. El problema es que nuestras creencias conflictivas y escenas imaginarias generan emociones conflictivas. Depende de nosotros desarrollar nuestra conciencia para poder discernir entre realidad, proyecciones útiles de nuestra imaginación, y proyecciones distorsionadas de los personajes.

Supongamos que dos personas se comprometen y su fecha para la boda se acerca. Si uno de ellos está experimentando inquietud, pero se siente incómodo hablando de sus emociones, simplemente ironizará diciendo que "podría echarse atrás". Si se sienten más cómodos y honestos con sus emociones, las describirán como miedo y duda, lo que parece contraponerse a sus sentimientos de amor genuino y adoración por su pareja. También podría haber un sentimiento visceral de que algo no está bien. Esa sensación tal vez sea auténtica, pero también podría tratarse de su personaje de la Víctima, temerosa ante la experiencia de amor incondicional. También puede ser la expresión emocional de una creencia inconsciente tal como "todas las personas casadas son infelices". Y, finalmente, está la capa de emoción acerca de lo horrible que puede ser cancelar la boda porque la gente ya gastó dinero en boletos de avión y el banquete, y también está el temor a decepcionarlos. La exploración y el escrutinio son la única manera de descubrir de dónde viene la inquietud.

Observar y monitorear conscientemente varias emociones diferentes en una misma escena y al mismo tiempo, puede ser demasiado. Cuando consideramos una gran decisión tal vez estemos albergando numerosas creencias con fuertes emociones, además de emociones provenientes de otras fuentes. Si no tenemos un gran nivel de conciencia para discernir las múltiples emociones diferentes que estamos sintiendo, tendemos a amontonarlas en una sola pila informe y a decirnos que nos sentimos confundidos o molestos. En estas situaciones, usted puede usar la herramienta del inventario de sistema de creencias para identificar cuánto de cada emoción usted siente, y las diferentes creencias detrás de cada una de ellas.

Todo esto es para decir que nuestro cuerpo emocional es un increíble sistema de retroalimentación para lo que percibimos, tanto en el mundo real como en el imaginario. Nos proporciona respuestas emocionales incluso a ideas y creencias que podríamos tener sin saberlo.

Cuando usted cambie sus falsas creencias, sus emociones también cambiarán.

Cambiando sus emociones

Lo más importante acerca de cambiar las emociones es que usted no *necesita cambiarlas*. Son respuestas auténticas a sus circunstancias de la vida real, a las escenas y guiones imaginarios, y a las creencias conscientes e inconscientes. Si a usted no le gustan las emociones que está sintiendo, tendrá mejores resultados si se concentra en sus causas. Si simplemente trata de reprimir o negar sus emociones, será mucho más difícil identificar la causa. Típicamente, cuando sus emociones son desagradables y dolorosas, la causa real son las falsas creencias. Cuando usted cambie sus falsas creencias, sus emociones también cambiarán.

Mientras se está discriminando estas emociones y sus causas, es importante abstenerse de expresarlas de forma inapropiada. Si usted está enojado, puede ser conveniente y útil abstenerse de volcar ese enojo en otra persona. Volcar sus emociones tóxicas en alguien más, puede parecerle como que se deshace de ellas porque usted se siente mejor, pero no es una solución real. Considere que ese enojo se lo puede devolver más tarde la otra persona.

Abstenerse de expresar emociones tóxicas a otros es diferente de reprimirlas. Cuando reprimimos las emociones las enterramos en un intento de no sentirlas nunca más. Enterrar las emociones muy en lo hondo y creernos que ya no están allí, o que no son importantes, no hace que desaparezcan. Sólo hace que surjan más tarde, usualmente de forma poco sana. (Examinaremos con más detalle las emociones reprimidas, más adelante en este capítulo). Abstenerse es diferente. Abstenerse significa que nos permitimos sentir las emociones, sin actuar en consecuencia y sin volcarlas en otras personas. Al sentir las emociones nos permitimos disiparlas y que sean liberadas desde nuestro cuerpo emocional. Mientras permitimos que nuestras emociones se liberen, es importante no creer los pensamientos que justifican estas emociones, ya que esto nos llevará al circuito de un personaje y éste generará más emociones.

Puede haber aún más acciones a ejecutar. Las situaciones de la vida real deben ser encaradas con soluciones de la vida real. Por ejemplo, tal vez usted necesite establecer límites con una persona que lo critica o que está expresando enojo hacia usted, quizás retirándose de la situación o enfrentando a la otra persona. Sin embargo, aun cuando haya una situación de la vida real que encarar, por lo general también hay pensamientos y creencias negativas que suenan en su mente acerca de esa persona, de usted mismo, o de la situación, lo que agrega otras emociones a su experiencia. Estas creencias y pensamientos pueden ser disueltos también.

Quizás un amigo está pasando por un momento difícil y usted le permite quedarse en su casa por un tiempo, pero lo que creía que serían un par de días, se convierte en semanas. Mientras tanto su amigo se comporta como un haragán en su casa y no contribuye con ninguno de los gastos. Usted se la pasa limpiando su desorden e incurre en gastos extra. Aquí usted se enfrenta con una situación de la vida real donde usted trató de ser generoso, pero ahora se están aprovechando de usted y lo están victimizando de forma real. Al mismo tiempo, usted tiene pensamientos y creencias de Víctima resonando en su mente. Las emociones que siente acerca de la situación real, coinciden exactamente con aquellas generadas por las historias en su cabeza, y ahora necesita enfocar su atención para encontrar la línea divisoria entre las dos. Usted necesita realizar un inventario de creencias de sus historias, para poder procesar las emociones generadas por las creencias. También necesita encarar la situación de la vida real con su amigo, establecer límites, y acordar las expectativas.

Abstenerse significa que nos permitimos sentir las emociones, sin actuar en consecuencia y sin volcarlas en otras personas.

Las principales fuentes de emociones

Mientras que la mayoría de las emociones desagradables que nos hacen sentir desdichados se originan de nuestras creencias o son magnificadas por ellas, existen en realidad numerosas fuentes de emociones. Algunas son internas, otras son externas. Algunas emociones son generadas por humanos, y otras son de origen natural. En resumen, estamos inmersos en campos energéticos de emociones todo el tiempo.

Fuente número uno: Las emociones naturales

Las emociones naturales son emociones que surgen como una respuesta directa a la percepción de algo real en nuestro ambiente. Una hermosa puesta de sol o un amanecer estimulan sentimientos de admiración, amor, y aprecio. Una bella pieza de música nos levanta el ánimo. El observar a un pequeño niño corriendo por la calle nos provoca una respuesta de alarma. La pérdida de un ser querido puede crear pesar. Éstas son expresiones naturales de nuestro cuerpo emocional que no provienen de creencias condicionadas.

Las emociones de un bebé son naturales, suceden sin condicionamiento previo. Sus respuestas emocionales al mundo que le rodea son predominantemente de amor y alegría. Un bebé llorará cuando sienta dolor físico, tenga hambre, o por un incómodo pañal húmedo. Estas son respuestas emocionales naturales apropiadas y alineadas con una experiencia real.

Las expresiones emocionales de los niños pequeños también son predominantemente de amor. La mente de un niño pequeño, antes de ser sumergida en las creencias condicionadas, es diferente de la de un adulto. Es imaginativa, creativa, curiosa, y, muy a menudo, feliz. Fácil y naturalmente, expresa amor incondicional, carece de crítica, auto-juicio, miedo, orgullo, celos, envidia, y otras emociones de la mente del ego que se adquieren con el condicionamiento social. Un niño mira las cosas que no conoce o entiende, y responde con asombro y curiosidad.

A los niños se les enseña a hacer interpretaciones que crean miedo a los automóviles, a caer desde algo alto, a los animales que podrían lastimarlos, y aprenden a temer a lo que otros puedan pensar de ellos. Los niños eventualmente aprenden que deberían saber cosas y a sentirse incómodos cuando no las saben. A medida que este proceso se va llevando a cabo, se vuelve imposible saber cuánto de su miedo es natural y cuánto es agregado por las interpretaciones, asociaciones, y condicionamiento de su mente. A través de nuestra vida, algunas de nuestras emociones son respuestas naturales que surgen de una mente natural y del cuerpo emocional. Cuando llegamos a la adultez, el funcionamiento natural de nuestra mente puede estar cubierto por capas de diálogo interno y falsas creencias, pero sigue ahí. Tal vez se muestre cuando jugamos con nuestros hijos o hacemos alguna actividad que amamos, como pintar o tocar música, donde nos conectamos con esos elementos expresivos del juego, la creatividad, y el amor.

De cualquier forma, es posible para nuestra mente imaginar y soñar de la misma forma en que lo hacíamos cuando éramos más jóvenes, forma que es completamente diferente a la charla del diálogo interno y al estrés que surge de las creencias basadas en el miedo. Al desprendernos de nuestras falsas creencias es posible que logremos estar más alineados con ese estado feliz, curioso, y amoroso de la niñez, e igualmente seguir operando de forma responsable en el mundo.

Fuente número dos: Las emociones provenientes de creencias

A través de la repetición y el condicionamiento, los niños aprenden a asociar ciertas emociones con experiencias específicas y luego con palabras. Esto se expande a frases y conceptos más amplios. *No, sí, malo,* y *bueno* son ejemplos de palabras que los adultos atribuyen a los niños y a su comportamiento. Cuando un niño hace algo que no debería, sus padres utilizarán las palabras *no* y *malo.* El mensaje vendrá acompañado con cierto tono de voz, expresión facial, gesto, e incluso quizá con una palmada. El niño aprende a sentir cierta emoción vinculada tanto a las palabras como al comportamiento específico. Las palabras y acciones, junto con la respuesta emocional del niño hacia ellas, forman un mensaje congruente y llegan a ser una forma para modificar el comportamiento del niño. Con el tiempo, el mensaje se puede condensar en una sonrisa, por ejemplo, lo que puede evocar una inmediata respuesta de sentirse como un buen niño que es amado.

Esto es condicionamiento social a través de castigo y premio. Los castigos y premios pueden ser verbales, tener un componente emocional, o ser físicos. A través de la repetición de los castigos y premios construimos un catálogo de asociaciones en nuestra mente que incluye creencias acerca de nuestro comportamiento y de nosotros mismos. Cuando nos comportamos de cierta manera, o pensamos en hacerlo, nuestra mente recuerda las asociaciones y sentimos culpa y vergüenza aun cuando no haya nadie alrededor. Aprendemos a creer que este mundo de asociaciones y creencias, completo con sus emociones, es la realidad.

Una de las cosas confusas acerca de las emociones que provienen de creencias, es que muy a menudo coinciden con las respuestas de emociones naturales. El pesar es una respuesta natural de emoción por la pérdida de un ser querido. Sin embargo, ese pesar puede ser exagerado y prolongado por las historias de nuestros personajes y las creencias acerca de la pérdida. Desde nuestras historias acerca de nuestra pérdida podemos generar más sentimientos de pesar mucho después de que las emociones naturales se hayan disipado. El proceso para el cambio requiere respetar las emociones que sentimos, permitirnos sentirlas y liberarlas, y no creer en los pensamientos en nuestra mente que generan más emociones a través de sus historias.

Fuente número tres: Las emociones en nuestro campo emocional personal

Una característica de las emociones es que pueden persistir. Si usted tiene una reacción emocional de miedo o enojo, y la causa es eliminada, esa emoción no termina inmediatamente. Puede permanecer alrededor de usted como una nube y sólo disiparse con el tiempo. El tiempo puede ser muy corto o mantenerse por días, dependiendo de la intensidad del sentimiento. Esta es una de las formas en que los sentimientos constituyen su campo *emocional personal*. Mientras que algunas emociones en su campo provienen de creencias o de experiencias actuales, las emociones del pasado continúan persistiendo allí también.

A veces decimos que una persona está rodeada de una "nube negra", lo que significa que está cargando con muchas emociones negativas. Alguien que está generalmente feliz y alegre también tiene una nube—sólo que su campo emocional es placentero y agradable. No hay duda de que todos tenemos algún tipo de nube o campo de emociones que nos rodea. La pregunta importante es: ¿de qué clase es ese campo y quiere usted cambiarlo?

Si por la mañana usted medita acerca de la gratitud, puede crear y experimentar conscientemente el sentimiento de gratitud. A medida que usted va avanzando en su día, ese sentimiento puede permanecer con usted durante un tiempo. Usted tiene la oportunidad de continuar sintiendo la emoción que creó temprano en la mañana. Si usted practica regularmente esto, la emoción de gratitud se hace más fuerte y estará presente por períodos más largos de tiempo.

De forma similar, si usted tiene un arrebato de ira, tal vez permanezca enojado por algunos minutos más, horas, o el resto del día. Incluso si se convence a usted mismo de eliminar la interpretación que originó el enojo y ésta ya no se alinea con la creencia que usted tenía, la emoción no necesariamente lo abandona de inmediato. Las emociones que usted expresó en su campo emocional permanecen allí hasta que se disipan. Aun cuando ya no deposite más fe en la creencia o no genere más ira, la emoción que usted creó toma tiempo en disiparse.

Emociones provenientes de creencias inconscientes

Mientras que algunas de las emociones en nuestra nube puedan parecer obvias, otras tienen más capas y llevan mucho tiempo ahí. Algunas de las emociones que conforman nuestro campo emocional están siendo reforzadas continuamente por creencias inconscientes. Un pensamiento o una imagen pueden surgir de una creencia inconsciente y nuestro cuerpo emocional responde. Por ejemplo, el miedo a lo que otros puedan opinar de nosotros puede ser disparado varias veces durante el día mientras estamos rodeados de gente. La emoción que creamos inconscientemente es ahora parte de nuestro campo emocional. Podemos tener muchas creencias incitando muchos pensamientos y podemos generar inconscientemente emociones todo el día. Conforme nos hacemos más conscientes de nuestros pensamientos y creencias, las emociones que agregamos a nuestro campo emocional se hacen más evidentes.

Incluso si somos capaces de ser el observador y no creer en nuestros pensamientos acerca de algo, nuestra fe podría aún estar depositada en las creencias subyacentes y en creencias asociadas del pasado. Aunque podamos reconocer intelectualmente que el pensamiento o creencia no es verdadero, éste todavía tiene el poder de crear una emoción. Nuestra perspectiva ha cambiado, pero puede tomar algún tiempo para que nuestras emociones reflejen el cambio.

Podemos pensar a las muchas creencias que contribuyen a nuestro campo emocional, como la ropa que usamos. Una vez que nos la ponemos, no la notamos demasiado a lo largo del día y, sin embargo, nuestra piel siente la textura del material y la presión de la tela en cada centímetro de nuestro cuerpo durante todo el día. Mientras estamos ocupados en otras cosas sin prestar atención a estas sensaciones, nuestro cuerpo físico sigue experimentándolas. Cada creencia que adquirimos durante nuestra vida es como un hilo o parte de prenda de vestir. Algunas son muy hermosas y huelen como flores, y otras creencias apestan a miedo, ira, y decepción. Para el tiempo en que llegamos a la adultez, hemos estado coleccionando creencias por años y hemos perdido la noción de cuántas capas de creencias estamos vistiendo. Tal vez haya docenas o incluso cientos de capas de creencias, como diferentes prendas de vestir. Cada una de estas creencias produce una emoción y contribuye al campo emocional que nos rodea, incluso si no somos conscientes de que estamos arrastrando estas creencias con nosotros.

Ya que muchas de nuestras emociones surgen de nuestras creencias inconscientes, podemos llamar a nuestro campo emocional, *campo de emociones basadas en creencias*. Un campo de emociones basadas en creencias es la suma de todas nuestras burbujas de creencias más las emociones que producen.

Algunos estudios han mostrado que la gente que experimenta acontecimientos externos que cambian su vida y que afectan fuertemente sus emociones, a menudo regresan al nivel de felicidad o infelicidad previo al acontecimiento en un año o dos. Esto se aplica tanto a alguien que atraviesa por un divorcio, como a alguien que tiene un hijo, pierde una pierna, o se gana la lotería. La teoría resultante es que la gente tiene un punto emocional establecido y ese es al cual regresan. Este regreso a la emoción base tiene sentido en términos de que el campo de emociones basadas en creencias de una persona determina su estado emocional general. Pueden tener temporalmente respuestas emocionales positivas o negativas hacia ciertas cosas, pero regresan a sentir las emociones normalmente producidas y mantenidas por su burbuja combinada de emociones y creencias. La excepción a esto es cuando una persona se compromete firmemente con el hacerse consciente de sus creencias y cambiarlas. Los cambios internos en sus creencias producen cambios emocionales duraderos y sostenibles.

El efecto general del campo de emociones basadas en creencias es que crea estados emocionales por defecto en la personalidad de un individuo. Una estrategia de largo plazo para eliminar la infelicidad y la desdicha, sería eliminar las capas de creencias basadas en el miedo. Entonces usted tendrá más espacio en su campo emocional para las emociones basadas en el amor. Esta estrategia tiene una mayor probabilidad de funcionar que la de ganar la lotería, y tendrá resultados más duraderos.

Fuente número cuatro: Las emociones de otras personas

El impacto de las emociones de otras personas es habitualmente pequeño comparado con el de nuestras reacciones naturales, creencias, y campo emocional. Adicionalmente, nuestro campo de emociones basadas en creencias crea una barrera que es difícil de penetrar por las emociones de otras personas, o para que nosotros percibamos más allá de las nuestras. A pesar de esto, las emociones de otras personas afectan nuestra experiencia.

Sentir las emociones de otros generalmente sucede en una de dos formas. La primera es cuando enfocamos nuestra atención en otro ser, extendiendo nuestra conciencia como una antena desde nuestro cuerpo emocional. Esto es más fácil de hacer cuando estamos callados y prestando atención intencionalmente. A veces una persona entra a un lugar con un estado emocional intenso, y lo que percibimos es más que sólo el lenguaje corporal y las expresiones faciales. Percibimos un sentimiento, como una nube alrededor de ellos. Tal vez no seamos conscientes de poseer este sentido, pero está dentro del rango de nuestra habilidad para percibir. Si estamos ocupados con ciertos pensamientos y concentrados en nuestras propias creencias, es más probable que imaginemos lo que otra persona está sintiendo y proyectemos nuestras supuestas emociones en ella, en lugar de percibir lo que esa persona está realmente sintiendo.

La segunda forma en la que podemos sentir las emociones de otra persona es cuando alguien nos expresa sus emociones, como ira, culpa, o tristeza, y las percibimos con nuestro cuerpo emocional. Nuestra claridad para reconocer su emoción puede oscurecerse cuando tenemos nuestra propia reacción emocional a su expresión. Por ejemplo, si expresan ira, lo más seguro es que sintamos nuestra propia reacción de pelear o huir ante su enojo. Algo de nuestro miedo puede provenir de una respuesta natural si percibimos peligro, y otra parte del miedo puede surgir de la interpretación hecha por nuestro sistema de creencias. En cualquiera de los dos casos, hemos ido más allá de notar su enojo y, principalmente, estamos experimentando nuestra propia respuesta emocional.

Si proyectamos nuestras ideas de lo que podría pasarnos como consecuencia de su enojo, ya no estamos sintiendo nuestros miedos naturales. Ahora hemos cambiado a miedo generado por las creencias, según vamos reaccionando a nuestras escenas imaginarias. La emoción es la misma, pero la fuente ya no es una respuesta natural a un estímulo real — es una respuesta a nuestras creencias generadas por las escenas imaginarias acerca del estímulo. Una emoción que proviene de una escena imaginaria superpuesta a una respuesta natural, puede amplificar su poder a un nivel irracional.

Empatía y distorsión

Si consolamos a un amigo al que le han roto el corazón en una relación, es muy probable que percibamos las emociones del otro. Al escuchar con intención, nuestra atención abre un canal y podemos percibir su dolor emocional. Esto es empatía.

Sin embargo, percibir las emociones de otra persona de esta forma a menudo hace que creemos nuestras propias emociones similares. Cuando sólo percibimos las emociones de otro, no hay historia o interpretación en nuestra mente, pero esto no es lo que regularmente sucede. Mientras escuchamos su historia nos identificamos con la perspectiva desde la que se está contando, lo que es típico cuando escuchamos cualquier historia. Las ideas crean una burbuja en nuestra mente con nosotros en el centro, viendo todo de la misma forma en que la persona con el corazón roto la está viviendo. El resultado es que hacemos una copia de su experiencia. La distorsión sucede cuando nos incluimos a nosotros mismos en la perspectiva del personaje en la que la otra persona está. Entonces nuestro cuerpo emocional produce las mismas emociones que la otra persona está generando en lugar de percibir la de ella.

Lo mismo sucede cuando observamos una escena emocional en una película. Nos imaginamos en la situación del actor en pantalla y sentimos las emociones correspondientes. En este punto estamos creando y sintiendo nuestras propias emociones, y no las del actor.

Tal vez incluso nos sintamos molestos y críticos con la persona que abandonó a nuestro amigo. Cuando hacemos esto, ya no estamos simplemente percibiendo las emociones de nuestro amigo. Nuestra tristeza y enojo acerca de su dolor no es compasión sino infelicidad y sufrimiento que creamos con nuestra creencia acerca de su situación. Nuestro juicio acerca de su ex proviene de nuestro sistema de creencias, de la copia de la burbuja de nuestro amigo en lugar de percibir a nuestro amigo en su propia burbuja. Hemos caído en la misma reacción emocional de la que esperábamos que ellos pudieran liberarse. Si no somos conscientes de nuestra propia perspectiva, atención, y creencias, podemos quedar atrapados en reacciones emocionales generadas por nuestra propia mente a partir de las historias de alguien más.

A veces la gente se siente exhausta cuando pasa mucho tiempo con alguien que está lleno de pesar, tiene el corazón roto, o se encuentra en cualquier otro estado emocional intenso. Esto es común en los trabajadores sociales, terapeutas, maestros de estudiantes con necesidades especiales, y otros que trabajan en áreas de servicio. Sienten como que las otras personas los agotan. Esto es una mala interpretación de lo que está sucediendo. No es agotador el percibir el estado emocional de otra persona y ser compasivos con ellos. Lo que consume nuestra energía es crear un mundo emocional similar interno y depositar nuestro poder personal en los pensamientos e interpretaciones que generamos allí.

Aceptar a alguien y ser testigos de su experiencia no requiere de mucho esfuerzo. Si sus emociones llegan a ser muy fuertes e igualan las de la otra persona a la que está escuchando, considere que tal vez usted está creando su propia burbuja de creencias. Podría ser una que iguale la de la otra persona, o una en reacción a la de ella que está creando emociones como tristeza, preocupación, o ira. En este punto, usted ya no está percibiendo las emociones de la otra persona—está generando las suyas propias. Si hace esto a menudo, estará gastando mucho poder personal en emociones y esto será agotador.

Fuente número cinco: El campo colectivo de emociones

Así como usted tiene un campo emocional que lo rodea, todos los demás tienen igualmente alrededor su propio campo emocional. Puede que no lo expresen externamente, pero todos están generando emociones y llenando el espacio alrededor de ellos. Imagínese entrando a una sala llena de gente donde todos están generando las mismas emociones. Usted, muy probablemente, podrá sentir allí el campo emocional colectivo.

Existen billones de campos emocionales en toda la tierra, generados por todos los seres humanos en el planeta. Un grupo de gente que genera emociones similares crea un campo colectivo de esa emoción. Por ejemplo, si el equipo de fútbol de su país está compitiendo por la Copa Mundial y va ganando, la emoción y la alegría resuenan en todo el país. Esas emociones serán más concentradas e intensas en el estadio donde se reúnen muchos seguidores. Pero incluso si usted se encuentra solo en casa, al poner su atención en el juego, se puede conectar a este campo más amplio de emociones. Si su equipo pierde, un vapor colectivo de decepción llena el aire. En conjunto, todos los campos individuales de emociones constituyen el campo colectivo más grande de emoción que rodea a grupos de gente.

Hay campos específicos de emoción que también conectan a la gente en sus relaciones personales. Cuando dos personas se enamoran, tienen un canal de amor que los vincula. Existe un campo externo, emocional, compartido entre ellos. Cada persona se conecta con otros en sus relaciones a través de canales emocionales, extendiendo sus emociones y, por consiguiente, su campo emocional personal hacia aquellos con los que tiene una relación. Contribuimos al campo colectivo de emociones a través de lo que expresamos, y sentimos el impacto de esas fuentes externas de emociones también a través de estos canales.

Quedando atrapados en un campo emocional

Cuando dos o más personas expresan emociones similares y comparten creencias similares, su depósito de fe en esas creencias produce más emoción en su campo individual y en el compartido. Sus sentimientos pueden ser contagiosos, tales como sentimientos de entusiasmo o miedo. Cuando hay muchas personas con el mismo estado de emoción, el campo colectivo es más fuerte y más atractivo.

Esto es lo que sucede cuando un amigo nos habla en forma entusiasta acerca de una acción bursátil o una inversión de bienes raíces. Sentimos su entusiasmo y somos más propensos a ver la situación de la misma forma en que él la ve. A pesar de que estamos hablando con sólo una persona, las ideas que está compartiendo nos conectan al campo colectivo de todos aquellos que comparten esa misma emoción y creencias. Escuchamos hablar de otras personas que están ganando dinero, lo que confirma nuestra creencia de que podemos ganar dinero también. Podríamos incluso quedar atrapados en un miedo colectivo a perdernos la oportunidad. En la confusa niebla que rodea al campo colectivo, el sentido común de analizar las ganancias, precios, y valor es rápidamente descartado. No tenemos que estar en el piso de la Bolsa de Valores para que estas emociones nos lleguen. Podemos conectarnos a estos campos colectivos cuando estamos solos, mirando la pantalla de la computadora, mirando las noticias, o pensando acerca de ello algunas horas más tarde.

Cuando somos arrastrados por una fuerte burbuja emocional colectiva, podemos describir lo que nos sucede como simplemente ser "empujados a ello". Este simple hecho de minimizar lo que sucede, nos ciega cuando tratamos de comprender la mecánica de nuestro comportamiento y cómo cambiarlo. Al no entender cómo una ola de emociones afecta nuestra imaginación, perspectiva, fe, y creencias, quedamos a la merced, o tiranía, de estas fuerzas de las emociones y creencias en el futuro.

Los fuertes campos emocionales pueden producir un comportamiento con mentalidad de rebaño o pandilla. Ya sea que la gente esté invirtiendo dinero en bienes raíces apreciados más allá de su valor, causando disturbios en las gradas durante un partido de fútbol, o clamando con temor o ira por una guerra, la mecánica en la mente es la misma. Como los nadadores que desconocen las corrientes profundas en el agua en la que nadan, la gente puede dejarse llevar por las corrientes y la resaca a experiencias dolorosas y costosas. A menudo estos campos de influencia son generados espontánea e inconscientemente. Otras veces, los publicistas trabajan intencionalmente para generar un frenesí acerca de su producto, causa, o candidato político. También pueden intentar crear un campo de miedo alrededor de su oponente o del producto de un competidor. Los publicistas saben que ese tipo de atractivo emocional masivo es muy poderoso. Si usted desarrolla su conciencia, tendrá el control de su poder personal y será inmune a la influencia de ese tipo de mercadotecnia emocional.

Los campos colectivos emocionales pueden existir también donde no hay gente presente. Si usted entra en una iglesia, templo, o sitio conmemorativo, la sensación del lugar puede ser palpable. Mucha gente describe experiencias emocionales poderosas en el sitio conmemorativo de Vietnam o en el Museo del Holocausto, aun cuando ellos no tienen una conexión personal con estos eventos del pasado. Estos campos emocionales residuales existen porque otra gente ha estado ahí antes y expresado fuertes emociones que no se han disipado. Esta emoción colectiva en un lugar permanece de la misma manera en que la emoción permanece un tiempo en nuestro campo emocional personal. Cuando las emociones son expresadas intensamente por la gente, o por un periodo de tiempo prolongado, estas emociones se pueden sentir días, meses, o incluso años más tarde. Conforme la gente pasa por esos campos emocionales, pueden percibirlos y a menudo adoptar una perspectiva congruente, generando, por lo tanto, más de las mismas emociones. De esta forma, el flujo continuo de visitantes que producen las mismas emociones mantiene a estos lugares cargados por muchos años.

A medida que trabajamos inventariando y disolviendo nuestras creencias, nuestro campo emocional personal empieza a aclararse y somos más capaces de percibir los campos externos de emociones. A veces estos campos emocionales externos son mucho más grandes que nuestros campos personales.

Sin embargo, al recobrar mucho de nuestro poder personal desde nuestras falsas creencias, tenemos más control sobre nuestra atención y podemos separarnos de estos campos colectivos. Podremos así notar que algunos de los pensamientos que escuchamos en nuestro diálogo interno, o las emociones que sentimos, no están surgiendo de nuestro sistema de creencias ni de nuestra propia experiencia real.

Los campos colectivos emocionales no sólo nos afectan —también los creamos y los afectamos. Cuando usted cambia sus creencias y se mueve hacia el amor y la aceptación, cambia el campo de las emociones que usted crea a su alrededor. A medida que más gente participa en esta acción consciente, cambiamos los campos más grandes de emoción dentro de los cuales todo el mundo se está moviendo. Esto significa que al cambiar sus falsas creencias y ser más feliz, usted puede tener un impacto en la felicidad colectiva y conciencia de la humanidad.

Fuente número seis: Las emociones provenientes de la naturaleza

La naturaleza también contribuye al campo emocional. Cuando se va a un lugar de belleza natural, no perturbado por los campos emocionales de los seres humanos, es posible percibir cómo es la sensación del lugar. Cuánto menos, existe una ausencia de campos emocionales humanos creados por sus pensamientos, creencias, e historias llenas de drama, y el ambiente tendrá una sensación diferente por esa razón. Es más probable que usted note la sensación de plenitud y calma en entornos naturales. El paisaje vivo de los árboles, los ríos, el sol, la tierra, y el cielo tiene un componente emocional que podemos percibir. La tranquilidad y la calma pueden ser muy sutiles e incluso difíciles de detectar, ya que no estamos acostumbrados a poner nuestra atención en las cosas silenciosas. Las expresiones de emociones provenientes de la naturaleza se encuadran casi en su totalidad dentro del espectro placentero de las emociones que llamamos amor.

A menudo no notamos el campo de aire que nos rodea y que respiramos con nuestros pulmones miles de veces al día. Es tan continuo que no sobresale, e incluso lo damos por sentado. De la misma forma, vivimos en un mar de emociones compuesto por diferentes canales de conexión y campos que atravesamos todo el tiempo. Tenemos la capacidad de percibir estos diferentes campos con nuestro cuerpo emocional, siempre y cuando pongamos nuestra atención en ello, de la misma forma en la que podemos percibir cualquier área de nuestra piel, según cambiamos nuestro enfoque sobre ella. Aun cuando no enfoquemos nuestra atención en todas estas emociones, de todos modos las percibimos y experimentamos en niveles de los que no somos conscientes.

Gary van Warmerdam

Fuente número siete: Las emociones reprimidas

El cuerpo físico tiene la habilidad de almacenar energía en forma de emociones. Los recuerdos son un tipo similar de energía informativa que podemos almacenar durante años.

Imagine que el pequeño Johnny tiene tres o cuatro años. Es hora de ir a dormir y le ordenan que recoja sus juguetes. Johnny se está divirtiendo tanto y le gusta tanto aquello a lo que está jugando que ignora la orden. Después de varios intentos fallidos para que obedezca, Mamá o Papá le sacan los juguetes de las manos. Johnny tiene una respuesta emocional de tristeza por la pérdida, o quizás dolor por perder el sentimiento de felicidad que tenía al jugar con sus juguetes. Algunas de estas emociones pueden ser genuinas, y otras pueden ser generadas por apegos en sus sistemas de creencias.

Como mecanismo de defensa contra estas emociones desagradables, Johnny se enoja. El enojo es una respuesta natural que usamos para protegernos del peligro. Johnny no está en peligro físico, pero su sistema automático responde de la misma forma al dolor y, en este caso, a la incomodidad emocional. El enojo también puede surgir del sistema de creencias de Víctima/Villano por el apego a los juguetes. Independientemente de si su ira tiene una o más fuentes, Johnny la expresa hacia sus padres.

Pero esto no es bienvenido por Mamá y Papá. La falta de respeto y el comportamiento de enojo no serán permitidos, así que responden subiendo el tono de voz, regañándolo, levantándolo del piso, o incluso expresando enojo hacia él. La respuesta de Mamá y Papá asusta a Johnny. Después de algunas experiencias como ésta, Johnny se da cuenta de que cuando se enoja, empieza a sentir miedo. Johnny aprende a tener miedo de la respuesta de Mamá y Papá y asocia esto con el sentirse enojado. Johnny siente miedo de esta emoción, y más miedo aún, a expresar su enojo.

La próxima vez que le ordenan a Johnny que deje de jugar, él todavía se siente herido y tiene una reacción emocional de enojo. Esa parte de la respuesta emocional todavía no ha cambiado. Sin embargo, conforme la ira va incrementándose, también lo hace el miedo, así que instintivamente entierra la energía de ira en su cuerpo, así ésta no es expresada. Él la mantiene dentro y no deja que nadie sepa que siente ira. Después de hacer esto por un tiempo, Johnny ya es un experto en usar este mecanismo, y lo hace tan rápido, que no tiene la menor conciencia de las respuestas de ira que tiene dentro. Más adelante en su vida, Johnny siente miedo de dejar que su ira salga por lo que podría pasar o por lo que él mismo podría hacer. El miedo a sentir ira es más grande que el sentimiento de ira, ya que es una capa de energía y emoción que mantiene a la ira adentro.

En años posteriores la ira reprimida de una persona puede no ser tan fácil de controlar. La ira atrapada en las células del cuerpo físico ha acumulado demasiada presión y necesita ser liberada. La emoción puede salir dirigida al tráfico, a los empleados, a uno mismo o a la pareja, por las razones más insignificantes. Cuando una emoción reprimida estalla, lo hace a menudo fuera de proporción con la causa que la detona. Esto es confuso, y la mente lucha para encontrar la razón. Cuando tenemos suficiente conciencia para reconocer que la justificación que damos es falsa, nuestros personajes del Juez y Víctima contribuyen con sus historias y nos condenan por el arranque y la excusa inadecuada. Los personajes usan lo que hicimos para culparnos de nuevo, lo que nos anima a volver a reprimir nuestros sentimientos. Entonces, a nuestras capas emocionales les agregamos culpa y vergüenza, así como miedo a los arranques de ira. También podemos expresar algo de ira y odio hacia nosotros mismos por estar tan enojados, incrementando nuestro nivel de dolor y asegurando más represión. En un círculo vicioso, este tipo de expresión de nuestros personajes agrega más emoción a nuestro campo emocional y hace más probable que tengamos nuevamente un arranque.

Las emociones que comúnmente reprimimos son la ira, la tristeza, la culpa, la vergüenza, y el pesar. Tememos más a estas emociones por cómo podríamos comportarnos, por lo que otros puedan pensar, o por cómo nos juzgaremos por sentirlas. Estos miedos y juicios críticos acerca de nuestras emociones interfieren con su liberación. Cuando estas emociones no son liberadas de forma saludable, pueden afectar nuestro cuerpo físico, que a menudo lo manifiesta como dolor físico. O terminan siendo liberadas al volcarlas sobre otras personas de maneras inapropiadas, afectando así nuestras relaciones.

Una solución para salir de estos temores y críticas es hacer un inventario de los pensamientos, creencias, y juicios que sus personajes tienen acerca de las emociones que usted siente. Una mejor comprensión acerca de por qué sentimos lo que sentimos y un reconocimiento compasivo de esos sentimientos, ayudarán a remover las fuerzas del miedo y de las críticas que mantienen reprimidas a esas emociones.

Mientras que algunas de estas emociones reprimidas están basadas en creencias y tienen una historia o una creencia que las acompaña, algunas no las tienen. Es posible que también hayamos reprimido emociones de respuesta natural. Para muchas de las emociones naturales a menudo no existen historias, pensamientos, o creencias que desmantelar. Cuando se liberan puede haber una gran cantidad de emoción sin conexión a un pensamiento o recuerdo. Por ejemplo, cuando perdemos a alguien que amamos a menudo hay pesar. Es una respuesta natural que incluso los animales tienen, a pesar de no tener un sistema de creencias. No hay palabras, pensamientos, o creencias que acompañen estas emociones de respuesta natural. Como humanos, también tenemos una mente que proyectará pensamientos, creencias, e imágenes para formar historias. Tanto las emociones basadas en creencias como las emociones que no tienen historia, deben ser respetadas y liberadas.

Al principio, la curación y el proceso de cambio son sólo una cuestión de dejar salir los sentimientos reprimidos. El cuerpo emocional, al igual que nuestro cuerpo físico, tiene su propio mecanismo de sanación y liberación. Usted tendrá ataques de llanto o rabia sin razón aparente. Del mejor modo que pueda, permita el proceso y deje que las emociones salgan sin infringírselas a los demás. Lo que requerirá más trabajo, particularmente en el caso de la ira, será abstenerse de expresarla a otra persona. La mente intentará justificar y explicar de una forma simple el por qué sentimos lo que sentimos. Al sentir estas emociones tan intensas la mente busca una respuesta. En realidad, usted no necesita una. El trabajo que se requiere hacer es dejar que las emociones se muevan a través de usted de forma saludable, sin enviárselas a alguien más, o creer en los pensamientos que las acompañan. Será útil suspender la creencia en cualquiera de las justificaciones de estas emociones. Depositar fe en las justificaciones sólo agregará más creencias productoras de emociones a su sistema.

El trabajo que se requiere hacer, es dejar que las emociones se muevan a través de usted de forma saludable, sin enviárselas a alguien más, o creer en los pensamientos que las acompañan.

La represión del amor

Sorprendentemente, una de las más grandes emociones que reprimimos es el amor. De niños éramos libres para bailar y expresar emoción y alegría con nuestro cuerpo. A medida en que crecimos, nos dijeron que nos dejáramos de tonterías, que reírnos era inapropiado, y que deberíamos ser más serios. Aprendimos que cómo nos presentábamos ante los demás era más importante que expresar nuestra alegría. Al aprender a ser más responsables, también tratamos de actuar más serios. Todos estos pequeños momentos agregaron capas de energía que frenan nuestras expresiones naturales de alegría, asombro, humor, creatividad, curiosidad, y amor.

Al analizar opciones de carrera podemos haber dejado de lado intereses que amamos, como el arte y la música, desechándolos en favor de áreas de trabajo más "prácticas". Nuestra preocupación acerca de ganar dinero y poder sustentar financieramente tanto a nosotros como a nuestra familia se transformó en la prioridad, y las expresiones de amor que provienen de aquellas otras, las actividades tan queridas, fueron reprimidas. Intentamos no pensar acerca de lo que desechamos porque duele demasiado el no poder expresar el amor por las cosas que nos apasionan.

Si nos enamoramos y nos rompen el corazón, podemos hacer un pacto interno acerca de que el amor duele, o de que debemos tener cuidado, lo que en realidad significa que le tememos al amor. Somos reacios a amar de nuevo, sin darnos cuenta de que no fue el amor el que dolió, sino el dolor de ya no amar, cuando todo terminó. Creamos falsas interpretaciones y creencias acerca de nuestras emociones y futuras acciones. Reprimimos nuestros sentimientos de amor como si el amor en sí mismo fuera doloroso. Como el niño que dejó de sentir alegría cuando le quitaron sus juguetes, también reprimimos nuestras reacciones dolorosas cuando perdemos el amor y lo cubrimos que capas de negación acerca de sentir lo que sea. "Estoy bien" es una declaración conveniente para reprimir el dolor, y para reprimir el amor que por debajo queremos expresar.

Al remover estas capas de negación y notar lo que sentimos con aceptación honesta, primero encontramos miedo y juicios críticos por nuestras emociones. Debajo de eso, están las capas reprimidas de tristeza, pesar, e ira. Pero, por debajo de esas capas, están las capas reprimidas de amor, pasiones, y una abundancia de alegría en grandes reservas. Algunas de esas emociones basadas en amor, han sido retenidas durante años y a veces pueden precipitarse en oleadas abrumadoras. Cuando el amor reprimido ya no está bajo presión, regresa a un flujo normal y auténtico en una forma balanceada y sostenible. Sin embargo, no existe una sola forma para todos; la forma en la que cada persona experimenta este proceso, será única para ellos.

Somos reacios a amar de nuevo, sin darnos cuenta de que no fue el amor el que dolió, sino el dolor de ya no amar, cuando todo terminó.

Fuente número ocho: La voluntad consciente de crear

Como hemos visto, muchas de nuestras emociones son creadas en reacción a lo que nuestro sistema de creencias imagina. En efecto, nuestro sistema de creencias controla nuestra atención, hace sus interpretaciones de lo que percibimos, y luego nuestro cuerpo emocional responde con emociones. Sin embargo, no tenemos que crear emociones sólo como una respuesta. Si sacamos al sistema de creencias fuera del circuito, somos libres de decidir dónde y cómo enfocamos nuestra atención, y por lo tanto qué emociones creamos.

Es posible crear emociones deliberadamente al dirigir nuestra atención, sin el uso de los pensamientos o creencias, y expresar cualquier emoción que elijamos. Esto requiere dos cosas: (1) control consciente sobre nuestra atención, y (2) suficiente voluntad para generar la emoción.

Cuando dominamos el arte de expresar las emociones, podemos generar amor, gratitud, y respeto sin una razón identificable. En lugar de eso, lo hacemos simplemente porque queremos, o porque nos resulta agradable. Al principio será más fácil usar ideas, recuerdos, o afirmaciones para enfocar la atención y generar ciertas emociones. Se puede usar una meditación guiada, escuchar música inspiradora, o recordar a alguien que amamos. Si queremos crear gratitud conscientemente, podemos enfocar nuestra atención en las bendiciones de nuestra vida. Podemos usar nuestra atención para dirigir nuestra historia, y entonces responder emocionalmente a la historia o las imágenes que hemos creado. A un nivel más alto de dominio sobre nuestra atención, podremos crear esos sentimientos sin utilizar los pasos intermedios de imágenes, historias, razones, y justificaciones.

Una práctica simple puede tomar la forma de una meditación sobre la serenidad. Siéntese quieto, enfoque su atención internamente, y deliberadamente exprese calma, alegría, y paz. Sentado allí, solo en su habitación, usted escoge expresar una cierta emoción, no como una respuesta a la realidad o a una creencia, sino sólo porque decide conscientemente hacerlo. Es como ejercitar voluntariamente un músculo, aunque en este caso se trata de un músculo emocional, y hacerlo de una forma que sea placentera. Con la práctica, su voluntad personal y sus músculos emocionales se hacen más fuertes. Cuando usted consiga suficiente dominio sobre su atención y emociones, podrá expresar emociones de amor y aceptación aun cuando otras personas o circunstancias actúen en su contra. Esto es mucho más fácil de lograr una vez que usted ha identificado y disuelto sus creencias basadas en el ego, de forma que ya no lo distraigan.

Esta forma de crear emociones va en contra de nuestra experiencia habitual de reaccionar emocionalmente a otras personas y a sus propias creencias. ¿Puede imaginarse estar en paz cuando alguien en el trabajo lo culpa injustamente por algo o lo despide? ¿O mantener su serenidad cuando su pareja está teniendo un drama emocional, o siendo desagradable con usted? ¿Puede imaginarse no perdiendo su atención ante historias de injusticia acerca de temas políticos, financieros, o ambientales? No es una experiencia común, pero no significa que sea imposible. Si sólo permanecemos en los hábitos y prácticas que la gente comúnmente tiene o hace, entonces sólo sentiremos el rango de emociones que la gente comúnmente siente. Si hacemos algo diferente, experimentaremos algo diferente.

Una trampa en la que hay que evitar caer con esta práctica, es utilizar esta expresión consciente para reprimir otras reacciones. Si usted está enojado con alguien, el intento en ese momento para conscientemente obligarse a ir a un estado de gratitud, puede ser un intento de anular y reprimir la ira u otras emociones. Mientras que esto puede ayudarlo a sentirse mejor en el corto plazo, también puede llegar a ser una forma desgastante de mantener las emociones reprimidas y dejar intactas las falsas creencias que son la fuente de las emociones.

Es posible ser conscientes de todos estos temas de posible drama y manejarlos mientras mantenemos un estado de ecuanimidad. Sin embargo, generar amor y gratitud deliberadamente en estas circunstancias puede ser mucho más difícil que cuando usted está solo sentado en su habitación sin ninguna distracción. Cuando las emociones dramáticas se activan en nosotros, las defendemos por ser apasionadas, por mostrar preocupación y cuidado, o por estar justificadas, aun cuando estén creando sufrimiento en nosotros y agregándolo al campo colectivo de los demás.

Los personajes arquetípicos del drama se resistirán a la creación deliberada de amor y gratitud. Las reacciones más comunes que escucho cuando describo esta práctica de escoger amor y gratitud son, "¿Sugieres que sea un autómata?" y "Me gustan mis emociones, todas—es lo que me hace humano".

No, no estoy proponiendo que seamos autómatas sin sentimientos. Estoy sugiriendo que seamos más conscientes de nuestras emociones y que reconozcamos que podemos también crear conscientemente nuestras emociones. Al mismo tiempo, estoy sugiriendo que *dejemos* de ser autómatas que sólo reaccionan de forma automática a lo que nuestro sistema de creencias nos condiciona. Estoy proponiendo que la gente sea lo suficientemente consciente como para considerar un rango completo de opciones, incluso opciones con respecto a sus emociones. Cuando usted posea el dominio emocional, tendrá más opciones en cada momento. Usted puede expresar mucho más de lo que su sistema de creencias condicionado o el campo colectivo de emociones le ofrecen. Ejercitar su poder personal para expresar conscientemente amor, compasión, y respeto, es también ser humano.

Algunas de las emociones más peligrosas son aquellas que parecen justificadas. Conseguimos el mayor impacto cuando prescindimos de las típicas emociones que espera la gente. Si estamos enojados con alguien, probablemente nos sintamos justificados y no creamos que merezcan ser perdonados. Pero si retiramos nuestra fe fuera de la historia reactiva y la depositamos en la aceptación de las cosas como son, podemos perdonarlos y amarlos—no porque lo merezcan, sino a pesar de la historia que dice que no. Usted puede hacerlo también consigo mismo. Considere darse amor y aceptación a usted mismo, no porque hizo algo para merecerlo, sino porque sí, sin requerir ninguna razón, o sólo porque lo hace sentir bien. Esto significa acercarse a un tipo completamente irracional de amor: un amor que es incondicional.

Cuando usted consigue el dominio emocional, no tiene que pasar por el proceso reactivo de sentirse ofendido, luego perdonar, y finalmente estar en paz con ello. Puede saltearse el paso de "sentirse ofendido", y por lo tanto no tener que molestarse con el trabajo del perdón. Usted puede simplemente permanecer en paz con las cosas desde un principio. En realidad, esto es mucho más fácil. Es sólo que lleva un cierto trabajo el aprender a vivir tan relajadamente.

El desafío del dominio emocional requiere más que el dominio de su expresión cuando todo va bien, o cuando usted está solo, sentado en su lugar favorito de meditación. La prueba real es si usted es capaz de expresar amor, aceptación, y respeto aun cuando las cosas en la vida van en su contra. Es por eso que consideramos héroes a personas como Nelson Mandela y Mahatma Gandhi. Parte de su viaje fue invisible. Fueron heroicos porque conquistaron la tentación interna de creer en interpretaciones que podrían terminar en odio, victimización, o ira. Al comienzo, el dominio emocional es acerca de estar conscientemente dispuesto a expresar amor y respeto toda vez que usted pueda. A medida que usted fortalece su voluntad y el control sobre su atención, dominio emocional es expresar amor y respeto cuando los pensamientos en su mente lo tientan a creer que usted no puede.

Conseguir este tipo de dominio no es fácil y no debería ser considerado como una práctica de principiantes. Sin embargo, es bueno ser consciente de la posibilidad de acceder a esta práctica. Si otros lo han logrado con el tiempo y la práctica, entonces quizás usted también pueda lograrlo. Tal vez no consiga hacerlo "perfecto" al principio o incluso antes de morir. Eso no importa. Lo importante es que será más feliz cada momento de su vida, mientras va mejorando en esto.

Dominio emocional es expresar amor y respeto cuando los pensamientos en su mente lo tientan a creer que usted no puede.

Obstáculos al Dominio Emocional

Al comienzo, puede ser un reto el crear conscientemente las emociones que elegimos, tal como amor, gratitud, y aceptación, porque no tenemos completo control sobre nuestra perspectiva y atención. Aun cuando tenemos algo de control, mucho de nuestro poder personal está todavía almacenado en creencias que creamos en nuestro pasado y que seguimos acarreando. Estas creencias actúan en nuestro campo emocional personal y hacen difícil el acceso a emociones más elevadas y a otros puntos de vista.

Si somos aunque sea un poquito más conscientes durante una reacción emocional, podría ocurrir que respondiésemos en forma diferente; incluso podríamos intentar obligarnos a sentir de forma diferente. Pero si la historia del Juez o de la Víctima es fuerte y hay demasiada fe depositada en las viejas creencias, no seremos capaces de realizar aún el cambio. Tal vez tengamos suficiente conciencia para darnos cuenta de que estamos atrapados en una reacción a nuestras creencias, pero no la suficiente como para convertirnos en el observador. Todavía no tenemos suficiente poder personal para adoptar otra perspectiva o expresar una emoción diferente. El efecto es de apenas algo de conciencia para saber que hay otras posibilidades, pero no todavía de la suficiente conciencia y poder personal para cambiar nuestra situación.

En esta etapa del proceso, practicar *aceptación* acerca de quiénes somos y qué estamos haciendo, es uno de los mejores pasos que podemos dar. No nos paramos y caminamos la primera vez que intentamos caminar, pero no nos dimos por vencidos tampoco. Expresar aceptación nos saca del circuito del Juez y de la Víctima, y podemos empezar a recuperar el control sobre nuestra perspectiva. También, reconocer honestamente las otras fuentes de emociones nos puede ayudar a mantener a raya nuestras expectativas. Es más fácil enfocar nuestra atención y crear las emociones que elegimos cuando no estamos en medio de una reacción emocional.

Una de las claves para permanecer fuera de la autocrítica sobre nuestro progreso es controlar nuestras expectativas—en otras palabras, nuestras creencias acerca de cómo "deberíamos" estar progresando. Un supuesto oculto muy común es que, por el hecho de haber conseguido algo el día de ayer con nuestra atención y voluntad, deberíamos ser capaces de hacerlo todos los días. El supuesto tendría sentido si cambiar nuestra atención y crear emociones estuvieran basados en el conocimiento. Una vez que usted sabe que la capital de Francia es Paris, debería poder contestar acertadamente a esa pregunta todos los días. Así es cómo el conocimiento y la memoria funcionan.

Pero, controlar su atención y ejercitar la voluntad de expresar una emoción son habilidades, como hablar en público, golpear una pelota de golf, o tocar el piano. El hecho de que usted haya tocado una canción completa sin errores o golpee una pelota de golf un día, no significa que lo hará tan bien al día siguiente. Esas actividades requieren de una práctica hábil, e incluso entonces, algunos días pueden presentar más desafíos que otros. Entender que el proceso de dominio emocional es una habilidad que debe ser practicada y desarrollada, lo ayudará a evitar la autocrítica con la que el Juez intenta engañarlo.

Fuente número nueve: La fuerza de la vida

Por último, existe una experiencia emocional trascendental que desafía la definición. Las tradiciones espirituales le dan nombres como *nirvana*, *samadhi*, o *conciencia de Cristo*. Sin embargo, no tiene por qué tener una connotación religiosa o espiritual. En su libro *My Stroke of Insight (Mi derrame de iluminación)*, Jill Bolte Taylor, una científica que estudia el cerebro, describe su experiencia de expansión de conciencia, amor, y belleza, durante y después de su propio derrame cerebral. En esa experiencia, su conciencia percibió una realidad más allá de cualquier experiencia previa y de todo su condicionamiento social y creencias. Cuando una experiencia sobrepasa el

Gary van Warmerdam

ámbito normal de las emociones, es típicamente descrita como hermosa, como un intenso sentimiento de amor que se extiende más allá del yo físico.

Algunos han experimentado esto durante situaciones cercanas a la muerte, mientras su cuerpo yacía en una mesa de operaciones y ellos flotaban por encima. Algunos se sientan a meditar por años, buscando conseguir una experiencia emocionalmente expansiva, sin saber si esto sucederá alguna vez. Para otros, puede suceder espontáneamente. Una mujer con la que hablé experimentó un despertar emocional y de conciencia de amor, cuando caminaba en su campus universitario una mañana. Ella comentó que fue como ser golpeada por una luz y ver entonces que el mundo físico estaba en realidad hecho de luz. La calidad emocional de esa luz era amor, y la abrumó. Yo llamo a esa experiencia, ver la Vida tal cómo es.

Una amiga, Charlotte, describió una experiencia que tuvo mientras hacía paracaidismo. Su paracaídas no se abrió—hubo un problema con la liberación, y las líneas se enredaron. Su paracaídas de reserva se enredó también. Después de un breve momento de pánico, Charlotte fue golpeada con una sensación de calma y paz y ella aceptó la situación completamente. Aceptó su mortalidad, que la vida es efímera, y que todo en su vida estaba en perfecto orden, inclusive este momento sorpresivo donde se enfrentaba cara a cara con la muerte. A menudo, un encuentro tan directo con la muerte dirige nuestra atención a revisar el pasado y todas las ilusiones de nuestras burbujas de creencias, y percibimos y experimentamos la Vida directamente en una forma muy real y amorosa.

En completa paz, Charlotte hizo todo lo que era necesario. Trató de desenredar las líneas que estaban colapsando el paracaídas. El casquete se abrió de forma desigual y retardó su caída. Luego comenzó a girar, a desinflarse, y a caer como una roca de nuevo. La velocidad del descenso ocasionó que el casquete tomara aire de nuevo y se ondulara, y luego girara un poco más en caída libre. Este ciclo continuó hasta que tocó tierra. Afortunadamente, el aterrizaje sucedió en un momento en el que el paracaídas estaba abierto, y Charlotte sobrevivió sin ningún hueso roto. A lo largo de la experiencia, Charlotte estaba en un estado de paz. Su cuerpo tuvo dolor físico por semanas, pero emocionalmente ella se sentía maravillosamente. Mejor que maravillosamente—mejor de lo que se había sentido jamás en su vida.

Esta experiencia emocional, tan nueva y diferente a cualquier otra que Charlotte hubiera conocido en el pasado, le provocó problemas cuando regresó a su vida normal. En los años anteriores, ella se sentía desdichada y deprimida. Tener esta experiencia expansiva de amor y paz contradecía cada pensamiento y creencia en su mente. El contraste entre la experiencia de amor y el mundo familiar de la burbuja de su sistema de creencias la forzaron a cuestionar todo lo que ella creía. Años más tarde, ese campo expansivo de amor es algo que regularmente percibe y disfruta.

Las experiencias de expansión de conciencia y de "darse cuenta" están siempre acompañadas de una experiencia de amor sin límites. Esto es porque la innata cualidad emocional de la fuerza de la Vida es el amor. No hay evidencia física de esto, así como no hay una medida cuantificable para el amor, o la conciencia. Estas experiencias son personales y subjetivas, pero cuando suceden una y otra vez, muestran un patrón. Algunas personas que no han experimentado esto dirán que es pura imaginación, que una conciencia sin límites, y tan amorosa, no existe. Esto es entendible porque en el ámbito de su experiencia y, por lo tanto, dentro de su burbuja de creencias, *no* existe. Sin embargo, para otros, estas expansiones de conciencia y amor son muy reales.

Estas experiencias también suelen ir acompañadas por una mente tranquila, lo que indica que la naturaleza de esta fuerza de la Vida es silenciosa. Opera sin un lenguaje y precede al lenguaje. Aunque puede usar el lenguaje, no está limitada a la construcción de conocimiento encapsulado por palabras y a menudo se percibe más fácilmente en la ausencia del lenguaje. El pensar y el parloteo de la mente son a menudo una distracción de esta fuerza de la Vida. Ésta es una de las razones por las que muchas de las prácticas de atención plena y espirituales incluyen acallar la mente.

Cada persona que experimenta estos sentimientos expansivos de amor y conciencia encuentra difícil el poder expresar en palabras lo que han percibido. Es similar al problema que tendría alguien si tratara de explicarle a una persona sorda cómo suena una sinfonía, o describir los colores del arco iris a una persona ciega. Sin la experiencia como referencia, las palabras suenan vacías. El sentimiento expansivo de amor más allá de la persona, presenta los mismos desafíos en la comunicación. Las palabras son sólo símbolos vacíos hasta que usted tiene una experiencia que les da un significado.

Hay muchas tradiciones que ofrecen caminos a esta experiencia expansiva consciente y emocional. Van desde las prácticas de oración contemplativa, meditación, viajes chamánicos, y Kundalini yoga hasta las prácticas de aumento de conciencia y de "darse cuenta". Mi intención no es presentar un estudio de esos caminos, sino simplemente señalar el reino de emociones a las que esos caminos pueden llevar. Este capítulo estaría incompleto si no se mencionaran estas experiencias emocionales de amor y conexión a una fuerza de Vida, que trasciende todas las tradiciones y prácticas.

Leyendo sus emociones

Uno de los mayores errores de interpretación que hacemos, es acerca de lo que significan nuestras emociones. Suponemos que, si sentimos algo, entonces debe ser real y legítimo. Esto es parcialmente cierto. Si tocamos algo con nuestra mano, podemos decir que es real y explica de donde proviene la sensación. Sin embargo, estamos equivocados si hacemos las mismas interpretaciones acerca de nuestras emociones. Si sentimos ira, nuestra mente rápidamente hará la interpretación acerca de lo que originó la ira. Nuestra justificación simplificada podría ser algo como, "Estoy enojado con el conductor que se me atravesó". La emoción de ira es real—existe, y la sentimos. Sin embargo, la razón o causa supuesta que le atribuimos a la ira, no necesariamente es verdadera o real.

La ira puede provenir de nuestro sistema de creencias, creencias asociadas sin relación con el tráfico, ira disparada por otros aspectos de nuestra vida esa semana, o emociones reprimidas de años atrás. También usted podría estar sintiendo emociones del campo colectivo que lo rodea. A veces las emociones que usted siente ni siquiera son suyas. Sólo por el hecho de que sienta las emociones, no significa que sean por lo que su mente dice que son. De hecho, lo que el sistema de creencias propone como causa de las emociones, habitualmente es erróneo. Es por eso que un inventario y el escepticismo son tan valiosos.

A otra persona se le atravesó un conductor esa mañana en el tráfico, tal vez el mismo conductor, pero no respondió como la misma emoción de ira. Puede ser que esta persona no haya sentido ninguna emoción desagradable en absoluto, o quizás hasta sintiera gratitud porque evitó un posible accidente. Dado que muchas de las emociones que sentimos provienen de nuestro sistema de creencias, sentimos las emociones que nosotros mismos creamos. Las emociones son reales, pero el significado y la causa que nuestra mente les asigna, son cuestionables.

Después de que usted haya vaciado su mente de falsas creencias y de creencias basadas en miedos, encontrará que existen otras emociones disponibles para usted. Esas otras emociones son en su mayoría aspectos del amor, a la vez proviniendo de su interior y presentes en el mundo que le rodea. A través de su crecimiento, el mismo mundo que usted aprendió a temer y reprimir a través del condicionamiento social, se convierte en un increíble mundo de experiencias para disfrutar y amar.

Capítulo 17

Viaje a la autenticidad: Vida auténtica en un nuevo sistema de creencias

Estamos en un viaje hacia lo que podríamos llamar "el ser auténtico", una perspectiva en la que las expresiones emocionales ya no surgen del sistema de creencias condicionadas, sino que son genuinas. Las emociones surgen naturalmente, en lugar de surgir desde la proyección de una burbuja de creencias, o desde las interpretaciones distorsionadas concebidas por nuestros "personajes" del ego. Al adoptar un nuevo sentido de identidad, sentimos, hablamos, actuamos, y reaccionamos con los demás de formas que nunca habíamos considerado antes. Nuestra paleta emocional y nuestras opciones se expanden cuando nos liberamos y salimos de los personajes arquetípicos con los que nos identificamos con anterioridad. En este capítulo, espero transmitir un sentido general de cómo es este nuevo mundo.

Cambiamos de formas inesperadas, y el conjunto de creencias de una persona guía y, a veces, impide el proceso; no existe un "cronograma" que funcione para todos. A medida que usted cambie sus burbujas de creencias, cambiará su perspectiva y la forma en la que su mente interpreta los eventos. Desde una vieja burbuja de creencias, la primera interpretación podría ser ofrecida por el personaje de la Víctima. Sin conciencia, usted creerá y actuará de acuerdo a esos pensamientos de la Víctima. Desde la perspectiva de observador, usted puede abstenerse de creer en esos pensamientos y considerar otros. Las opciones aparecen allí donde antes no había nada. Llega a ser posible brindar compasión allí donde antes las únicas rutinas automatizadas disponibles eran la crítica y el miedo.

Esto es parecido a aprender un nuevo idioma, excepto que se trata de un idioma emocional. Usted puede seguir hablando con las palabras de su lengua natal, pero el tono emocional y el significado son diferentes. Un viejo pensamiento como el de "Tomé el camino equivocado" podría haber tenido un tono de acusación y ridiculización, sugiriendo que usted cometió un error y, por lo tanto, es estúpido; y si es estúpido, entonces usted es un perdedor y no merece ser amado. Así, el pensamiento y las palabras estaban acompañadas de creencias implícitas y sentimientos de no merecimiento.

Estas mismas palabras tendrán una emoción diferente una vez que usted se desprenda de las perspectivas del Juez y la Víctima. Al manejar su automóvil usted podría olvidarse de girar y volver a pensar "Tomé el camino

255

equivocado", pero tomándoselo ahora a la ligera, y hasta riéndose de usted mismo y de su error. Incluso podría decir lo mismo con un sentido de amor y aceptación, ya que ahora usted tiene la claridad para saber que este acto fue de poca importancia en el gran esquema de su vida, y ciertamente no un momento que usted o alguien más usarán para medir lo que usted vale.

De cualquier forma, se requiere más que una semana y media para aprender una nueva forma de expresarse, así que sea paciente y acepte el lugar donde se encuentra. Usted está intentando dominar un lenguaje de emoción y significado completamente nuevo que, para hacer todo aún más desafiante, utiliza muchas de las mismas palabras de su viejo lenguaje.

Mientras tanto, aquí están algunos indicadores que lo ayudarán a identificar cómo van cambiando las cosas. Lo ayudarán a guiarse hacia unas expresiones y relaciones más amables, respetuosas y amorosas. Estos indicadores también están aquí para ayudarlo a disolver la resistencia con la que los personajes protestarán mientras usted desmantela sus creencias. Esas protestas se exhiben como miedo y dudas escondidos dentro de comentarios como "Esto es muy difícil"; "¿A dónde irá a parar todo esto?"; "Me suena como que no tendré ninguna personalidad después de hacer esto"; o "Sólo seré un autómata sin emociones".

Autenticidad

Mientras nuestra perspectiva va cambiando, las creencias condicionadas que creaban miedo y drama emocional se irán cayendo. Mientras nuestras creencias van cambiando, las falsas identidades del Juez, la Víctima, el Solucionador de Problemas, el Complaciente, y otros personajes también se irán cayendo, junto con sus interpretaciones habituales.

¿Cuál es, entonces, la perspectiva alterna que podemos adoptar, en oposición a estas identidades del ego? La perspectiva neutral del observador o testigo es un buen comienzo, pero ese no es el final del viaje. Convertirse en un observador de nuestra mente lleva al escepticismo acerca de nuestras creencias condicionadas y a la recuperación del poder personal. Esto es útil para desmantelar las creencias, pero está demasiado alejado del comprometerse con la vida y disfrutar de ella en una forma conectada. Necesitamos un punto de vista totalmente nuevo para avanzar y crear una nueva vida.

Expansión hacia una perspectiva auténtica

Nuestro ego tiende a percibir cada situación desde la perspectiva de *Yo* o *A mí*. A causa de esto, somos ciegos ante la posibilidad de cualquier otro punto de vista. Cuesta trabajo entender las percepciones de otros cuando estamos atascados en una estructura tan rígida, especialmente cuando hay mucha emoción anclada a ella.

Sin embargo, si podemos imaginar la vida de alguien más a través de *sus* ojos, nuestro punto de vista cambia y tenemos un nuevo entendimiento. Para ir más lejos, ¿qué pasaría si nos miráramos a *nosotros mismos* a través de los ojos de nuestros seres queridos, o incluso de nuestros enemigos? Este es un ejercicio increíblemente efectivo para acelerar el cambio. Nos saca de nuestra burbuja de creencias, y entonces hay espacio para algo fresco y nuevo. Éste es un ejercicio avanzado, que requiere de una gran habilidad sobre la atención de uno, así que a menudo no resulta efectivo para un principiante. A la larga, es una forma mucho más consciente de vivir en el mundo.

Ya sea que usted cambie su perspectiva para poder cambiar sus creencias, o que su perspectiva se haga más flexible porque usted *ha* cambiado sus creencias, el resultado es el mismo. La siguiente historia es un ejemplo de un cambio semejante.

Jeffrey luchó constantemente con su padre durante su adolescencia. Siempre estaban en desacuerdo. El padre de Jeffrey continuamente lo presionaba a sobresalir en la escuela y le restringía su elección de amigos. Si Jeffrey violaba las reglas de su papá, se producía una gran confrontación y Jeffrey era castigado, y más restricciones eran añadidas. Desesperado por escapar, Jeffrey se unió a la marina mercante cuando tenía sólo diecisiete años, y rara vez regresaba a casa de visita.

Décadas más tarde, Jeffrey asistió a un retiro de meditación, donde exploró las emociones reprimidas de ira que tenía hacia su padre. Eventualmente permitió que su perspectiva cambiara. Por primera vez, vio la relación a través de los ojos de su padre. Debajo de su ira controladora había un miedo extraordinario. A su padre le preocupaba que Jeffrey fracasara, cayera en la miseria, y tuviera una vida difícil. Debajo del miedo había un gran deseo de que Jeffrey fuera exitoso y feliz. Toda la presión y reglas estrictas provenían realmente de la preocupación por su bienestar. Él expresaba esto a través de ejercer el control, pero todo se originaba desde su preocupación.

Una vez que Jeffrey se dio cuenta de esto, fue capaz de percibir algo inesperado: amor. Su padre tenía las mejores intenciones y todas se originaban en un sentimiento de amor. Él quería que Jeffrey fuera exitoso y feliz. Pero sus miedos a que su hijo fracasara eran tan grandes, que su deseo se expresaba a través de reglas restrictivas, críticas, y enojo. De niño Jeffrey retrocedía ante el miedo y el aspecto controlador de la personalidad de su padre; esto lo cegaba a las capas de amor y preocupación que estaban por debajo.

El padre de Jeffrey estaba atrapado en las emociones y creencias que guiaban su comportamiento. No tenía conciencia de sí mismo, así que no podía percibir otras opciones.

Una vez que Jeffrey fue capaz de ver las cosas desde la perspectiva de su padre, toda su hostilidad y rebelión se evaporaron. Su padre no era el demonio que se había imaginado. La victimización y rebeldía justiciera que Jeffrey había sentido toda su vida, cesaron de existir cuando él expandió su perspectiva más allá de los confines de su propio sistema de creencias. Su ira se disolvió, junto con todas las creencias que la conducían. Su sentido de tener "la razón" acerca de su padre también se disolvió, así como el sentido de que su padre lo había "maltratado". Ya no necesitaba al Juez, ni tampoco sentirse la Víctima de su padre.

Mientras estas falsas identidades se iban cayendo, Jeffrey se volvió más compasivo, auténtico, y humilde. Esto sucedió no porque tratara de ser auténtico, sino simplemente porque dejó caer todas las falsas creencias que acarreaba. Todo sucedió naturalmente después de mirar la situación desde otra perspectiva.

Esta es una forma muy rápida de disolver las falsas creencias, pero no es necesariamente fácil. Nuestras propias creencias tienden a fijar nuestra perspectiva en las burbujas existentes. Así que, es mejor que usted comience con algo en lo que pueda tener éxito. Domine primero el adoptar la perspectiva del observador y construya escepticismo desde allí. Los métodos en este libro y en el curso de Autodominio en línea lo ayudarán a romper estas estructuras de creencias en un enfoque paso a paso. Si por casualidad, usted tiene experiencias transformadoras cómo la de Jeffrey, una que le permita ver las cosas desde el punto de vista de otras personas y dejar ir en un día décadas de lucha en una relación, agradézcalo. Si no sucede tan rápido, entonces siga dando los pasos necesarios para que, al menos, se disuelvan lentamente.

Después de esta experiencia, Jeffrey ya no describió la situación en términos de quien tenía la razón y quién no. Para Jeffrey, estas etiquetas eran parte del problema, al fijar ambas identidades en los personajes del Juez y la Víctima. Cada uno sentía que tenía la razón y que el otro estaba equivocado, en una relación donde ambos sufrían. En las relaciones auténticas de respeto y aceptación, nos abstenemos de estas perspectivas y de las explicaciones simplistas del Juez y la Víctima.

Humildad

Entonces, ¿cuál es nuestra identidad cuando nos deshacemos de estos arquetipos del ego? Nuestra naturaleza auténtica no puede ser reducida a un número finito de frases descriptivas. Es mucho más fácil identificar lo que no es, y eliminar esas partes. Lo que queda es la verdad de lo que somos.

En su nivel más básico, el ser auténtico es feliz y está en paz con el mundo. Muchas palabras podrían describirlo: genuino, pacífico, o auto-realizado. La etiqueta no es lo importante, sino el estado de la emoción, la perspectiva, y la calma de la mente. Cuando usted elimina las falsas identidades que constituyen sus presumidos personajes del ego, un atributo que crece es la humildad, una suerte de imagen del no-yo.

Los personajes tienen una larga lista de intenciones cuando nos definen con palabras. Su mente se preguntará cuál es el punto de vista "correcto" o del "ser auténtico" que debería tener. Se trata del Héroe preguntándose en que debería transformarse para conseguir la aprobación, aceptación, y los elogios condicionados. No caiga en su trampa. Nuestro ser auténtico no necesita definirse ni etiquetarse.

A medida que usted viaja hacia su ser auténtico, su comprensión de la humildad se profundiza también. Usted vive con una integridad emocional central que está hecha de emociones naturales y que estabiliza su atención. Su atención ya no está enganchada con las imágenes o conceptos que su mente proyecta, ni su sentido del amor, del respeto, y de la aceptación por usted mismo u otros, se altera tan fácilmente con las opiniones de los demás. Dicho sencillamente, su mente está mucho más callada, y su experiencia tiene mucho menos reacciones emocionales porque sus personajes presumidos ya no están allí para controlar su atención. *Humildad* es una buena palabra para describir este estado de perspectiva.

La humildad no es algo que usted adquiere o logra. Es lo que queda después de eliminar las capas del ego, las falsas identidades, y las falsas creencias.

Humildad y poder personal

La humildad no es algo que usted adquiere o logra. Es lo que queda después de eliminar las capas del ego, las falsas identidades, y las falsas creencias. La humildad es como la nieve: indescriptible hasta que usted la ha experimentado. Una vez que ha visto y sentido la nieve, las palabras descriptivas tienen sentido—*fría, húmeda, blanca*, incluso *hermosa*. Pero hasta que esto sucede, las palabras sólo sirven como una construcción en la mente; una aproximación cercana, quizás, pero no la verdad. La experiencia directa es la única forma de tener una comprensión verdadera. Hasta entonces, las palabras están vacías de significado.

La humildad es a menudo asociada con la timidez, el retraimiento, o la sumisión, cualidades que a menudo vemos como negativas. Pero la verdadera humildad no es ninguna de estas cosas. Una persona humilde muy posiblemente sea callada y escuche a otros, pero eso no es un indicador de la magnitud de su poder personal o de su fuerza. Cuando hemos depositado mucho de nuestro poder personal de fe en los personajes del ego y en las falsas creencias, podemos generar mucho drama emocional, pensamientos negativos, opiniones, estrés, ira, frustración, y juicios críticos. Esto representa una gran cantidad de energía. Imagínese teniendo todo ese poder y dirigirlo conscientemente hacia intenciones genuinas.

Cuando los personajes del ego ya no están controlando su atención, usted tiene el poder de ser un mejor y más paciente oyente. Nuestra energía y atención no están siendo usadas por falsos personajes, y no nos sentimos obligados a proyectar nuestras opiniones e ideas. La persona humilde no se considera mejor que nadie, y tampoco se considera menos que los demás. No gasta energía comparándose con otras personas, o comparando a otras personas entre sí. Todas estas actitudes y comportamientos están ausentes en el estado de humildad. Quizás la humildad es difícil de describir porque, de alguna forma, es una ausencia de cosas. Es, en verdad, la ausencia de los personajes del ego, sus creencias, y sus expresiones corruptas.

Mahatma Gandhi fue un hombre humilde. Debido a que muy poco de su fe estaba depositada en falsas autoimágenes, juicios, o comparaciones personales, él tenía una cantidad asombrosa de poder personal para dedicar a sus acciones. Una persona humilde tiene un extraordinario poder personal a su disposición, porque el ego no lo está desperdiciando. Dado que una persona humilde no gasta su poder personal en conseguir que otros presten atención a su *Yo* y su *A mí*, son más capaces para concretar lo que se proponen hacer y para servir a otros.

Nelson Mandela es un ejemplo más contemporáneo del poder que posee una persona con humildad. Su comportamiento demostró que uno no necesita creer en la propia grandeza, para lograr grandes cosas. Para conseguir cosas, usted debe tener fe en sus acciones en lugar de su autoimagen. Cuánto más poder de fe deposite una persona en crear o mantener su autoimagen, incluyendo las preocupaciones acerca de lo que piensan los demás, menos fe y atención enfocará en sus acciones. Cuando usted deje de gastar energía, preocupado por tener razón o por no aparecer como equivocado, tendrá mucho más poder personal para hacer lo correcto.

En el muy exitoso libro *Good to Great (Empresas que sobresalen)*, el autor Jim Collins describe el crecimiento acelerado de varias compañías extraordinarias. Él descubrió que el denominador común que tenían esas compañías era un líder poderoso. Lo que era sorprendente, sin embargo, es que estos líderes no tenían el tipo carismático que uno esperaría; más bien, eran callados y de voz suave, gente que preguntaba y escuchaba más de lo que hablaba. Usted seguramente nunca escuchó los nombres de estos altos directores ejecutivos, pero, sin embargo, están históricamente entre los mejores. Se rodearon de gente talentosa, extrajeron sus mejores ideas, y permanecieron fieles a su nivel de integridad personal. Ellos mantuvieron una fuerza personal y una intención inflexible, incluso en tiempos difíciles. Esto sólo lo puede lograr una persona con un alto grado de auto-conciencia. Jim Collins describe a estos individuos como líderes de Nivel 5.

Aunque también encontró a las personalidades carismáticas y visionarias que a menudo estereotipamos como "líderes", a éstas las clasificó como de Nivel 4 porque su éxito no era sustancial o sostenido. A menudo, después de alcanzar cierto nivel de éxito, la compañía vacilaba cuando el Director Ejecutivo comenzaba a pensar que sus ideas eran infalibles. O cuando se enamoraba de los beneficios del éxito y descuidaba la compañía. Este es el camino en donde el ego dirige la atención de la persona, y las ilusiones de sus burbujas de creencias interfieren con el funcionamiento eficaz de la compañía y la percepción precisa del mercado.

Cuando usted deje de gastar energía, preocupado por tener razón o por no aparecer como equivocado, tendrá mucho más poder personal para hacer lo correcto.

El enemigo próximo de la humildad

Uno de los obstáculos con los que nos enfrentamos mientras nos despojamos de nuestro ego, es nuestro intento de ser humildes. Esto es un dilema. Podemos tener un concepto de lo que significa ser humildes, pero cuando tratamos de vivir a la altura de éste, nos volvemos inauténticos. No estamos siendo lo que genuinamente somos. La humildad se expresa en acción; no es un estado a alcanzar. Esto no significa que no debemos esforzarnos, pero ayuda ser conscientes de que nuestro ego intentará usar esta meta para sus propias prioridades.

A menudo nuestra mente crea una imagen de lo que una persona humilde *debería* ser. Nuestro Héroe intenta proyectar esa imagen y realiza las acciones necesarias para conseguirlo. El personaje del Juez entonces usa esa imagen como base de comparación y busca las situaciones en las que estamos fallando. Nuestra Víctima, para ser suficientemente humilde, acepta la crítica del Juez por nuestro fracaso. A la inversa, el Juez podría señalar lo que estamos haciendo bien y decirnos lo maravilloso que somos—"Oh, mira qué humilde que soy"—lo que entonces dispara el juicio acerca de lo arrogante que somos por pensar que fuimos lo suficientemente humildes. Nuestra imagen mental del yo humilde puede engañarnos y hacernos pensar que ya nos hemos transformado, pero el sólo tener esa imagen de humildad no cambia inmediatamente todos nuestros pensamientos, emociones, y comportamientos.

Cuando se trata de la humildad, usted no puede "fingir hasta que lo consiga". Sin embargo, puede practicar y hacer todo lo posible. Simplemente observe donde se encuentra en el proceso. Observe sus creencias y los personajes detrás de ellas y sólo reconózcalos. Le resultará más útil ser brutalmente honesto, y hacer una evaluación con una clara visión de lo que realmente está allí. A medida que usted avanza y retrocede con los personajes de su ego, ser amablemente honesto acerca de su progreso y sus retrocesos, es ser auténtico.

La autenticidad no es un estado permanente. En cada etapa del camino, usted puede expresar una auténtica honestidad. La autenticidad cambia a medida que usted disuelve las falsas creencias y su conciencia crece. Conforme usted reconoce que esta colección de creencias no es de ningún modo realmente usted, dará un paso más hacia el amor, la auto-aceptación, y la humildad. Esta conciencia crecerá con el tiempo y la práctica. Con cada paso del cambio, el ser genuino se desarrolla y se hace más fuerte.

Respaldándonos en la humildad

En realidad, no tenemos que aprender a ser humildes. Sólo tenemos que ser conscientes de las distintas formas en las que somos falsos y dejar de hacerlo.

Los niños son generalmente humildes por naturaleza. Tienden a ser amables, respetuosos, y a amar mucho. También hacen muchas preguntas ya que su curiosidad es fuerte, y exploran activamente lo que no conocen. Ellos no han desarrollado aún el miedo a revelar cuánto es lo que no saben. Sin embargo, también son ingenuos e inocentes. No son conscientes de que creer en lo que les dicen tiene consecuencias, o de que no todos los pensamientos que pasan por su cabeza son verdaderos. Tampoco son conscientes de su sistema de creencias, del poder de su fe, de cómo su mente sueña e imagina su propia realidad, o del poder que tienen para crear sus propias emociones. Sin intención consciente, al crecer, aprenden a creer de sí mismos que son ganadores o perdedores, correctos o incorrectos. Aprenden a través de los años a compararse con otros y a evaluarse a sí mismos como mejores o peores que algún otro.

Hacemos todo esto mientras maduramos, sin ninguna conciencia de lo que hacemos. En el proceso, aprendemos a creer en falsas autoimágenes, historias de victimización, y juicios críticos. Depositamos nuestra fe en estas opiniones por años, hasta que nos volvemos expertos en la creación de creencias y en reaccionar emocionalmente a ellas, aun cuando no sean ciertas. Más tarde, si elegimos ser felices disolviendo nuestras creencias basadas en miedos y creencias limitantes, debemos desaprender estos roles automatizados.

Cuando empezamos a reconocer a los personajes que están en nuestra mente, nos volvemos conscientes de nosotros mismos y practicamos el ser felices de nuevo. Como adultos, ya no somos ingenuos como los niños; comprendemos el poder de nuestra imaginación y de nuestra fe. Sabemos que incluso las falsas ideas pueden parecer verdaderas, si depositamos suficiente fe en ellas. Una vez que llegamos a estar más atentos y recuperamos nuestra fe, nos volvemos más poderosos, humildes, felices, y sabios.

Con esta recuperación de la fe, tenemos el poder de amar y aceptar, aun cuando las historias de críticas y victimización nos tienten a hacer otra cosa. Podemos amar con la aceptación incondicional de un niño, pero sin ese grado de inocencia. Somos conscientes de que las historias en la mente intentarán cambiar nuestra perspectiva y atrapar nuestra atención. Un niño a menudo vive en una burbuja protectora de seguridad bajo el cuidado de sus padres. Como adultos, ya no somos tan ingenuos. Podemos ver que el mundo está lleno de caos, drama emocional, injusticia, y peligro físico. Sin embargo, una vez que hemos ampliado la conciencia, no tenemos que sucumbir a las opiniones y explicaciones simplificadas que el Juez y la Víctima nos ofrecen acerca del mundo. Así como Jeffrey hizo con su papá, podemos ver más allá de estas capas de niebla emocional y percibir el amor y la preocupación que están por debajo.

Liberar su mente de las falsas identidades y ganar control sobre su atención no es fácil. Los comentarios que nos hacemos a nosotros mismos tales como "Ya debería haber resuelto esto" o "Soy mejor que esto", son líneas de diálogo interno que apuntan a una creencia utilizada por el Juez y la Víctima para interrumpir su felicidad. Cuando la expectativa de una autoimagen positiva no se cumple, esto sólo puede conducir a una historia de que usted "fracasó". Al desmantelar las creencias de que usted es o "menos que" o "más que" algún ideal imaginario u otra gente, estará desmantelando su ego, y, en el proceso, la humildad sucederá por sí misma.

Otra reacción común es, "Esto es muy difícil. Nunca lo lograré". La identidad de la Víctima es central en todas estas interpretaciones, junto con algún tipo de personalidad de Adivino que pretende saber lo que pasará en el futuro y lo que es posible. La Víctima es totalmente pesimista y, sin embargo, ¡está totalmente segura de que el futuro puede conocerse! Esta es una incongruencia donde usted puede aplicar una porción de escepticismo.

Al mismo tiempo, podemos reconocer que cambiar las creencias es difícil, así como aprender a caminar fue difícil. Cada vez que nos parábamos, íbamos en contra del flujo de la gravedad. Sin embargo, seguir gateando era mucho más difícil que aprender a caminar. De forma similar, aunque vamos en contra del flujo de nuestros propios pensamientos y emociones cuando desafiamos nuestras creencias, es mucho más difícil continuar viviendo en el flujo de las emociones del Juez y de la Víctima.

Las emociones de la humildad

El Juez puede ser caracterizado por una actitud emocional de rectitud, indignación, o superioridad moral. La Víctima personifica sentimientos de miedo, no merecimiento, impotencia, e inferioridad.

Por el contrario, si tuviéramos que elegir una emoción o actitud que caracterice mejor la humildad, esta sería la *gratitud*. Por supuesto que hay otras, como el respeto, la compasión, y la tranquilidad, pero la gratitud es la emoción central. La gratitud es el desarrollar un aprecio por lo que actualmente usted tiene, en lugar de sentirse con derecho a algo, con el deseo de tener más, con miedo a no tener lo suficiente, o con un sentido de autoridad y de dominio sobre otros. Estos son sentimientos conflictivos que nos llevan de un drama emocional al opuesto. La Princesa se siente con derecho a algo, mientras que la Víctima mantiene la creencia opuesta: "No merezco lo que tengo". Ninguno de estos dos puntos de vista es correcto. Desde la actitud del ser auténtico, simplemente apreciamos lo que está presente en este momento.

La gratitud es una emoción que nos es fácil generar cuando nos damos cuenta de la realidad de lo que tenemos, no en comparación con lo que los demás tienen, sino con la perspectiva de que es asombroso que tengamos algo. Llegamos a este mundo desnudos, sin nada, y nos iremos sin nada. Todo lo que tenemos en el medio se puede considerar como un extra. La galaxia es en gran parte fría, oscura, y también en gran parte desprovista de vida, y, sin embargo, en este pequeño lugar del planeta donde usted se encuentra leyendo este libro, puede estar confortablemente al abrigo. Cuando usted considera la cantidad de células y órganos en su cuerpo que deben trabajar juntos tan sólo para respirar, es extraordinario que el cuerpo lo haga sin más. Aunque usted solamente trate de entender la inteligencia del cuerpo humano cuando inhala y exhala, se enfrenta a un milagro incomprensible en cada respiración.

Usted puede mirar algo como la respiración como un milagro que pasa en cada momento o puede darla por sentado. Lo primero lo lleva a un sentido de admiración y gratitud por cualquier nivel de salud que usted mantenga en su cuerpo, y por su capacidad de percibir. El segundo lo lleva a esperar que la respiración esté allí y a ignorarla, mientras funcione apropiadamente. Esta expectativa instala un sentido de tener derecho a la salud y al funcionamiento de su ser. Si en algún momento la vida real no coincide con sus expectativas, es probable que se sienta traicionado o victimizado por su falta de salud. Los sentimientos con los que usted termina, dependen de la perspectiva y las expectativas con las que comienza.

Con una perspectiva de humildad, no damos por sentada la salud o el funcionamiento de cualquier parte de nuestro cuerpo. Somos conscientes de que los sistemas complejos no tienen por qué funcionar sin problemas, tal y como lo hacen. Esta perspectiva nos permite mantener una especie de asombro y admiración infantil, aun si tenemos un Doctorado en Biología.

El sentido de tener derecho a algo, generalmente va de la mano con la reacción de la Víctima cuando la realidad no cumple con sus expectativas. Por otro lado, cuando no damos las cosas por sentado, o tenemos pocas expectativas, un sentimiento de gratitud puede ser evocado por algo tan simple como la respiración, tomar una taza de té, o comer una naranja. Esto es lo que sucede cuando nos despojamos de las autoimágenes de las expectativas del ego.

Los sentimientos con los que usted termina, dependen de la perspectiva y las expectativas con las que comienza.

Perspectivas de la autenticidad

La autenticidad no implica el adoptar una única perspectiva. Una perspectiva fija y singular etiquetada "yo", es una construcción del ego. Cuando somos auténticos, tenemos la flexibilidad de adoptar múltiples perspectivas: la nuestra y, como Jeffrey, las perspectivas de otras personas. Nuestra conciencia se expande más allá de las limitaciones de cualquier sistema de creencias individual. Este es el proceso de hacernos conscientes y sabios.

Naturalmente, la parte racional de nuestra mente se sentirá confundida por esto. Múltiples perspectivas generan múltiples interpretaciones. ¿Cuál elegir? Cada perspectiva parece correcta dentro de su propia burbuja de creencias. Si bien puede ser confuso inicialmente, al menos ahora estamos libres de elegir. Podemos elegir o rechazar las interpretaciones que la mente ofrece, en lugar de utilizar por reflejo automático las que aprendimos de otros a través de los años, o a través de la socialización.

El ego presumido tenderá a resistir el enfoque flexible. Protestará con declaraciones como, "Pero me siento como si no fuera yo", o "Eso parece tan indefinido". El ego está buscando una versión fija del ser que pueda ser definida con palabras o una imagen, y mantenernos allí. Una vez que la identidad es definida, la intención del ego aumenta con el miedo al cambio y la necesidad de ser proyectado y defendido. Se apega a su definición, a pesar del hecho de que el significado de las palabras puede cambiar, y que la imaginación, en sí misma, no es un lugar muy sólido. Si somos honestos, reconocemos que no somos las personas que fuimos en nuestra juventud, o siquiera la persona que fuimos el año pasado. Dado que estamos constantemente en un proceso de cambio, ser auténticos y honestos con nosotros mismos, no significa necesariamente permanecer estáticos.

Como ya hemos visto, un paso hacia la autenticidad es el adoptar las perspectivas de otros, aunque más no sea para practicar flexibilidad en nuestro punto de vista y desarrollar una mayor conciencia. Esto no significa que necesitemos depositar fe en las creencias de otras personas, sino que obtengamos una mayor comprensión a partir de una mirada dentro de sus experiencias, y esto sólo puede incrementar nuestro proceso de cambio. Esta práctica expande nuestra perspectiva, nuestra conciencia, y nuestra comprensión del mundo. Si encontramos benéficas las perspectivas y creencias de alguien más, podemos adoptarlas—al menos por un tiempo, mientras encontramos mejores versiones.

Le resultará inmensamente liberador descubrir que su sistema de creencias personal es muy arbitrario y, en su mayor parte, no verdadero. Usted también puede darse cuenta de que las creencias personales tienden a dividir y enfrentar a humanos contra humanos y que se encuentran en el centro de los conflictos en la humanidad. Los sistemas de creencias entran en conflicto y arrastran a los seres humanos. Esto les sucedió a Jeffrey y a su padre, y a las otras personas cuyos ejemplos se describen en este libro. Lo mismo sucede a escala colectiva entre partidos políticos, religiones, culturas, y naciones en formas más grandes y destructivas. Al disolver su sistema de creencias y desarrollar la habilidad de percibir desde múltiples puntos de vista, sus conflictos con otras personas se disolverán. Es posible que usted siga sin estar de acuerdo con ellas, pero tendrá la sabiduría de abstenerse de faltar el respeto a sus creencias o discutir con ellas. Parte de ser más conscientes y sabios, es reconocer que usted no eligió las creencias con las que creció, y ellos tampoco.

Las creencias auténticas y la verdad de la vida

Así que, cuando usted es auténtico, ¿en qué cree? La respuesta es simple: no cree en mucho—al menos, no mucho en términos de conceptos e ideas. La mente hace modelos mentales del mundo con sus conceptos. Los modelos mentales son útiles para entender y comunicar, pero no son el mundo real. Cuando usted es consciente de que los conceptos en la mente no son el mundo real, no deposita mucha fe en ellos.

Los personajes del ego creen en ilusiones. El Juez y otros personajes dirían que creen en la verdad, pero su "verdad" es sólo verdadera dentro de la burbuja de creencias del personaje. Esas "verdades" no son a menudo más que opiniones firmemente sostenidas. Dentro de cien años, mucho de nuestros llamados conocimientos científicos, habrán sufrido muchas revisiones. La verdad genuina de la vida en el macrocosmos, en el mundo sub-atómico, y a través del tiempo, es más vasta de lo que podemos imaginar.

Los personajes de nuestro sistema de creencias están muy preocupados por creer en algo. Necesitan conceptos para depositar su fe en ellos y así continuar viviendo en sus burbujas de creencias. Sin el ego de los personajes, no sentimos tal necesidad. Estamos más interesados en disfrutar de la vida y sentirnos vivos. Buscamos experiencias iluminadoras y el disfrutar de emociones como el amor, la gratitud, la compasión, y el respeto.

La plenitud de sentirnos vivos y estar presentes en el momento, no se puede capturar en palabras y ser explicada en una página. El lenguaje, los pensamientos, y las palabras son simbólicos y en gran medida, vacíos. Trate de describir a una persona ciega cómo la luz solar se dispersa en el cielo para formar un arco iris, o explicar a una persona sorda la forma en la que una sinfonía convierte las notas individuales en una experiencia emocional. La mente no puede poner en palabras precisas los sentimientos que usted siente en esos momentos en que percibe directamente la belleza y el amor.

Las palabras y los conceptos son herramientas convenientes para comunicarse acerca de la vida real y entendernos unos a otros. Sin embargo, como ideologías y filosofías de la vida tienen menos valor. Depositar fe en los conceptos sólo los hace más poderosos. Sin conciencia, esos conceptos, opiniones, y creencias, tales como "correcto" e "incorrecto", han tenido poder sobre nosotros y gobernado nuestras emociones. Cuando somos concientes y sabios, recuperamos el dominio sobre nuestros conceptos y la fe que depositamos en ellos.

Una persona auténtica no tiene que creer en conceptos o ideas, pero los utilizará para comunicarse. Las ideas que son verdaderas no necesitarán la fe de nadie para poder mantenerse en pie. Eso deja a la persona auténtica libre para depositar su fe en sí misma, en lugar de en sus pensamientos, opiniones, juicios, o ideologías. Cuando usted no está gastando su poder personal de fe en conceptos, opiniones, y juicios, tiene mucho más poder para amar, ser amable y compasivo, y para crear su vida como lo decida. Esta expresión incondicional de amor por usted mismo, por otros, y por el mundo, ayuda a crear una vida de felicidad y a sentirse completamente vivo.

Gary van Warmerdam

Acerca del Autor

Gary van Warmerdam es el creador de PathwayToHappiness.com, un sitio interactivo con lecciones para cambiar las creencias que generan pensamientos, emociones, y comportamientos negativos. En 1994, debido a su propia infelicidad con el trabajo y al drama emocional en sus relaciones, Gary se sintió motivado para estudiar cómo sus creencias afectaban sus emociones y su toma de decisiones. Estudió extensamente con el Dr. Miguel Ruiz, autor del libro *Los Cuatro Acuerdos* (un favorito de Oprah Winfrey) y de otros libros muy exitosos. Gary se dio cuenta de que con un enfoque adecuado podía conseguir un mayor control sobre su mente y emociones. Con la práctica, desarrolló el poder y libertad para elegir la paz y la felicidad que estaba buscando.

Formado como ingeniero y con una gran experiencia como tal, Gary aporta un enfoque de sentido común para cambiar creencias y emociones, lograr una atención plena, y vivir con mayor felicidad. Desde 2001 Gary ha impartido conferencias, conducido retiros y entrenado a clientes individuales para que puedan vivir vidas más felices. Sus métodos no se limitan a una filosofía o enfoque en particular, sino que están basados en una observación cuidadosa y en obtener resultados prácticos. Cuando no está ayudando a otros a ser felices usted puede ver a Gary con su esposa Lisa disfrutando de las playas, o yendo de excursión a las colinas en Santa Barbara, California.

Usted puede explorar más del trabajo de Gary en su sitio www.PathwayToHappiness.com donde encontrará un extenso material gratuito y cursos en línea para cambiar las creencias, las emociones, y crear mejores relaciones.

Made in the USA
Middletown, DE
27 August 2021